らくらく
一発合格

ひとりで学べる
調理師
試験

監修　法月 光

ナツメ社

はじめに

　飲食店や宿泊施設、教育施設、医療や福祉施設、あるいは中食関連施設など調理師の職場は多岐にわたり、これら多様化する食産業に従事する調理師には、それぞれの目的に添った幅広い技術と知識が求められています。皆さんには知識と技術を兼ね備えた調理師となり、国民の健康増進に寄与していただきたいと思います。

　本書は、調理師試験の各科目について、わかりやすく解説したもので、2016年度からの調理師試験基準に準拠して「公衆衛生学」「食品学」「栄養学」「食品衛生学」「調理理論」「食文化概論」の６つに分け、それぞれに調理師養成施設ガイドラインの教育内容、また最近の国家試験の出題傾向等に沿った編集をしています。

　なお、調理師国家試験各科目の出題割合の標準は、「公衆衛生学」が出題数の15％、「食品学」10％、「栄養学」15％、「食品衛生学」25％、「調理理論」30％、「食文化概論」5％となっています（都道府県により多少の違いや変更の可能性があります）。

　本書が調理師を目指す皆さんにとって、夢をかなえるための手助けとなることを願っています。

監修者

*新調理師試験基準では、問題作成にあたり「調理師養成施設卒業者と調理師試験合格者との間で知識の差が生じないよう、調理師試験基準を養成施設のカリキュラムと整合性が取れたものにする」とされています。

本書の使い方

　本書は、調理師試験に必要な知識について、理解を深めるねらいから、視覚的にも覚えられるように、図やイラストをふんだんに使ってわかりやすく解説しています。

　本書を利用して、試験に万全の備えをしてください。

 ## 【本書の構成と利用方法】

本書の構成	利用方法

章…6つの分野で構成

〈公衆衛生学〉
〈食品学〉
〈栄養学〉
〈食品衛生学〉
〈調理理論〉
〈食文化概論〉

> 各章の扉に、その章で学ぶことを、コンパクトにまとめてあります。何を学ぶかを心得て、本文に進みましょう。

―― 節…章はいくつかの節で構成
―― リード
―― 出題のポイント
―― 本文
　　・イラスト
　　・図表
　　・POINT
　　・KEY WORD
　　・CHECK!
―― この節のまとめ

> ➡まずはリードで概要をつかみましょう。
> ➡出題のポイントは合格のポイントでもあります。頭にたたきこんでください。
> ➡本文は、補足の資料もたくさん使っており、試験直前の復習や内容整理にも便利です。
> ➡この節のまとめで、学習したことの確認をしましょう。

―― 一問一答式問題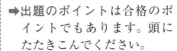

> 3つの□がありますので、3回正解できるように学習しましょう。

も く じ

✕ *Chapter 2* 食品学　　　　　　　　　　　　　　63

✕ *Chapter 3* 栄養学　　　　　　　　　　　　　　93

Chapter 4 食品衛生学 　129

調理師試験受験ガイド

1 調理師免許と調理師試験

　調理師の免許を取得するためには、❶都道府県知事が指定する調理師養成施設を修了する方法、❷調理師試験に合格する方法の2通りがあります。

　❶のコースの場合は無試験で調理師免許を取得できます（ただし、都道府県知事が指定した施設でない場合は、卒業しても資格は与えられないので注意）が、ここでは❷の調理師試験について説明します。

　調理師試験は、厚生労働大臣の定めた基準によって、各都道府県知事が実施するものです。受験資格がある人なら全国どこででも受験することができ、取得した免許は全国で通用します。

　調理師試験は、各都道府県ごとに年1～2回実施されていますが、実施時期は自治体によって異なりますので注意してください。詳しいことは各都道府県の衛生主管部（局）に問い合わせて確認しましょう。

2 受験資格と受験手続き

　調理師試験の受験資格は、以下のとおりです。

❶　**中学校を卒業した者**
❷　**中学校と同段階の学校**〔中等教育学校（6年間の中高一貫教育学校）の前期課程、もしくは特別支援学校の中等部〕**を修了した者**
❸　**外国において日本人学校や学校教育における9年の課程を修了した者**
❹　**各種学校として認可されている外国人学校の中等部を修了した者**
　以上❶～❹のいずれかの資格を満たしたうえで、次の施設で2年以上、調理業務に従事した経験があること

● **寄宿舎、学校、病院などの給食施設**
● **飲食店営業**（旅館や簡易宿泊所も含む）
● **魚介類販売業**
● **そうざい製造業**

　ただし、雇用形態がパートまたはアルバイトの場合、原則として週当たり4日以上かつ24時間（週4日×1日6時間、週6日×1日4時間、週5

日×1日5時間等）以上の勤務が必要です。また、接客業務、菓子製造など調理の実務に従事していない者には受験資格はありません。

　受験手続きは、まず必要な書類を保健所や県庁などから受け取って記入し、それを都道府県庁（多くの場合は最寄りの保健所）に提出するという形で行います。

　提出する書類は以下のとおりです。ただし、都道府県によって提出書類の種類や様式が若干異なりますので、注意してください。

❶　受験願書　　　❷　履歴書
❸　調理業務従事証明書　　　❹　最終学校の卒業証明書
❺　写真（6カ月以内に撮影したもの）及び受験票
❻　戸籍抄本（結婚などによって氏名が変わった場合）または住民票

3 試験内容

試験科目は、以下のとおりです。
❶　**公衆衛生学**（公衆衛生や健康の概念、衛生統計、食生活と健康づくり、環境衛生、疾病予防、健康増進や食生活の向上に関する法規、調理師の業務と社会的役割、保健・医療・福祉の制度等）
❷　**食品学**（食品学概論、食品の特徴と性質、食品の加工と貯蔵、食品の流通、食品の表示等）
❸　**栄養学**（栄養学概論、栄養素の機能、栄養生理、ライフステージと栄養、病態と栄養等）
❹　**食品衛生学**（食品衛生学概論、食中毒、食品による感染症、食品と寄生虫、食品中の汚染物質、食品添加物、食品の腐敗、食品衛生関係法規、容器包装、食品衛生対策等）
❺　**調理理論**（調理概論、調理の種類と方法、調理操作、調理の熱源、調理と香り・味・色、調理と食品の成分変化、献立作成、集団調理、消毒・清掃、調理施設・設備、食事環境、接客サービス等）
❻　**食文化概論**（食文化の成り立ち、日本の食文化と料理、伝統料理・郷土料理、世界の食文化と料理、食料生産等）

　各科目の出題数は、年度によっても、また都道府県によっても違いがありますが、比較的ウェイトが大きいのは、公衆衛生学、食品衛生学、調理理論となっているようです。

　出題の形式は、客観式の四肢択一です。四肢択一とは、1つの設問に対

して４つの選択肢があり、適当と考えられる答えを１つのみ答える出題形式をいいます。その際、「正しいもの」を選ぶ場合と「誤っているもの」を選ぶ場合とがあるので、設問文を注意して読む必要があります。※ただし本書に掲載した問題は、理解が早まるように一問一答式にしました。

　合格のレベルは、各科目ともに正解率が60％以上というのが目安となっています。ただし、合計が基準点以上あっても、１科目でも平均点を著しく下回る科目があれば不合格となることもあるので注意してください。

４ 調理師免許の取得

　調理師試験に合格し、免許資格を得たら、自分の住んでいる都道府県の知事に対して免許申請をします。この申請手続きを行わないと調理師名簿に登録されないので、調理師とはいえないことになります。

　免許申請には以下の４つの書類と手数料が必要となります。

❶ **免許申請書**
❷ **合格証書**（または養成施設の卒業証書）
❸ **戸籍謄本または抄本**（戸籍の表示のある住民票でも可、また外国人の場合は外国人登録証）
❹ **医師の診断書**（麻薬、あへん、大麻、覚せい剤の中毒者であるかないかの診断書）

　ただし、調理師試験に合格して免許を受ける資格があって申請しても、以下の事由にあてはまる人は免許が受けられません。

▶ 調理業務上、食中毒その他衛生上の重大事故などを起こし、免許の取り消し処分を受けたときから１年を経過しない者

　免許申請がすみ、調理師名簿に次の事項が登録されると、晴れて調理師免許証が都道府県知事より交付されることになります。

❶ **登録番号、登録年月日**
❷ **本籍地都道府県名**（外国人は国籍）、**氏名、生年月日、性別**
❸ **免許取得資格の種別**（試験合格者か養成施設卒業者か）
❹ **免許取り消しに関する事項**
❺ **免許証の書き換え、再交付の理由と年月日**
❻ **登録を削除した場合、その理由と年月日**

Chapter 1

公衆衛生学

この章で学ぶこと

◆公衆衛生とは、健康の維持、増進を目的とした国・地方自治体などによる組織的な予防、改善活動であり、そのための科学的な技術や方法が公衆衛生学です。ここでは、その意義と内容について学びます。

◆公衆衛生行政は、一般衛生行政、学校保健行政、労働衛生行政、環境保全行政に分けられることと、そのしくみ、機構、活動内容について覚えましょう。

◆衛生統計には人口動態統計、人口静態統計（国勢調査）、疾病統計、栄養統計、食品衛生統計、医療統計などがあり、公衆衛生の重要な資料となることを理解し、計算式も覚えましょう。

◆環境衛生は、自然環境と人為的環境に分けられることを理解したうえで、その衛生対策、公害や環境破壊について学びます。

◆疾病予防の基本は感染症と生活習慣病です。人々の健康と命をあずかる調理師には、疾病予防の正確な知識や衛生への配慮が求められることを心得て、よく学習してください。

◆調理師法と調理師免許、調理師の社会的な役割、調理師と食育の関わりについても学びましょう。

◆その他、母子保健、学校保健、労働衛生についても、その意義や活動内容について十分に把握しましょう。

① 公衆衛生学とは

公衆衛生とは、健康の維持、増進のために個人のレベルでは解決できない問題について、国や地方自治体、地域社会が協力して改善しようとすることです。そのための科学的な技術や方法が公衆衛生学です。ここでは公衆衛生の意義と内容について学びます。

出題のポイント

🥄 公衆衛生は、健康の維持、増進を目的とした、国や地方自治体などによる組織的な予防、改善活動のことである。

🥄 公衆衛生の主な内容は、衛生行政、疾病予防、環境衛生、学校保健、保健衛生、労働衛生などである。

🥄 公衆衛生の国際機関としては、WHO（世界保健機関）、ILO（国際労働機関）などがある。

☕ 公衆衛生の意義 〜個人の健康は社会全体の健康から〜

●公衆衛生は公害、病気から私たちを守る

公害

国・地方自治体

❶ 公衆衛生と憲法第25条 国や自治体が組織的に健康を守る

半世紀前、アメリカ・イェール大学ウインスロウ教授は、「**公衆衛生**とは、地域社会の組織的な努力により**疾病**を予防し、寿命を延長し、肉体的・精神的健康と能率の増進を図る科学であり、技術である」と述べています。

また、わが国の憲法第25条も「すべて国民は**健康**で**文化的**な最低限度

の生活を営む権利を有する」「国は、すべての生活部面について、**社会福祉、社会保障及び公衆衛生**の向上及び増進に努めなければならない」と定めています。

　食中毒や**感染症**などへの対策、公害防止、食品衛生など、個人レベルではできない問題を国や**地方自治体**などが組織的に行うことが**公衆衛生**なのです。

❷ 健康の定義　　　心身の健康はすべての人間の権利

　では、健康とはどのようなものでしょう。

　WHO（世界保健機関）が定めた憲章は次のように定義しています。

❶　病気がないとか虚弱ではないとかではなく、**肉体的、精神的、社会的**に良好な状態をいう。

❷　最高の健康水準を享受することは、人種、政治的信条、経済状態などを問わず、すべての人間の基本的な**権利**である。

🍵 公衆衛生の内容　〜予防と改善が公衆衛生の目的〜

　公衆衛生の主な内容は、以下のとおりです。

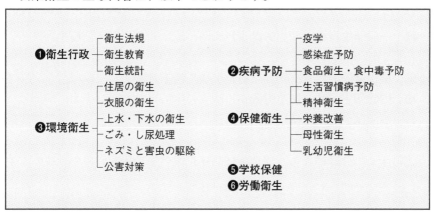

❶衛生行政 ─ 衛生法規 / 衛生教育 / 衛生統計
❸環境衛生 ─ 住居の衛生 / 衣服の衛生 / 上水・下水の衛生 / ごみ・し尿処理 / ネズミと害虫の駆除 / 公害対策
❷疾病予防 ─ 疫学 / 感染症予防 / 食品衛生・食中毒予防 / 生活習慣病予防
❹保健衛生 ─ 精神衛生 / 栄養改善 / 母性衛生 / 乳幼児衛生
❺学校保健
❻労働衛生

この節のまとめ

● 公衆衛生の目的は組織的に国民の健康を維持、増進すること。
● 公衆衛生の内容は、衛生行政、疾病予防、環境衛生、保健衛生、学校保健、労働衛生などである。

② 公衆衛生行政

　公衆衛生行政とは、国民の公衆衛生の向上を目的として、法令に基づいて国や地方自治体が行う活動をいいます。まず、その大きなしくみと、公衆衛生を進めていくうえで欠かせない衛生統計の種類について知っておきましょう。

> **出題のポイント**
>
> 🖊公衆衛生行政は、その対象から一般衛生行政、学校保健行政、労働衛生行政、環境保全行政に分けられる。
> 🖊保健所は、公衆衛生活動の中心機関として、地域住民の生活と健康増進に大きな役割を担っている。
> 🖊調理師は、人々の生命及び活力の源となる食に関わる重要な使命を担っている。

☕ わが国の公衆衛生行政 ～4つの分野で行政推進～

　❶　**一般衛生行政（厚生労働省）**家庭、地域社会の生活全般を対象とします。
　❷　**学校保健行政（文部科学省）**学校生活を対象とします。
　❸　**労働衛生行政（厚生労働省）**職場の生活を対象とします。
　❹　**環境保全行政（環境省）**生活環境の保全など社会全般の衛生を対象とします。

　この4つの分野のうち、調理師に関係が深いのは❶一般衛生行政の"栄養や調理、食品衛生に関する**公衆衛生行政**"になります。

　なお、行政機関のなかでも重要な役割を担っているのは、都道府県、政令で定められた市、特別区（23区）に設置されている保健所（地域保健法により設置）です。行政と専門機関、地域住民との関係を構築して食品や環境の衛生に取り組み、感染症や食中毒の予防、災害等の危機管理を行っています。そのため、一般国民の食生活と密接な関係にある調理師の仕事とも、強い関係をもっています。

●地域保健法に定められている保健所の業務内容

結核予防、母子保健、歯科衛生、栄養改善、食品衛生、保健師事業、医療社会事業、精神衛生、人口動態統計の窓口などがあります。

公衆衛生の意義と種類 ～客観的な資料が行政の推進力～

公衆衛生を推進していくためには客観的な資料が必要です。子どもが何人生まれたか、国民がどんな病気にかかり、どんな病気で死亡しているかなどの具体的な生活状態がわからなければ、実際に行政を進めていくこともできません。

そのための資料となるのが**衛生統計**です。そのうち人口動態統計は、出生、死亡、結婚など役所への届け出をもとに調査を行っており、最も重要な統計です。

●衛生統計の種類

❶ 人口統計（国勢調査・人口動態統計など）

❷ 疾病統計（国民生活基礎調査・患者調査・感染症発生動向調査・食中毒統計など）

❸ 医療統計（医療施設調査・受療行動調査など）

❹ 生活環境・栄養・保健活動（国民健康栄養調査・学校保健統計調査など）

●客観資料としての衛生統計

人口統計　疾病統計　栄養調査

その他

この節のまとめ

● 公衆衛生行政のなかでも調理師に関係が深いのは栄養や調理、食品衛生、衛生統計に関する一般衛生行政である。

● 保健所は都道府県、政令で定められた市、特別区（23区）で設置され、栄養改善や食品衛生に関する事項、母性及び乳幼児、高齢者保健に関する事項、衛生上の試験及び検査に関する事項などを行っている。

● 公衆衛生を推進するための資料となるのが衛生統計で、人口動態統計や疾病統計などがある。

③ 公衆衛生活動の指針

　高齢社会を迎えたわが国では、生活の質やその満足度を重視し、老後をポジティブに捉え生き生きとした人生を送ることの大切さが認識されています。ここでは健康水準の指針となるさまざまな統計値をみていきます。

出題のポイント

🖋 健康状態や健康に関係のあることがらについて調査し、具体的な対策を立てるための指針としてさまざまな衛生統計値が出される。

🖋 重要な衛生統計には人口動態統計、人口静態統計、生命表、疾病統計、国民生活基礎調査、栄養統計などがある。

☕ 人口指標でわかること ～健康水準を表す衛生統計～

❶ 人口動態統計　　　　　　　　出生、死亡、死産などを求める

人口動態統計でとくに知っておきたいものは次のとおりです。

❶ 出生率…人口1,000人に対する出生者数 $= \dfrac{1年間の出生者数}{その年の人口} \times 1{,}000$

❷ 死亡率…人口1,000人に対する死亡者数 $= \dfrac{1年間の死亡者数}{その年の人口} \times 1{,}000$

❸ 死産率…年間出産件数1,000件に対する死産者数（妊娠満12週以後の死産）

$$= \dfrac{1年間の死産数}{その年の出産数（出生＋死産）} \times 1{,}000$$

❹ 乳児死亡率…出生1,000人に対する1歳児未満の乳児の死亡者数

$$= \dfrac{1年間の乳児死亡数}{その年の出生数} \times 1{,}000$$

❺ 新生児死亡率…出生1,000人に対する生後4週未満の新生児死亡者数

$$= \dfrac{1年間の新生児死亡数}{その年の出生数} \times 1{,}000$$

❻ 死因別死亡率…人口10万人に対する死因別死亡数

$$= \dfrac{年間の死因別死亡数}{その年の人口（10月1日現在）} \times 100{,}000$$

❼ 周産期死亡率…出産1,000人に対する周産期死亡数

$$= \frac{\text{年間周産期死亡数（年間の妊娠満22週以降の死産数＋年間の早期新生児死亡数）}}{\text{年間出生数＋年間の妊娠満22週以降の死産数}} \times 1,000$$

❽ 死因別死亡率（％）…ある特定の死因による死亡数が全死亡数に占める割合

$$= \frac{\text{ある死因による死亡数}}{\text{全死亡数}} \times 100$$

● 死亡率（粗死亡率）

わが国では2023〈令和5〉年は13.0となっており、国際的に見ても低い水準です。ただ、1983年頃からは数値が緩やかに上昇しており、これは当時と比べて高齢者の割合が多くなっているためと考えられます。

● 乳児死亡率

わが国では1950年には60.1でしたが、2023〈令和5〉年には1.8となり、世界でも乳児死亡率の低い国となっています。

● 死因別死亡率

2023〈令和5〉年では、死亡総数に占める割合の1位が悪性新生物24.3％、2位心疾患（高血圧性を除く）14.7％、3位老衰12.1％、4位脳血管疾患6.6％、5位肺炎4.8％、6位誤嚥性肺炎3.8％、7位不慮の事故2.8％、8位新型コロナウイルス感染症となっています。老衰を除く上位3つの疾患は、多くの場合、栄養摂取の誤りや運動不足、喫煙などの生活習慣に起因するとされ、生活習慣病と呼ばれています。

● 出生率

近年は低下する一方となり、2023〈令和5〉年では6.0となっています。また、合計特殊出生率（1人の女性［15〜49歳］が一生の間に生む子どもの平均数）は1975年に2.00人を下回ってから2023〈令和5〉年には1.20と低下を続け、少子化という問題を生んでいます。人口が増加も減少もしない均衡した状態である日本の人口置換水準は2.07〜2.08といわれます。

❷ 人口静態統計（国勢調査）　老年人口指数などを求める

特定の一時点における人口集団の特徴を表しています。5年ごとの国勢調査により集計され、最新のデータは2020〈令和2〉年のものです。高齢化率・老年人口指数・従属人口指数などがあります。

●高齢化率

総人口に占める**65歳以上の割合**で、2023〈令和5〉年では29.1％となっています。総人口が減少するなかで高齢者が増加することにより高齢化率は上昇を続け、2065年には、約2.6人に1人が65歳以上になると推計されています。

●老年人口指数

老年人口（65歳以上の人口）を**生産年齢人口**（15～64歳の人口）で割った数字をいいます。2021〈令和3〉年の推計では48.6となっています。

●従属人口指数

生産年齢人口（15～64歳人口）が**年少人口**（15歳未満人口）と**老年人口**（65歳以上人口）をどれだけ扶養しているか示した指数。2030〈令和12〉年には72.2になると推計されます。

❸ 生命表　　　　　　　　　死亡率、平均余命などを求める

特定の年齢層・性別に対して、死亡率や平均余命を示す表です。

●平均寿命と平均余命

平均寿命とは、現在の死亡状況がこれからも変化しないと仮定した場合、今後出生する人が何年生きられるかという期待値を表します。「平均寿命」は0歳の**平均余命**ということです。2023〈令和5〉年は男性81.09年（世界5位）、女性87.14年（世界1位）となっており、新型コロナウイルス感染症による死亡者が減ったことで3年ぶりに平均寿命が延びました。

●健康寿命

健康寿命は、日常の生活動作を自分で行い、寝たきりでない**年齢期間**のことで、2000年にWHOが提唱しました。2019〈令和元〉年は男性が72.68歳、女性が75.38歳となっています。健康寿命が延びるということは**生活の質**（QOL）の向上だけでなく医療や介護の費用の削減につながることから、2019年に「健康寿命延伸プラン」を策定し、2040〈令和22〉年までに健康寿命を男女ともに75歳以上とすることを目指しています（男性75.14歳以上、女性77.79歳以上）。

疾病統計と栄養統計 ～さまざまな病気と栄養状態～

❶ 疾病統計と計算式　　正確な数字を知ることが予防の第一歩

●感染症・食中毒統計

感染症や食中毒が発生した場合、医師は直ち（24時間以内）に保健所へ届け出るよう義務付けられています。その集計によって全国的な統計が作成されます。

●疾病統計の計算式

疾病統計に用いられる主な計算式は次のとおりです。

❶ り患率…人口10万人に対するある特定疾患の患者数

$$= \frac{\text{年間の発生患者数}}{\text{人口}} \times 100,000$$

❷ 有病率…ある時点における人口1,000人に対する有病者数

$$= \frac{\text{その時点における患者数}}{\text{ある時点での人口}} \times 1,000$$

❸ 致命率…ある特定の疾病の患者100人に対する死亡者数

$$= \frac{\text{その疾病による死亡者数}}{\text{その疾病の患者数}} \times 100$$

❹ 有訴者率…病気やけがなどで自覚症状のある者をいい、人口1,000人に対する有訴者数の割合

$$\text{有訴者率} = \frac{\text{有訴者数}}{\text{世帯人員数}} \times 1,000$$

❷ 国民生活基礎調査　　　　国民生活を知る

この調査は、保健、医療、福祉、年金、所得等国民生活の基礎的事項を調査し、厚生労働行政の企画及び運営に必要な基礎資料を得ることを目的としています。3年ごとに大規模な調査を実施しています。

❸ 栄養統計　　国民の栄養状態や栄養摂取量を把握する

国民の栄養に関する統計のことをいい、代表的なものとしては、健康増進法に基づいて行われる国民健康・栄養調査があります。これは毎年、厚生労働大臣が定める時期に、全国的に実施されています。

この節のまとめ

● 人口動態統計では、出生率、死亡率、死産率、乳児死亡率、新生児死亡率、平均余命、平均寿命などを見ることができ、健康水準の指針となっている。
● 疾病統計では、り患率、有病率、致命率などを見ることができる。

21

④ 食と健康づくり

　食事は体づくりの基礎であり、日々活動するためのエネルギーとなるものです。しかし一方では、食べ過ぎやバランスの悪い食生活は、健康を害する要因となっています。今や若年層にまで拡大し、社会問題にもなっている生活習慣病について、食との関連から知っておきましょう。

出題のポイント

🖊健康増進のためのさまざまな取り組みがなされている。地域社会全体での健康増進の環境づくりの1つとして、調理師は健康的な食習慣づくりなどで重要な役割をもつ。

🖊メタボリックシンドロームは生活習慣病の発症・重症化の原因になりやすく、予防のために特定健康診査が導入されている。

ヘルスプロモーションとプライマリー・ヘルスケア~QOLの維持・向上~

　ヘルスプロモーションとは、「人々が自らの健康をコントロールし、改善できるようにするプロセス」と定義され、1986年オタワ憲章によりWHOから提唱されました。3つの基本戦略、5つの活動分野からなります。

　プライマリー・ヘルスケアとは、「医療従事者など専門職による一方的なサービスの提供ではなく、人々が自らの保健サービスを自主的に運営し、健康的な生活を実現する」という概念で、1978年アルマ・アタ宣言によりWHOから提唱されました。「すべての人々に健康を」を目標にして、4つの原則、8つの活動項目から構成されています。

●ヘルスプロモーションの概念

人々が自らの健康をコントロールし、改善できるようにするプロセス

●メタボリックシンドローム

　内臓脂肪蓄積（ウエスト周囲長：男性85cm以上、女性90cm以上）に加えて、次の①～③のうち2項目以上が該当した場合にメタボリックシンドロームと診断されます。

●メタボリックシンドロームの診断基準・・・・・・・・・・・・・・・・・・・・・・・・・・・・・・・・・・・

①血清脂質	トリグリセリド（TG）値　150mg/dl以上 HDLコレステロール値　40mg/dl未満のいずれか、または両方
②血圧	収縮期血圧　130mmHg以上 拡張期血圧　85mmHg以上　のいずれか、または両方
③血糖	空腹時血糖値　110mg/dl以上

●疾病と生活習慣・・

糖尿病	発症危険因子は肥満、食事（摂取カロリーとその内容）、運動量の不足など。慢性的に血糖値が高くなり、放置すると腎症や網膜症、神経障害などが起こる。
肥満症	カロリーの高い食事や、運動不足が原因となる。生活習慣病だけでなく、さまざまな病気の原因となる。
脂質異常症	・血液中のコレステロールや中性脂肪など、脂質の代謝に異常のある状態のこと。動脈硬化を進行させ、心筋梗塞、脳梗塞などの原因となる。 ・動物性脂肪の多い食品、コレステロールを多く含む食品、食べ過ぎによる慢性的なカロリー過多も原因の1つ。アルコールの飲み過ぎは中性脂肪を増やす。 ・善玉（HDL）コレステロールが減ってしまう原因として、運動不足、肥満、喫煙などが指摘されている。
高血圧症	肥満、運動不足などのほかに、塩分の摂りすぎで発症。高血圧になると、血管の負担が大きくなり動脈硬化が進む。狭心症や心不全、脳梗塞、認知症の原因になる。

●特定健康診査・・

　40〜74歳の保険加入者を対象として全国の市町村で行われる健康診断です。糖尿病や高尿酸血症などの生活習慣病の発症や重症化を予防することを目的として、メタボリックシンドロームに着目し、この該当者及び予備群を減少させるための**特定保健指導**を必要とする者を、的確に抽出するために行っています。

この節のまとめ

- ●ヘルスプロモーションとは、WHO（世界保健機関）によって提唱された健康維持、QOL向上のための活動、戦略である。
- ●わが国では、食生活の変化にともなって、生活習慣病にかかる人が増えている。

5 調理師法と調理師の役割

　調理師法は国民の食生活の向上を目的に、調理師の資格、資質向上、調理技術の発達などの調理師に必要な事項全般について定めています。調理師にとっての必須法規であり、免許の取り方から資質向上まで詳しくみます。

出題のポイント

🔖 調理師法には調理師の資格、調理従事者の資質向上、調理技術の合理的な発達、食生活の向上の４つの大切な目的がある。
🔖 調理師とは都道府県知事の免許を受けた者をいう。
🔖 免許を取得するには、指定調理師養成施設を卒業するか、２年以上の調理実務を経て調理師試験に合格するかの２つのコースがある。
🔖 調理技術向上のための国による専門技術に関する審査もある。

☕ 調理師法の目的 　〜食生活向上への４つの目的〜

❶ 調理師法の制定 　　　　全国共通の免許制度を実現

　調理師法は、1958年５月に公布され同11月から施行されています。それまで、都道府県条例により都道府県が独自に調理従事者の身分を制定していました。その後に全国的に統一した免許制度が求められ、現在の法制定に至りました。

●条例制定から法制定への移行

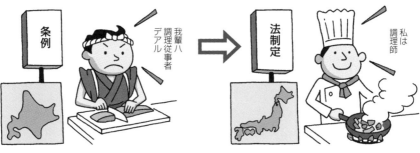

❷ 調理師法の目的　　近代的な調理の専門技術者として

●調理師法の4つの目的

① 調理師の資格を定める

② 調理技術の合理的発達

③ 調理従事者の資質の向上

④ 国民の食生活の向上

❸ 調理師の定義　　免許がないと「調理師」を名乗れない

　調理師とは、「調理師」の名称を用いて調理の業務に従事することができる者として、**都道府県知事の免許を受けた者**をいいます。調理師でない人が、調理師を称したり紛らわしい名称を用いたりすることも許されません（これを「**名称独占**」といいます）。ただし、免許がなくても調理業務につくことはできます。

●調理師を置く施設

　寄宿舎、学校、病院、会社などの食堂、あるいは営業を目的とする飲食店、魚介類販売業、そうざい製造業など多くの人のために**調理をする施設**では調理師を置くよう努めるべきである、と規定されています。

●調理師業務従事者届

　飲食店や給食施設などで調理業務に従事している調理師は、調理師法第5条の2に基づき、氏名・住所・その他厚生労働省で定める事項を、**2年ごとにその就業地の都道府県知事**または指定届出受理機関に届け出ることが義務付けられています。

調理師免許取得のための要件 ～免許はこうしてとる～

❶ 調理師免許の取得　　取得のための２つのコース

　調理師の免許を取得するためには、次の２つのコースがあります。いずれの場合も、**学校教育法**で規定する高等学校の入学資格を有している必要があります。つまり、中学校を卒業しているか、**文部科学省**が定める学校の中学部の課程を修了した者です。

❶　**都道府県知事の行う調理師試験に合格する**

　　この場合、前述の学歴と**厚生労働省令**により定められた施設または営業で２年以上調理に従事した経験が必要です。そのうえで、受験資格が与えられるのです。

❷　**都道府県知事の指定する調理師養成施設を修了する**

　　養成施設には前述の学歴があれば入学でき、１年以上、調理師として必要な知識や技能を身につけます。

●調理師免許取得の２つの方法

ここはよく熱するんだよ

はい

受験する　　学校へ通う

CHECK!

　受験資格に必要な調理実務　厚生労働省令で定める施設というのは、寄宿舎、学校、病院などの給食施設、また、営業は飲食店営業、魚介類販売業、そうざい製造業です。これらの施設において２年以上の調理に従事しなければなりません。
　なお、食事の運搬のみや皿洗い、飯炊きなどの従事では調理に従事しているとはみなされません。

❷ 免許が与えられない場合　資格があっても与えられず

調理師法に定められた**欠格事由**に該当する場合は、免許の取得資格があっても与えられなかったり、また交付後でも取り消されたりします。

●絶対的欠格事由

次の事由がある場合「**絶対的欠格事由**」として、調理師免許の取得資格があっても、免許は与えられません。

▶　調理業務上、**食中毒**その他衛生上重大な事故を発生させ、免許取消処分を受けた後1年を経過していない者

●相対的欠格事由

「相対的欠格事由」として、以下の者に対しては、免許を与えないことがあります。与えるのが適当かどうかは、個々の事例について担当医師の診断・意見などを参考にしながら**都道府県知事**が判断します。

❶　麻薬、あへん、大麻または覚せい剤の中毒者

❷　罰金以上の刑に処せられた者

●免許が取り消される場合

次に該当するようになった場合は、取得した免許を取り消されることがあります。

❶　麻薬、あへん、大麻または覚せい剤の中毒者

❷　罰金以上の刑に処せられた者

❸　その責任上から調理業務に関し、**食中毒**その他衛生上の重大事故を発生させた場合

取消処分にあたっては、あらかじめ本人に弁明と有利な証拠提出の機会が与えられます。

●絶対的欠格事由・相対的欠格事由・免許が取り消される場合

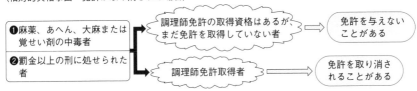

〈絶対的欠格事由〉

> 調理業務上、食中毒その他衛生上重大な事故を発生させ、免許取消処分を受けた後1年を経過していない者　⟹　調理師免許の取得資格があっても、免許は与えられない

〈相対的欠格事由・免許が取り消される場合〉

> ❶麻薬、あへん、大麻または覚せい剤の中毒者
> ❷罰金以上の刑に処せられた者
>
> 調理師免許の取得資格はあるが、まだ免許を取得していない者　⟹　免許を与えないことがある
>
> 調理師免許取得者　⟹　免許を取り消されることがある

27

調理師免許証の交付 〜「調理師」を名乗れるまで〜

❶ 免許の申請　　　名簿に登録されて交付となる

　調理師になるための2つのコース（調理師試験に合格するか、あるいは指定養成施設を修了する）を通ったというだけでは、免許資格を取得したというにすぎず、免許を与えられたということにはなりません。**免許申請手続き**を行い、**名簿**に登録され、**免許証**が交付されてはじめて「調理師」を名乗ることができるのです。

●申請手続き〈法施行令、法施行規則〉

　免許の申請は、**住所地の都道府県知事**に対して行います。そのとき必要な書類は、次の4つです。

❶　調理師免許申請書
❷　免許取得資格があることを証明する書類（調理師試験の合格証書か指定養成施設の卒業証明書）
❸　戸籍謄本または抄本、もしくは住民票
❹　麻薬、あへん、大麻、覚せい剤の中毒者ではないことに関する医師の診断書（ふつうの健康診断書では不可）

●免許証の交付

　免許を申請すると、書類に間違いがなければ知事は都道府県に備えられている**調理師名簿**に免許に関する事項を登録します。これが「免許」を与えるということです。そして免許を与えたときは免許証を交付します。

●免許証交付までの手続き

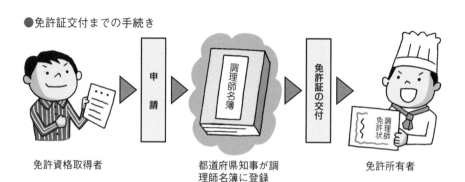

免許資格取得者　　　申請　　　都道府県知事が調理師名簿に登録　　免許証の交付　　免許所有者

❷ 免許の変更手続き　身分上の変動があれば登録内容も変わる

免許を受けたあと、身分上の変動があれば登録や免許証の取り扱いについて所定の手続きをする必要があります。

手続きはいずれも免許を受けた**都道府県知事**に対して行います。

●名簿の訂正〈法施行令〉…………

本籍地の変更や結婚・養子縁組などで氏名に変更があった場合は、30日以内に名簿の訂正を申請しなければなりません。

●名簿の訂正・削除

結婚したので姓が変わりました

息子は先日交通事故で死亡しました

訂正係

削除係

●登録削除〈法施行令〉…………………………………………………………

調理師が死亡または失踪宣告を受けたときは、30日以内に戸籍法に定める届出義務者（同居している親族、親族以外のその他の同居者、家主、地主、家屋土地管理人など）は、調理師名簿からの削除の申請をしなければなりません。調理師自ら削除したい場合も申請します。

●免許証の書換交付・再交付〈法施行令〉…………………………………

免許証の記載事項に変更があった場合は、書換交付を申請することができます。また、免許証を破ったり、汚したり、紛失したりしたときは免許証の再交付を申請することができます。

●免許証の返納〈法施行令〉…………………………………………………

登録削除を申請する場合は、調理師または届出義務者は免許証を返納しなければなりません。また、免許の取消処分を受けた場合は、5日以内に返納しなければなりません。免許証の再交付後になくした免許証が出てきたときも、出てきたほうを5日以内に返納します。

CHECK!

名簿登録事項　❶登録番号・登録年月日、❷本籍地都道府県名（日本国籍を有しない者は、その国籍）、氏名、生年月日、性別、❸免許取得資格の種別、❹免許の取り消しに関する事項、❺免許証の書換交付・再交付をした場合、その理由と年月日、❻登録削除をした場合、その理由と年月日。このうち❷に変更があれば訂正を申請します。

📖 調理師の技術向上 ～ワンランク上の調理師へ～

❶ 調理技術の審査　　調理師の腕前を評価する

　調理師の資質向上のため、**厚生労働大臣**によって毎年少なくとも1回行われるのが**調理技術審査**です。調理師の腕前を評価するもので、合格すれば「○○料理専門調理師」という名称でワンランク上の調理師として認められます。実際に実施するのは厚生労働大臣から指定された団体で、現在、**社団法人調理技術技能センター**が委託を受けて実施しています。

●**技術審査の内容 〈法施行規則〉**……………………………………………
　技術審査には学科試験と実技試験の2つがあります。

[**学科試験**]　調理技術の裏付けとなっている知識について行うもので、❶調理一般、❷調理法、❸材料、❹食品衛生及び公衆衛生、❺食品及び栄養、❻関係法規、❼安全衛生の7科目です。

[**実技試験**]　下記の料理技術6科目から1つを選んで受験します。

●実技試験科目
　の種類
①日本料理　②西洋料理　③麺料理
④中国料理　⑤すし料理　⑥給食用特殊料理

●**受験資格 〈法施行規則〉**……………………………………………………
受験資格は次のうちいずれかです。
- ❶　実務経験8年以上（うち免許を有する期間3年以上）の調理師
- ❷　指定養成施設卒業後、実務経験6年以上（うち免許を有する期間3年以上）の調理師
- ❸　❶❷と同等以上の技術を有する者として厚生労働大臣が定める者

●取得資格〈法施行規則〉

　試験に合格すると、厚生労働大臣から認定証書が交付され、実技試験の選択科目ごとに、次の「専門調理師」を称することができます。

「日本料理**専門調理師**」
「西洋料理**専門調理師**」
「麺料理**専門調理師**」
「中国料理**専門調理師**」
「すし料理**専門調理師**」
「給食用特殊料理**専門調理師**」

●選択科目で決まる専門調理師の種類

❷ 調理師会　　資質向上と合理的調理技術の発達

　調理師は調理師の資質の向上と合理的な調理技術の発達に寄与することを目的に、「調理師会」を組織することができます。調理師会は、❶調理師の指導及び連絡、❷調理技術の研究、❸調理師の**福祉**の増進などの事業を行います。また、個々の調理師会の相互の連絡及び事業の調整を行うため、連合会を組織することができます。

●調理師の役割

　食品を調理し、食物として提供することが調理師の役割ですが、人が**健康**に生活できるための食事の提供、そして喫食者の嗜好を満足させ喜びを与える料理の製作、食の**安心・安全**の確保、**生活習慣病**の予防、**食育**の実践、**食資源**の有効利用といった役割も担っています。

この節のまとめ

（テスト）❹調理師法の目的を4つ答えよ。
　　　　　❸～❶文章の正誤を答えよ。

❹ 調理師法の目的―(1)　　　　(2)　　　　(3)　　　　(4)
　〔調理師資格等の規定、調理従事者の資質向上、調理技術の合理的発達、国民の食生活の向上〕

❸ 定められた施設か営業で1年以上の調理の経験があれば調理師試験を受験できる。
　　　　　　　　　　　　　　　　　　　　　　　　　　　　〔×：1年→2年〕

❻ 調理師免許は厚生労働大臣が与える。　　　〔×：厚生労働大臣→都道府県知事〕

❶ 調理技術審査は実務経験のある調理師のために行われる。　　　　　〔○〕

6 疾病予防

　感染症から生活習慣病まで、疾病対策は治療だけでなく予防が重要です。調理師は、人が飲食するものを扱うだけに、疾病予防には細心の注意が必要です。わが国における疾病予防対策はどのように行われているか、職場の衛生管理や予防接種などの基本的な政策について見ていきます。

> **出題のポイント**
> - 疾病予防のためには、病気になる前はその原因を取り除く、病気になった後は早期発見する、病気が進行したときは治療で障害を抑える、といった3つの段階で予防する。
> - 調理師は多くの人の健康をあずかる仕事であり、疾病予防の正確な知識や衛生への十分な注意が求められる。

疾病予防の段階 ～1次から3次までの予防で健康増進～

　病気を治すという「治療」に対して、病気にならないように対策を講じるのが「予防」です。疾病予防は病気を未然に防ぐだけではなく病気の進展を遅らせること、再発を防止することも含んでいます。疾病予防には1次予防、2次予防、3次予防と、3つの段階があります。

　1次予防とは、病気になる前の健康者に対して、病気の原因と思われるものの除去や回避に努め、健康の増進を図り病気の発生を防ぐことをいいます。(【例】健康教育、栄養改善、予防接種、環境整備、感染経路対策)

　2次予防とは、病気になった人をできるだけ早く発見し、早期対処と適切な治療を行って、病気の進行を抑えること。そして病気が重篤にならないよう合併症の対策に努めることをいいます。(【例】早期発見・早期治療、人間ドック、一般健康診査、疾病の進行抑制)

　3次予防とは、病気が進行した後の後遺症治療、再発防止、リハビリテーション、社会復帰などの対策を立て、実行することです。(【例】社会生活への復帰あるいは職場復帰のための対応、リハビリテーション、人工透析、社会教育・支援、疾病軽症化に向けた介護)

調理師の疾病予防と消毒 ～調理師・調理場・食品の衛生～

❶ 調理師の疾病予防　　調理場、食器・器具の衛生管理も

❶規則正しい生活をする
❷定期健診・予防接種・検便を受ける
❸体の調子が悪くなったらすぐ医者へ
❹つめは短く、手をよく洗う
❺服装は清潔に
❻精神障害、感染症、皮膚炎にかかったら仕事は遠慮
❼調理中のムダ話はしない

❷ 消毒　　　　　　　　　　　調理器具のいろいろな消毒

❶　物理的消毒法…
- 焼却消毒：消毒するものをすべて焼き捨てる。
- 乾熱消毒：高熱の乾燥した空気による消毒。
- 煮沸消毒：十分な水量の釜で煮る。

❷　化学的消毒法…化学薬品による消毒法で、石炭酸水、クレゾール、逆性石けん液、塩素剤、ホルマリン、アルコールなどが使われる。

　ふきんなどの白布類は**石けん**でよく洗うか**煮沸消毒**、食器・調理器具類は**煮沸消毒**、まな板・包丁は**煮沸消毒**や熱湯をかけて乾燥させます。石けんは汚れ落とし、逆性石けんは、石けんや洗剤で洗浄したものをさらに殺菌する目的で使用されます。

●逆性石けん

　普段使っている石けんとは逆の陽イオンの性質を持っているため、逆性石けんとよばれています。石けんは汚れを落とす作用、逆性石けんは**細菌を破壊する作用**があります。石けんと逆性石けんは混ぜて使うと中和され、それぞれの作用がなくなります。

　石けんや洗剤で汚れを落とした後は、石けん成分をよく落としてから逆性石けんを使います。逆性石けんにはウイルスを消毒する作用はないので、ノロウイルスやインフルエンザには効果は期待できません。

☕ 感染症予防 ～感染源・感染経路・感受性の３つの予防策～

❶ 感染症と病原体　　　　　病原体により感染する

　ある決まった**病原体（微生物）**が人間の体の中に入ることによって引き起こされる疾病を**感染症**といい、人から人に直接、間接に感染する病気です。感染症を引き起こす病原体は、ウイルス、クラミジア、リケッチア、細菌、スピロヘータ、原虫などです。

●感染症と病原体

病原体	感 　染 　症
ウ イ ル ス	日本脳炎、狂犬病、麻しん、インフルエンザ、痘そう、急性灰白髄炎、デング熱、肝炎（A、B、C型）、ラッサ熱、エイズ、新型コロナウイルス感染症
クラミジア	オウム病、第四性病（そけいリンパ肉芽腫症）、トラホーム
リケッチア	発しんチフス、つつが虫病、発しん熱
細　　　菌	コレラ、赤痢（疫痢を含む）、腸チフス、パラチフス、しょう紅熱、ジフテリア、百日咳、ペスト、流行性脳脊髄膜炎、破傷風、炭そ、りん病、軟性下かん、結核、レジオネラ肺炎
スピロヘータ	ワイル病、梅毒
原　　　虫	マラリア、アメーバ赤痢、トキソプラズマ症、ニューモシスチス・カリニ肺炎、クリプトスポリジウム症

※政令で定める予防の対象となる主な感染症の分類については169ページを参照。

❷ 感染症の発生と感染経路　　まん延する３つの条件

●感染症の発生
　感染症が発生し、まん延するのは、次の３つの条件がそろったときです。
❶　**感染源**（感染のみなもとがあること）
　　感染症の病原体を出す病気の人間や動物がいる。病原体が存在する土壌も感染源になる。
❷　**感染経路**（感染する経路があること）
　　病原体と感受性をもった人とが接触する機会がある。
❸　**感受性**（人の側に、受け入れる要素があること）
　　人に抵抗力（**免疫力**）がない。あっても人口密度が大きい、生活環境が不潔など、抵抗力が弱められる環境や状況にある。

●**感染経路の種類**··

①直接伝播	直接感染	・感染者と性交する（性病） ・土壌中の常在菌が傷口から侵入する（破傷風） ・狂犬病にかかった犬に咬まれる（狂犬病）
	飛沫感染	・保菌者が至近距離でくしゃみや咳などをして、器官から病原体が直接侵入する（結核・インフルエンザ）
	垂直感染	・保菌者である母親が出産に際して、胎盤や産道を通して、あるいは授乳を通して子どもに感染する（HIV・梅毒）
②間接伝播	媒介物感染	・病原体で汚染された食物や飲料水を摂取して感染する（食中毒） ・汚染器物や血液製剤などを通して感染する（ジフテリア）
	媒介動物感染	・感染したカ、ノミ、ダニなどに刺されて感染する（日本脳炎） ・ハエ、ゴキブリなどの体表面に病原菌が付着していて感染する（ポリオ）
	空気感染	・患者の咳や痰などの飛沫が乾燥したもので感染する（ノロウイルス） ・病原体で汚染された土壌やほこりで感染する（結核）

❸ 感染症の予防対策 発生3要因への対応策

●まずは自分で予防する

帰宅したらすぐうがいを！　いつも清潔に　予防接種を受けよう
手を忘れずに洗う

●**感染源対策**··

　外国からの侵入に対しては、空港や港で**検疫**を行っています。

　国内に存在するものに対しては、❶届け出、❷入院治療・就業制限・消毒、❸保菌者検索、❹動物感染源の撲滅などの対策が行われています。

●感染経路対策 ·····

病原体で汚れたものを消毒する、マスクをかけたりうがいをしたりする、手をよく洗う、水（井戸水、上水道、下水道）を厳重に消毒するなどして対策します。患者の出た家では医師や保健所の指示に従って**消毒**を行う、**感染源動物**を撲滅するなどの対策がとられています。

●感受性対策 ·····

栄養摂取と体力増強、十分な休養、**予防接種**があります。

❹ 予防接種制度　　　疾病予防のための公的なしくみ

●予防接種制度の目的 ·····

疾病の1次予防として予防接種があります。予防接種の制度は、国民の健康を感染症から守るため、1948年に制定された**予防接種法**によって定められています。

予防接種法は、伝染のおそれのある疾患の発生とまん延を予防するために、公衆衛生の見地から、予防接種の実施やその他、必要な措置を講ずることで、健康被害の迅速な救済を図ることを目的にしています。

●予防接種とは ·····

人の**免疫**のしくみを利用し、病気に対する抵抗力（**免疫**）を高める方法です。予防接種を受けることで、感染症を予防したり、あるいは感染症にかかった場合に重症化しにくくしたりする効果が期待できます。

●定期予防接種 ·····

感染症対策上、重要度が高いと考えられる予防接種は、予防接種法に基づいて予防接種を受けることが勧められます。このうち、一定の年齢において接種を受けることとされているものが「**定期予防接種**」（実施主体は市町村）で、**A類疾病**の予防接種と**B類疾病**の予防接種があります。

●A類疾病（接種を受ける努力義務があるもの）

❶ジフテリア　❷百日咳　❸破傷風　❹急性灰白髄炎（ポリオ）　❺麻しん
❻風しん　❼日本脳炎　❽Hib（ヒブ）感染症　❾小児の肺炎球菌感染症
❿ヒトパピローマウイルス感染症　⓫結核　⓬水痘　⓭B型肝炎
⓮ロタウイルス

●B類疾病（接種努力義務はない）

⓯インフルエンザ　⓰新型コロナウイルス感染症
⓱高齢者の肺炎球菌感染症　　　　　　　　　　＊2024〈令和6〉年10月現在。

生活習慣病予防 〜バランスの良い食事と早期発見・早期治療〜

●生活習慣病とは

3大生活習慣病といわれる**悪性新生物**（がん）、**心疾患**（心臓病）、**脳血管疾患**（脳卒中）のほか、**糖尿病、高血圧症**なども生活習慣病といわれます。これらは慢性疾患であり、病気に気付くのが遅れると、年齢とともに悪化して深刻な状態になることも少なくありません。現代の日本では、死因の約60％以上を生活習慣病が占めています。

●生活習慣病の予防対策

生活習慣病は以前成人病といわれ、主に不規則な生活やアンバランスな食生活、運動不足などが原因と考えられていますが、原因がよくわからないものもあります。規則正しい生活、バランスのとれた食事とともに、健康診断による早期発見・早期治療に努めます。

●病気別生活習慣病対策

病　名	予防対策
悪性新生物（がん）	ビタミン・カロテンの豊富な緑黄色野菜や牛乳などを多くとり、栄養バランスのとれた食事をする。脂肪は控えめ、食べすぎに注意。タバコや酒などを控える。発がん性のある食物を避け、規則正しい食生活。定期的に健康診断を受けて早期発見に努め、また早期治療をする
脳卒中	過労、急激な運動は避ける。タバコや酒を控える。年に1回以上は、血圧測定をともなう健康診断を受け高血圧の早期発見を。食事は減塩、良質なたんぱく質の摂取、栄養のバランスに気を付ける
心臓病	脂肪分のとりすぎを避け、肥満にならないようにする。タバコを控える。ストレスを避け、適度な運動、十分な睡眠。規則正しい生活をする
肝臓病	アルコールをとりすぎない。良質のたんぱく質やビタミンを含む食事をとる。肝臓に有害な食品をとらない。血液検査をすすんで受ける
糖尿病	バランスのとれた食事と適度な運動で肥満を防ぐ。血液検査、尿検査をすすんで受ける
腎臓病	バランスのとれた食事、規則正しい生活をする。血液検査、尿検査をすすんで受ける

この節のまとめ

- 消毒には物理的消毒法（焼却、乾熱、煮沸）と化学的消毒法がある。
- 感染源、感染経路、感受性がそろうと感染症はまん延する。
- 3大生活習慣病は悪性新生物（がん）、心疾患、脳血管疾患である。

●公衆衛生学

6 疾病予防

⑦ 健康増進法

健康増進法は、国民の健康増進の総合的な推進と、国民保健の向上についての基本的な事項を定めたものです。その内容は、21世紀における国民健康づくりの運動「健康日本21」推進の根拠ともなっています。

出題のポイント

- 健康増進法は、国民の健康の増進の総合的な推進を通じて、国民保健を図る。
- 国民保健対策として、国民健康・栄養調査、保健指導、特定給食施設、特別用途表示及び栄養表示基準などについて規定。

☕ 健康増進法 ～健康増進のために行われること～

❶ 健康増進法の目的　国民の健康増進で国民保健の向上

❶　国民の健康増進に関する基本的な事項を定める。

❷　国民の健康増進を図る措置を講じる。

❸　❶～❷により、国民保健の向上を図る。

●健康増進法の目的

健康・増進思想	総合的推進	健康・増進措置
↓	↓	↓

国民保健の向上

また健康増進法は、21世紀における国民健康づくりの運動「健康日本21」を推進するための根拠でもあります。この運動は、❶健康寿命のさらなる延長、❷生活の質の向上、❸元気で明るい高齢社会を築くために、生活習慣の見直しなどを積極的に推進、❹1次予防を重点に置いた対策を推進、などを要旨としています。

❷ 健康増進法で行うこと　国民の栄養調査も実施

❶　健康増進計画の策定……地域の実情に応じた具体的な健康づくりの

施策が必要とされています。

❷　国民健康・栄養調査…国民の**健康状態**、**栄養摂取量**、経済負担の度合いなどを毎年調査します。

❸　保健指導…市町村は、栄養、生活習慣の改善に関する住民からの相談に応じます。

❹　**栄養指導員**…都道府県及び保健所を設置する市・特別区が、医師、管理栄養士から任命し、住民の健康増進に必要な栄養・保健指導を行います。

❺　特定給食施設における栄養管理…１回100食または１日250食以上の施設は**栄養士**を、１回300食以上または１日750食以上の施設は**管理栄養士**を置くよう努め、置かない場合は**栄養指導員**の指導を受ける義務があります。

❻　受動喫煙の防止…**受動喫煙防止法**が成立し、2020〈令和2〉年4月から施行されました。多くの人が利用する施設や店舗は原則屋内禁煙とし、喫煙専用室でのみ喫煙を可能としました。

❼　特別用途表示の許可…特別用途表示の許可申請は、都道府県知事を経由して内閣総理大臣に提出（健康増進法第26条）。内閣総理大臣は権限を消費者庁長官に委任する（健康増進法第35条）となっているため、許可は**消費者庁長官**となります。

❽　日本人の**食事摂取基準**…国民の健康の維持増進のために必要な、１人１日当たりの**熱量**及び**栄養素**を示した基準です。

❾　栄養表示基準制度…販売用の食品における**栄養成分**または**熱量**に関する表示は、内閣総理大臣が定める栄養表示基準に従って行います（許可制度ではない）。「必須栄養成分表示」は熱量・たんぱく質・脂質・炭水化物・ナトリウム・その他の栄養成分の順に行います。

❿　虚偽・誇大広告等の表示禁止…食品の広告や包装表示では、健康の保持や増進の効果等について、極端に事実に反する表示や誤認させる表示をしてはなりません。

❸　健康日本21（第3次）　　4つの方針を示している

国民の健康の増進の総合的な推進を図るため、2024〈令和6〉年度から2035〈令和17〉年度までの4つの基本的な方向を示し、約50項目の目標を定めています。

❶ **健康寿命の延伸と健康格差の縮小**…健康格差（地域や社会経済状況の違いによる集団間の健康状態の差）の縮小。

❷ **個人の行動と健康状態の改善**…生活習慣の改善（リスクファクターの低減）・生活習慣病の発症予防・生活習慣病の重症化予防・生活機能の維持向上。

❸ **社会環境の質の向上**…自然に健康になれる環境づくり・社会とつながり・こころの健康の維持および向上。誰もがアクセスできる健康増進のための基盤の整備。

❹ **ライフコースアプローチを踏まえた健康づくり**…ライフコースアプローチ（胎児期から老齢期に至るまでの人の生涯を経時的に捉えた健康づくり）を踏まえ、各ライフステージに特有の健康づくり。

●**目標（一部抜粋）**

項　目	目標値	項　目	目標値
40歳〜69歳までの8種類のがん検診受診率	60%	果物摂取量（1日当たり）	200g
20歳未満の者の喫煙をなくす	0%	睡眠時間を十分に確保出来ている人の割合（全世代）	60%
20歳以上の者の喫煙率の減少	12%	適正体重を維持している者の割合（BMI18.5以上25未満）	66%
20歳未満の者の飲酒をなくす	0%	ＣＯＰＤ（慢性閉塞性肺疾患）死亡率の減少	10.0
生活習慣病（NCDｓ）のリスクを高める量を飲酒している者の減少	10%	糖尿病有病者の増加の抑制	1,350万人
食塩摂取量（1日当たり）	7g	若年女性のやせの割合の減少（BMI18.5未満の20歳〜30歳代女性の割合）	15%
野菜摂取量（1日当たり）	350g	骨粗鬆症検診受診率	15%

＊2024〈令和6〉年度特定健康診査・特定保健指導の実績値を採用予定。

❹ 食育基本法 　　　　　　　　健全な食生活の実現

国民一人ひとりが食への意識を高め、健全な食生活で心身を培い、豊かな人間性を育むことを目的に、2005年の7月に施行されました。

●食育推進の目標

①栄養バランスに配慮した食生活の実践

②産地や生産者への意識

③学校給食での地場産物を活用した取り組み等の増加

④環境に配慮した農林水産物・食品の選択

⑤食育に関心をもっている国民を増やす

⑥朝食または夕食を家族と一緒に食べる「共食」の回数を増やす

⑦朝食を欠食する国民を減らす　等

●推進する内容

①家庭における食育の推進

②学校、保育所等における食育の推進

③地域における食育の推進

④食育推進運動の展開

⑤生産者と消費者との交流促進、環境と調和のとれた農林漁業の活性
　化等

⑥食文化の継承のための活動への支援等

⑦食品の安全性、栄養その他の食生活に関する調査、研究、情報の提
　供及び国際交流の推進

この節のまとめ

● 健康増進法の目的は、1次予防に重点を置いた対策を推進し、健康寿命のさ
　らなる延長を図ることにある。
● 健康増進法で行うことには、健康増進計画の策定、国民健康・栄養調査、特定
　給食施設における栄養管理、受動喫煙の防止、食事摂取基準の策定などがある。

労働と健康

　職業病や労働災害、その対策など、ここでは、仕事上の災害や疾病を防ぎ、労働者の健康を守るための労働衛生の基本について学びます。

> **出題のポイント**
> ◆労働衛生は労働者の安全確保、健康の保持・増進を目的とし、よりよい労働条件や職場環境の確立を図っている。
> ◆労働衛生の関連法規は、労働基準法と労働安全衛生法が基本である。
> ◆職業病は、職場の環境や労働条件などが原因で発生する。
> ◆労働衛生対策の基本は、作業環境管理、作業管理、健康管理である。

☕ 労働衛生の意義 ～健康維持も労働条件の１つ～

　労働衛生は、労働者の福祉や健康の増進が目的です。労働条件や職場環境の改善、労働者の安全確保のための対策の法的基本となるのは次の２つです。

❶　**労働基準法**…労働時間※や休日、安全、衛生、女性や年少者の労働、災害の補償、労働条件などについて規定しています。

❷　**労働安全衛生法**…衛生教育、職場環境の維持、定期健康診断や健康管理手帳、病気の人の就業禁止や作業の制限、健康づくりなどについて規定しています。

※労働時間は労働基準法第32条で原則的に1週間40時間、1日8時間という上限が決められています。休憩時間については、労働基準法第34条で、1日の労働時間が6時間を超える場合は少なくとも45分、8時間を超える場合は少なくとも1時間の休憩を与えなければならないと定められています。

☕ 職業病と労働災害 ～職場で起こる病気と災害～

●職業病

　その職業に特有な作業方法や環境によって起こる疾病を職業病といいます。職業病を予防するためには、定期的な健康診断はもちろん、職業病にならないよう職場環境の整備が大切になります。

●公衆衛生学 ⑧ 労働と健康

●労働災害

職場で作業中に起こる事故を**労働災害**といいます。業種では、❶建設業、❷製造業、❸陸上貨物運送業、❹林業、❺交通運輸事業などで多く発生しています。

労働衛生の対策 ～衛生管理体制の確立が重要～

労働衛生対策の基本は、次の３つです。

❶ **作業環境管理**…作業環境、つまり職場の環境のなかにある有害なものを取り除いたり、自動化したり、換気を行ったりと、快適な職場を維持することを目的とするものです。

❷ **作業管理**…職業病の予防という点から、作業そのものを管理することです。OA機器の普及によって、新しい職業病なども発生していますが、作業方法の改善は**職業病予防の基本**です。

❸ **健康管理**…労働者の健康を継続して観察して、職業病の予防をしたり、健康の管理、増進を図るということです。具体的には**定期的な健康診断の実施**などです。

これら３つの対策が、企業のなかでスムーズに推進されていくためには、**衛生管理体制の確立や衛生教育**などが重要になります。

なお、労働安全衛生法に基づき、各事業所には衛生管理活動のために、産業医、総括安全衛生管理者（労働衛生全体の責任者）、衛生管理者などが置かれます。

●安全衛生管理体制

この節のまとめ

● 労働衛生対策は、作業環境管理、作業管理、健康管理の３つの管理が基本。
● 基本的な労働衛生対策が企業で円滑に実施されていくためには、衛生管理体制の確立や衛生教育が重要である。

43

9 調理師の職場環境

調理従事者の健康確保と食品の安全確保の観点から、厨房環境を整えることが重要です。ここでは、実際の調理師がどのような職場環境で働いているか、調理施設の環境を中心に見ていきます。

出題のポイント

- ✎ 調理場の構造や、換気、採光、照明などの作業環境については、都道府県条例で決められている。
- ✎ 調理施設で最も発生しやすい労働災害は「転倒」。労働災害は整理、整頓、清掃、清潔を徹底し、未然に防ぐための注意が求められる。

☕ 厨房環境 ～安全のための基準～

厨房の環境基準は全国同一ではありませんが、**食品衛生法**に基づき**都道府県条例**で決められています。飲食店営業許可申請基準（営業施設の構造の例）はおおむね以下のようです。

❶ 面積：取り扱い量に応じた広さを有すること。

❷ 床：調理場の床は**耐水性**材料（タイルやコンクリート）を使用し、**排水**が良く、**清掃**しやすい構造であること（客室においては木床でも問題ない）。

❸ 内壁：調理場の内壁は、床から1m程度の高さまでは、耐水性材料または厚板で腰張りし、清掃しやすい構造であること。

❹ 照明：施設の中が暗すぎてはならず、作業場（調理場）の明るさが150ルクス以上でなければならない。

❺ 換気：施設には、ばい煙、蒸気等の排除設備を設けること。

❻ 防鼠・防虫：施設は、そ族（ネズミ）、昆虫等の防除のための設備を設けること。

❼ 更衣室：従事者の数に応じた清潔な更衣室または更衣箱を作業場外に設けること。

❽ 天井：施設の天井は、清掃しやすい構造であること。

⑨　建物：建物は、鉄骨、鉄筋コンクリート、石材、木造モルタル、木造等十分な耐久性を有する構造であること。

⑩　洗浄：㋐原材料、食品及び器具等の洗浄設備　㋑手洗い設備

その他、食品取り扱い設備や給水及び汚物処理に基準が設けられています。

厨房での労働災害 〜整理、整頓、清掃、清潔の4Sで未然に防ぐ〜

　飲食店における労働災害は、2009年から年々増加しています。もっとも災害の発生している時間帯は9〜12時（22％）であり、ついで18〜20時に被災する災害例も18％と多い状況です。経験年数が3年未満の災害が全体の58％と、約6割を占めています。30歳未満の災害が36％と全体の1/3であり、30〜39歳の割合は14％を占めます。

　転倒災害は9〜11時に多く発生しています。50歳以上の災害が約6割を占め年々増加傾向にあるため、高年齢者で多発しているといえます。

　これらは**整理、整頓、清掃、清潔**の4S（躾を加えて5Sとする場合もあります）を徹底することで未然に防ぐことができます。

●事故の型別労働災害発生状況（飲食店、2023〈令和5〉年）

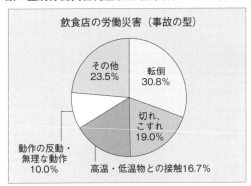

飲食店の労働災害（事故の型）

- その他 23.5％
- 転倒 30.8％
- 切れ、こすれ 19.0％
- 高温・低温物との接触 16.7％
- 動作の反動・無理な動作 10.0％

厚生労働省「労働災害発生状況の分析」（2023〈令和5〉年）より

この節のまとめ

- 厨房の環境は食品衛生法に基づいて面積や床の材質、内壁、換気、照明などの環境基準が定められている。
- 整理、整頓、清掃、清潔の4Sを徹底することで、滑りやつまずきによる転倒を防ぎ、切れやこすれなどの事故を防ぐ。

⑩ 環境衛生

　環境衛生とは、人間と環境の関わりから、環境を衛生面でもよりよいものにしていこうとするものです。人間が生活する環境は、自然の環境と、人間のつくった環境に大別することができますが、ここではそれぞれの環境衛生について学びます。

出題のポイント

- 🖊環境衛生には自然環境（空気、気温、湿度、光線、水など）と人為的環境（町、住居、衣服、産業、交通、食品など）がある。
- 🖊そ族（ネズミ）や昆虫は伝染病や食中毒を媒介するため、駆除しなければならない。
- 🖊オゾン層の破壊、温暖化、酸性雨などの環境破壊が深刻な問題となっており、世界的な視野での対策が求められる。

☕ 空気、太陽、水 ～きれいな自然環境が健康を守る～

・・・

❶ 空気と衛生　　　新鮮な酸素がなければ生きられない

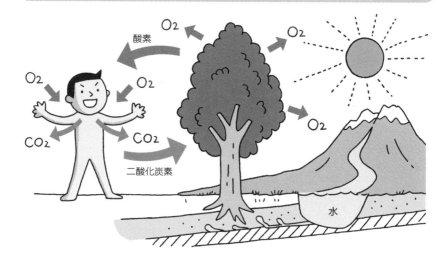

O_2　酸素

O_2　O_2　O_2

O_2　O_2

CO_2　CO_2　二酸化炭素

水

●空気の成分

空気は、**酸素、二酸化炭素、窒素及びその他の少量**の気体でできています。私たちが健康であるためには、呼吸する空気はできるだけ酸素が多く不純物が含まれていないものが必要です。空気汚染の指標となるのは、空気中の**二酸化炭素**の量で、0.1%を超えると空気はかな

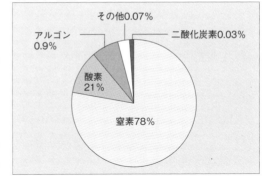

●空気の成分（0℃、1気圧）

その他0.07%
アルゴン 0.9%
二酸化炭素0.03%
酸素 21%
窒素78%

り汚れていると考えられます。空気を汚す主な不純成分は、亜硫酸ガス、窒素酸化物、一酸化炭素、塵埃です。

●気圧

地球を包む空気の層の圧力が気圧です。

1気圧（0℃、水銀柱760mm時の気圧の状態）＝1,013ヘクトパスカル

高地ほど気圧が低く、空気が薄くなるので、3,000mの山では高山病を、4,000m以上では航空病を起こします。

❷ 太陽と衛生　　　　　　　敵か、味方か、太陽光線

●太陽光線

太陽光線にはいくつかの種類がありますが、私たちの健康にとって大切なのは、**紫外線**と**赤外線**です。

紫外線は夏に多く、適度の紫外線はビタミンDの生成など健康のうえでも大切ですが、過度になると日焼けしたり、皮膚ガンや白内障などの発症原因となったりすることもあるので注意が必要です。この紫外線を上空10〜50kmで吸収しているのが**オゾン層**です。

赤外線は太陽光線の大部分を占めるもので、地上に熱を与える役目を果たします。私たちの体にとっては、血行促進効果もあり、病気の治療にも使われますが、量が多い場合は日射病の原因になります。

●気温と湿度

太陽の熱は気温も決めます。私たちにとって心地よい温度は17〜21℃といわれています。湿度を決めるのは、空気中に含まれる水蒸気の量です。

私たちにとって心地よい湿度は**45〜65％**です※。

　調理場は**高温多湿**な場所であり、仕事の能率のうえでも換気、冷暖房に注意を払う必要があります。気温と湿度で表した指数に**不快指数**があります。77になると65％の人が不快に感じ、85では93％の人が不快に感じるといわれます。※『大量調理施設衛生管理マニュアル』では室温25℃以下、湿度80％以下となっている。

❸ 水と衛生　　　　　　　　　　水は日常生活の源

　水は飲用としてだけでなく、洗濯や掃除など清潔を保つためにも使われていて、日常生活になくてはならないものです。

●水道水の衛生条件………………………………………………………

水道水の衛生条件として、次のようなことがあげられます。

❶　無色透明で無味無臭である。

❷　微酸性、微アルカリ性、あるいは中性（pH5.8〜8.6）である。

❸　一般細菌は100個/ml以下である。

❹　大腸菌が検出されない。

❺　蛇口での残留塩素濃度を0.1mg/l以上保持している。

❻　有害物質を含まない。

人為的環境の衛生 〜人がつくった環境を守るのも人〜

●衣服本来の目的

皮膚の保護！

体温調節の補助！

❶ 衣服の衛生　　　大切なのはファッションよりも衛生

　衣服はファッションとしても着ますが、衛生のうえからは**体温調節の補助**と**皮膚の保護**を目的として着用します。そのためには健康的で動きやす

いことが大切です。

　衣服の衛生面での条件としては、次のことがあげられます。❶温度調節ができるもの（夏は暑さを防ぎ、冬は寒さを防ぐ）、❷皮膚を清潔に保つもの、❸化学物質による皮膚への刺激が少ないもの、❹洗濯がしやすいもの、❺活動しやすい形や重量のもの、❻危険に対して防護的なもの、❼下着は吸湿性のあるもの。

❷ 住居の衛生　　　　　　　　健康的な生活は住居から

●住居の保健衛生上の条件

❶　安全条件…地震、暴風雨、津波、雪害等の防止。

❷　温熱条件…室内外の換気、保温や暖房、通風や冷房。

❸　光条件…採光と照明。照明は調理室は150ルクス以上、調理作業面は300ルクス程度、盛り付けカウンターは500ルクス程度（※労働安全衛生法による基準）。

❹　心理的条件…室内装飾、壁の色彩等。

❺　給排水条件…害虫類の防除。

●シックハウス症候群

　建築材料等に含まれる揮発性化学物質が室内にあふれ、それに人体が反応するという健康影響です。原因物質は、いわゆる新建材製造時に用いられる接着剤中のホルムアルデヒド、塗料に含まれるトルエン、防虫剤の成分であるパラジクロロベンゼンなどがあります。

❸ 上下水道、井戸の衛生　求められる施設整備と安全対策

　上水道とは、都道府県などの自治体が水道法によって、河川や湖などの水を、沈殿→ろ過→塩素消毒して衛生的に安全な水にして、家庭や事業所などに供給する施設のことです。日本での上水道の普及率は98.3%に達しています（2023〈令和5〉年度）。

　下水道は、下水を処理するために設けられた排水管、下水処理施設のことです。わが国の下水道普及率は低く、地域による変動が大きいものの、普及率は81.0%となっています（2022〈令和4〉年度）。

　井戸水は病原性大腸菌O157の感染源となることでもわかるように、水道水よりも衛生上危険が多く、とくに注意が必要です。

●公衆衛生学　10 環境衛生

❹ 廃棄物処理　　　　　　　　　　　　人間はゴミを生む

　廃棄物には、日常生活から出るゴミ、屎尿、犬や猫、ネズミの死体などの一般廃棄物（市町村に処理責任）と、燃え殻、汚泥、事業活動から出る廃油、廃プラスチックなどの産業廃棄物（事業者に処理責任）があります。

　これらは「廃棄物処理及び清掃に関する法律」に従って処理されています。このうちゴミ処理にはさまざまな問題があり、環境破壊の原因の1つになっています。

☕ 公害と環境破壊 ～公害対策から環境保全へ～

❶ 公害　　　　　　　　　　　　広範囲にわたる健康被害

　公害とは、事業活動など人の活動により、広範囲にわたって私たちの生活、健康に被害をもたらすことです。

●主な公害病（日本の4大公害病）

病　名	概　況
水　俣　病	1953年から60年にかけて熊本県水俣で発生。神経が冒され、手足の感覚障害、運動失調、言葉・目・耳などに障害。原因は工場廃水の有機水銀。
第2水俣病 (新潟水俣病)	1960年代中頃から新潟県阿賀野川流域で発生。手足が不自由になる、言語障害、神経障害、難聴などが起きる。原因はメチル水銀化合物。
イ タ イ イタイ病	富山県神通川流域で発生。腎障害、肝臓障害、多発骨折など。咳をしただけで骨折した患者もいる。原因はカドミウム。
四 日 市 ぜんそく	1960年頃から四日市市の石油コンビナート付近で発生。気管支などの呼吸器が冒され、ぜんそくの発作などが起きる。原因は亜硫酸ガス。

●公害の種類

　環境基本法による公害は、次の7種類です。

❶大気汚染、❷水質汚濁、❸土壌の汚染、❹騒音、❺振動、❻地盤沈下、❼悪臭

　このうち、大気汚染は、大気中に不純物が多くなる状態で、汚染物質としては窒素酸化物、硫黄酸化物、一酸化炭素、大気中の浮遊粉塵、光化学オキシダントなどがあげられます。窒素酸化物は光化学スモッグの原因になる物質であり、とくに注意が必要です。ＰＭ2.5は粒径2.5μm以下の大気

汚染粒子物質で、炭素、金属、硝酸塩などを主成分としています。

●食物汚染……………………………………………………………………

　環境汚染は**食物汚染**にもつながります。ヒ素、水銀、カドミウムなどの重金属、PCB、有機水銀、主にゴミ焼却によって発生し大気中に放出され野山・田畑に拡散するダイオキシン類などの化学物質、DDT、BHCなどの残留農薬が**食物連鎖**や生物濃縮（食物連鎖を経る過程で、有害物質がしだいに濃縮されていくこと）などを起こして危害をもたらすのです。

❷ 環境の保全　　　　　　　　　必要な地球規模での対策

　環境破壊は世界各地で深刻な問題になっており、**地球規模での環境保全対策**が必要になっています。

●進む環境破壊

❶　**オゾン層破壊**…産業活動や家庭で使用されたフロンガスが分解されずに成層圏に達し、有害な紫外線から地球の生物を守る**オゾン層**を破壊しています。

❷　**地球温暖化**…二酸化炭素やメタンなどの排出量の増加により、**温室効果**といわれる**地球温暖化現象**が起き、海面水位の上昇、人体・食糧生産への影響が心配されています。

❸　**酸性雨**…大気物質である硫黄酸化物や窒素酸化物などが溶けこんだ雨が**酸性**に変化し、森林などの生態系に深刻な影響を与え、建物にも被害が出ています。

この節のまとめ

● 空気は人間に対して、体に必要な酸素を供給する働きをする。空気汚染の指標となるのは空気中の二酸化炭素の量である。
● 適度の紫外線は、ビタミンDの生成、殺菌作用という働きがある。
● 水俣病をはじめとした4大公害病など、環境汚染は食物汚染にもつながる。

⑪ 母子保健と高齢者保健

次世代の国民の健全な育成のため、また高齢者のために、さまざまな支援策がとられています。ここでは、母子保健の意義とその対策、また日本の高齢化にともなって注目される高齢者保健について学びます。

出題のポイント

- 母子保健水準の指標となるのは妊産婦死亡率や乳幼児死亡率など。
- わが国は乳幼児の死亡率は低く世界トップレベルだが、妊産婦死亡率の低さも 2009 年以降はトップレベルに近づいている。
- 母子保健法に基づいて母子保健の活動が行われる。
- 2025 年には高齢化率が 30.3%になると予測され、高齢者支援の仕組みが課題となる。
- 介護保険制度は、高齢者保健の中心的な制度である。

🍵 母子保健の目標 ～新しい環境への対応～

母子保健は、母子に対してさまざまな支援を規定している**母子保健法**によってその活動が行われます。

以下は、すべての親と子どもが享受できる公正な社会をつくるための 5 つの目標です。

❶ 安全な妊娠・出産の確保
❷ 安心できる子育て環境の確保
❸ 健康的な環境の確保
❹ 個人の健康状態に応じた、適切な療育の確保
❺ 自己決定能力の獲得と他人への思いやり

🍵 母子保健対策 ～子ども子育て応援プラン～

現在のわが国での母子保健対策は、母性としての結婚前から妊娠、分娩、新生児期、乳幼児期を通じて、一貫した体系のもとに総合的に進められて

います。具体的対策としては、次のものがあげられます。

❶ 健康診査……妊婦に対して**妊婦健康診査**が、乳幼児に対しては先天性代謝異常等の検査・乳幼児健康診査・１歳６カ月児健康診査・３歳児健康診査が行われている。

❷ 健康指導……妊娠届を市町村に提出した時点において**母子健康手帳**を交付し、妊産婦・乳幼児である期間、一貫した母子健康サービスを提供している。

❸ 医療援護……妊産婦・未熟児、身体に障害がある、あるいはそのおそれのある児、特定の小児慢性疾患にかかっている児等について、医療援護あるいは治療研究を行い、早期に適切な医療を受けられるよう図られている（**未熟児養育医療制度**）。

その他、「母子保健の基盤整備」「健やか親子21」などの対策があります。

介護保険制度 ～介護保険サービスを受けるには～

　日本の高齢化は世界に類を見ないスピードで進んでおり、それにともなって介護を必要とする高齢者も増加しています。さまざまな支援策がとられるなか、介護保険制度は高齢者保健の中心的な制度となっています。

　介護保険制度の運営主体（保険者）は**市町村・特別区**で、制度の対象になる人（被保険者）は、第１号被保険者（**65歳以上の者**）と第２号被保険者（**40歳以上65歳未満の者**）です。受けられる介護サービスは、要介護度に応じて決まっており、要介護認定を受けるには、住んでいる市区町村の窓口に申請が必要です。要介護度には**要支援１・２**と**要介護１・２・３・４・５**の区分があります。なお、介護保険制度は３年ごとに見直されます。

この節のまとめ

- 母子保健は、母子に対してさまざまな支援を規定している母子保健法によってその活動が行われる。
- 妊娠届を提出すると、市町村から母子健康手帳が交付される。
- 日本の乳児死亡率は世界的に見て極めて低い。
- 介護保険の保険者は市町村であり、被保険者は第１号・第２号被保険者。
- 介護保険の要介護度には、２段階の要支援と５段階の要介護の区分がある。

⑫ 学校保健

　心身ともに健康な子どもの成長を目的としている学校において、児童や生徒の健康管理は重要な問題です。ここでは学校保健の内容と活動、さらに学校給食について学びます。

出題のポイント

🍴 学校保健の活動は、保健教育と保健管理の２つからなっている。
🍴 調理師は、学校給食法に定める児童・生徒の食事を通した教育と栄養改善に参加している。

▌▶ 保健教育と保健管理 〜学校保健を支える２つの柱〜

❶ 保健教育　　　　　　　　　　　　　　　　　保健を学ぶ

　学校保健は、学校教育法に基づく**保健教育**と**学校保健安全法**に基づく**保健管理**の２つからなっています。直接には学校長の責任で行われますが、文部科学省－都道府県－市町村－学校という教育行政の体系のなかで進められています。

●**保健学習**‥‥‥‥‥‥‥‥‥‥‥‥‥‥‥‥‥‥‥‥‥‥‥‥‥‥‥‥‥

　小・中・高校を通し、学習指導要領に基づいて教科として体系的に保健学習が行われています。

●**保健指導**‥‥‥‥‥‥‥‥‥‥‥‥‥‥‥‥‥‥‥‥‥‥‥‥‥‥‥‥‥

　日常の学校生活で個別的、学級ごとにあるいは行事を通して、健康に対する指導を行います。

❷ 保健管理　　　　　　　　　　　　　　　　　健康を守る

　学校保健安全法に基づいて、健康診断、健康相談、健康観察、感染症の予防、健康増進活動、環境整備などの活動が行われます。

●**保健管理の内容**‥‥‥‥‥‥‥‥‥‥‥‥‥‥‥‥‥‥‥‥‥‥‥‥‥

　健康診断は、一般的には毎年４月、必要に応じて実施されます。小・中・

高校を通して多く見られる疾病は、裸眼視力1.0未満の者、次いでむし歯（う歯）となっています。特に裸眼視力1.0未満の割合は、学校段階が進むにつれて高くなっており、小学校で3割を超えて、中学校では6割、高等学校では約7割となっています。また、感染症予防の具体的な対策としては、感染症にかかった子どもやそのおそれのある子どもの出席停止、あるいは学校の一部または全部の休校などがあります。

 # 学校給食 〜目的は子どもの成長と栄養改善〜

2023〈令和5〉年の全国の学校給食実施率は、小学校98.8％、中学校89.8％です。学校教育の一環として行われ、子どもの成長と栄養改善に大きな役割を果たす学校給食は、**学校給食法**に基づいて実施されています。この法律は学校衛生関係法規のなかでもとくに調理師にとってとくに大切な法律です。**学校給食実施基準**（告示）も定められ、調理師は栄養士・栄養管理者に従って、栄養・衛生上の取り扱いをすることとされています。

●学校給食法（第1章第1条）

この法律は、学校給食が児童及び生徒の心身の健全な発達に資するものであり、かつ、児童及び生徒の食に関する正しい理解と適切な判断力を養う上で重要な役割を果たすものであることにかんがみ、学校給食及び学校給食を活用した食に関する指導の実施に関し必要な事項を定め、もって学校給食の普及充実及び学校における食育の推進を図ることを目的とする。

●学校給食の目標

学校給食の目標は以下の通りです。

❶健康の保持増進を図る、❷望ましい食習慣を養う、❸明るい社交性及び協同の精神を養う、❹自然を尊重する精神ならびに環境の保全に寄与する態度を養う、❺勤労を重んずる態度を養う、❻食文化についての理解を深める、❼食料の生産、流通及び消費について正しい理解に導く。

この節のまとめ

- 学校保健には、保健教育と、健康診断、健康相談、健康観察、感染症の予防、健康増進活動、環境整備などの保健管理がある。
- 学校給食は学校給食法に基づいて実施される。

これだけは覚えよう

1. 公衆衛生行政は、一般衛生行政、学校保健行政、労働衛生行政、環境保全行政のしくみ、機構、活動内容。
2. 衛生統計は、人口動態統計、人口静態統計（国勢調査）、疾病統計、栄養統計、食品衛生統計、医療統計などがある。これらの計算式も出題。
3. 調理師法は必須。とくに欠格事項、諸届や免許の再交付等の手続き。
4. 健康増進法は、国民の健康・栄養調査など、法に基づく事業や栄養管理などの規定。
5. 環境衛生は、その衛生対策、公害や環境破壊。
6. 疾病予防は感染症と生活習慣病への対策、正確な知識と衛生への配慮。

○×、または正解を選ぶ選択式です。★は普通、★★は重要、★★★は最重要のマーク。

★★★ Q001　□□□ WHOでは、健康の定義として「健康とは、肉体的、社会的及び経済的に完全に良好な状態であり、単に、疾病または虚弱ではないということではない」としている。

解説 健康とは、病気でないとか、弱っていないということではなく、「身体的にも、精神的にも、そして社会的にもすべてが満たされた状態にあることをいう」と定義されている。

★★ Q002　□□ 日本国憲法第25条では、「すべて国民は健康で文化的な最低限度の生活を営む権利を有する」とされている。

解説 (1)「すべて国民は健康で文化的な最低限度の生活を営む権利を有する」(2)「国は、すべての生活部面について社会福祉、社会保障及び公衆衛生の向上及び増進に努めなければならない」と、規定している。

★ Q003　□□ 環境衛生行政は厚生労働省が担当している。

解説 一般衛生行政・労働衛生行政は厚生労働省の担当、学校保健行政は文部科学省、環境衛生行政は環境省の担当。

★ Q004　□□□ 蚊やハエなどの衛生害虫の発生を防ぐことは、公衆衛生活動全体の本質である。

解説 公衆衛生活動の本質は、「生活背景の予防を含めた一貫性のある予防活動」であり、蚊やハエなどの衛生害虫の発生を防ぐことは、極めて狭い範囲である。

解答　Q001－×、Q002－○、Q003－×、Q004－×

★★ Q005 □□ 都道府県における公衆衛生行政を司る機関として保健所等がある。

解説 保健所は都道府県、政令指定都市、中核都市などに設置され、保健センターが市町村区に設置されている。精神保健、感染症対策など地域保健の重要な役割を担っている。

★★★ Q006 □□ 地域保健法に規定されている保健所業務の1つに、消費生活に関する相談や啓発に関する事項がある。

解説 消費生活に関する事項は、国民生活センターおよび消費生活センターの業務。

★★ Q007 □□ ヘルスプロモーションとは、1949年にアメリカのウィンスロウが述べた公衆衛生の定義である。

解説 WHOがオタワ憲章において提唱した理念で、「人々が自ら健康をコントロールし、改善できるようにするプロセス」と定義されている。

★★ Q008 □□ 特定の一時点における人口集団の特性を把握する統計の代表的なものとして、5年ごとの人口動態統計がある。

解説 人口動態統計は1年を通して集計・公表を行うもので出生・死亡・死産・婚姻・離婚の集計。人口静態統計はある時点における人口およびその構造を調査するもので国勢調査がある。

★★ Q009 □□ 労働安全衛生法では、休憩・休日の基準を規定している。

解説 労働安全衛生法は、作業環境管理、健康診断、安全衛生教育等を規定している。休憩・休日の基準、労働時間等は労働基準法で規定している。

★ Q010 □□ 乳児死亡率とは、人口1,000人に対する1歳未満の乳児死亡数のことである。

解説 乳児死亡率とは、出生1,000人に対する1歳未満の乳児死亡数のことで、地域の公衆衛生状態などがわかる重要な指数である。わが国は、世界で最も低死亡率の国のグループに入る。

★ Q011 □□ 合計特殊出生率とは、15〜49歳の女子の各年齢別出生率の合計のことである。

解説 合計特殊出生率とは、15〜49歳の女子の各年齢別出生率の合計のことで、1人の女性が、一生の間に産む子どもの平均数である。

解答 Q005−○、Q006−×、Q007−×、Q008−×、Q009−×、Q010−×、Q011−○

★★ Q012 □ 各年齢の生存者が平均してあと何年生きられるかを示した平均余命のうち、0歳児の平均余命は平均寿命と呼ばれる。

解説 平均余命とは、「ある年齢の人が、あと何年生きることができるのか」を表している期待値で、厚生労働省から発表される簡易生命表から導き出される。

★ Q013 □ 介護給付を受けようとする者は市区町村に申請し、認定を受けなければならない。

解説 要介護認定の希望者本人が住んでいる市区町村の窓口に申請するが、介護保険を利用するには、介護認定調査を受ける必要がある。

★★★ Q014 □ わが国の死因別死亡率において、脳血管疾患による死亡率は、常に心疾患による死亡率を上回っている。

解説 2023〈令和5〉年の死因別死亡率は、1位悪性新生物（がん）24.3％、2位心疾患14.7％、3位老衰12.1％、4位脳血管疾患6.6％、5位肺炎4.8％、6位誤嚥性肺炎3.8％、7位不慮の事故2.8％、8位新型コロナウイルス感染症となっている。

★ Q015 □ 高齢化率とは、総人口に対する70歳以上の高齢者の割合である。

解説 総人口に占める65歳以上の人口の割合。2023〈令和5〉年では29.1％となっている。総人口が減少する中で、65歳以上の者が増加することにより、2065年には38.4％に達し、約2.6人に1人が65歳以上になると推計されている。

★★ Q016 □ 一酸化炭素（CO）は無色、無味、無臭の無害な気体である。人間は呼吸により酸素を取り入れ、体内でできた一酸化炭素を体外に排出して生きている。

解説 一酸化炭素は、炭素の酸化物の一種であり強い毒性を有している。呼吸により排出されるのは二酸化炭素である。

★ Q017 □ シックハウス症候群は、塗料に含まれるトルエンが原因で発症することがある。

解説 建築材料等に含まれる揮発性化学物質が原因で起こる健康への影響。原因物質には接着剤中のホルムアルデヒド、塗料に含まれるトルエン、防虫剤の成分であるパラジクロロベンゼンなどがある。

★★ Q018 □ 2023〈令和5〉年末の日本での下水道普及率は、上水道の普及率と同程度の98％に達している。

解説 2023〈令和5〉年の水道普及率は98.3％、下水道普及率は81.0％となっている。

解答 Q012－○、Q013－○、Q014－×、Q015－×、Q016－×、Q017－○、Q018－×

★ Q019 ☐ 調理室の照度は、労働安全衛生規則に従い、全体照明を150ルク
☐ ス以上に保つことが必要である。
☐

解説 調理室や給食室の照度は、労働安全衛生規則にしたがい、**全体照明を150ルクス以上**に保つことが必要である。精密な作業は300ルクス以上、普通の作業は150ルクス以上、粗な作業は70ルクス以上である。

★★ Q020 ☐ ＰＭ2.5とは、大気中に浮遊している粒径2.5μm以下の小さな粒子
☐ （微小粒子状物質）のことである。
☐

解説 ＰＭ2.5は粒径2.5μm以下の小さな粒子（微小粒子状物質）のことである。また、大気中にただよう粒子状物質のうち、粒径が10μm以下の微小なものを浮遊粒子状物質（SPM）という。

★★ Q021 ☐ 工場などの事業活動によって排出されるごみを経済廃棄物という。
☐
☐

解説 一般家庭の日常生活によって排出されるごみを一般廃棄物、工場などの事業活動によって排出されるごみを産業廃棄物という。一般廃棄物は原則として市町村に処理責任、産業廃棄物は事業者自らに処理責任がある。

★★★ Q022 ☐ 四大公害病の１つであるイタイイタイ病の原因物質はポリ塩化ビ
☐ フェニル（PCB）である。
☐

解説 イタイイタイ病は富山県神通川流域で発生、カドミウムが原因。そのほかの四大公害病である水俣病は熊本県水俣で発生、有機水銀が原因。第2水俣病は新潟県阿賀野川流域で発生、メチル水銀化合物が原因。四日市ぜんそくは三重県四日市で発生、亜硫酸ガスが原因。ＰＣＢは「カネミ油症」という食品公害で、米ぬか油の製造工程でＰＣＢが混入して起きた健康被害。

★★ Q023 ☐ 感染症は、感染源、感染経路、感受性と呼ばれる3つの要素がそろ
☐ うことで感染するが、病原性微生物を媒介する動物を駆除すること
☐ は、感染源対策である。

解説 病原性微生物を媒介する動物を駆除することは感染経路対策。手指の洗浄や消毒を行うことも感染経路対策である。感染源対策には検便や検疫、感受性対策としては栄養状態をよくし、過労をさけること、予防接種などがある。

★★ Q024 ☐ 感染症法における感染症の類型で腸管出血性大腸菌感染症は第1
☐ 類に分類されている。
☐

解説 1類は感染力、重篤性が高く、危険性が極めて高い感染症で、ペスト、エボラ出血熱、痘瘡、ラッサ熱などがある。腸管出血性大腸菌感染症は3類に分類されている。

解答 Q019－○、Q020－○、Q021－×、Q022－×、Q023－×、Q024－×

★ Q025
□
□
□
ネズミ、ハエ、蚊の駆除は感染経路対策である。

解説 間接伝播として、感染した蚊、ダニ、ハエ、ゴキブリなど媒介生物（ベクター）による感染がある。これらを駆除することは感染経路対策となる。

★★★ Q026
□
□
調理師免許の交付を受けようとする者が、申請書を提出する先は、本籍地の都道府県知事である。

解説 調理師の免許を申請する者は、住所地の都道府県知事あてに、申請書を提出する。

★ Q027
□
□
調理師本人の過失により、交通事故を起こしたときには、1年間調理師免許を取り消される。

解説 都道府県知事は、調理師が麻薬、あへん、大麻または覚せい剤の中毒患者になったときは、調理師免許を取り消すことができる。また本人の過失により、交通事故を起こしても、調理師免許は取り消されない。

★★ Q028
□
□
□
日常の生活活動を自分で行い、認知症や寝たきりでない年齢期間を健康寿命というが、健康日本21（第3次）では、基本的な方向として、「健康寿命の延伸」を挙げている。

解説 21世紀における国民健康づくり運動（健康日本21）では、基本的な方向として、「健康寿命の延伸」「健康格差の縮小」「生活習慣病の発症予防と重症化予防の徹底」等が挙げられている。

★★★ Q029
□
□
□
リハビリテーションは疾病の第3次予防である。

解説 疾病の予防段階は、1次予防（健康増進をはかり病気の発生を防ぐ）、2次予防（病気の早期発見と早期治療）、3次予防（再発防止、リハビリテーション、社会復帰）の3段階。

★★ Q030
□
□
「2023〈令和5〉年　人口動態統計（確定値）」において、男性の死因順位は1位心疾患、2位悪性新生物、3位脳血管疾患となっている。

解説 男性は1位悪性新生物、2位心疾患、3位老衰、4位脳血管疾患、5位肺炎。女性は1位悪性新生物、2位老衰、3位心疾患、4位脳血管疾患、5位肺炎。

解答　Q025－○、Q026－×、Q027－×、Q028－○、Q029－○、Q030－×

★ Q031
☐☐☐ 学校給食の目標の1つとして「健康を保持するための食事の調理法を習得させる」と掲げられている。

解説 ①健康の保持増進、②望ましい食習慣を養う、③学校生活を豊かにし、明るい社交性及び協同の精神を養う、④食文化の理解、⑤食料の生産・流通・消費を理解する、⑥勤労を重んずる態度を養う、などがあるが、調理法の習得はない。

★★ Q032
☐☐☐ 要介護認定制度は、要支援が5段階、要介護が2段階に分かれている。

解説 要介護度には要支援1・2と要介護1・2・3・4・5の区分がある。

★★ Q033
☐☐☐ ノロウイルスは、患者の咳や痰などの飛沫が乾燥したもので空気感染する。

解説 飛沫が空気中を飛行しているときに水分が蒸発すると、飛沫核となり空気中を長時間浮遊できる。麻しん、水痘、結核も空気感染する。

★★ Q034
☐☐☐ 大気の汚染状況を示す検査項目として生物化学的酸素要求量（BOD）がある。

解説 BODは水の汚濁指標として用いられ、工場排水等の規制項目の1つとして重要。微生物が水中の有機物を分解するときに消費する酸素の量として表され、この数値が大きいと水の汚れがひどいということになる。大気汚染の指標はPM2.5、二酸化窒素、SPM、二酸化硫黄など。

★★ Q035
☐☐☐ 労働安全衛生法第66条に基づき、事業者は希望する労働者に対して、一般健康診断を実施することになっている。

解説 労働安全衛生法第66条「事業者は、労働者に対し、厚生労働省令で定めるところにより、医師による健康診断を行わなければならない」。したがって、全員の健康診断が義務付けられている。

★★ Q036
☐☐☐ メタボリックシンドローム（内臓脂肪症候群）の診断に用いられる項目としてBMI（体格指数）がある。

解説 メタボリックシンドロームの診断基準には、ウェスト周囲径（男性85cm以上・女性90cm以上）、かつ血圧・血糖・脂質の3つのうち2つ以上が基準値から外れるとメタボリックシンドロームと診断される。BMIは診断基準に含まれない。

解答 Q031－×、Q032－×、Q033－○、Q034－×、Q035－×、Q036－×

★★ Q037 糖尿病は膵臓ホルモンのインスリンの分泌不足でおこる。要因として、肥満、運動不足、過食や炭水化物の過剰摂取などがある。

解説 糖尿病には1型と2型がある。1型は膵臓からインスリンがほとんど出なくなるので、インスリン注射が必要。2型は遺伝的な影響や、食べ過ぎ、運動不足、肥満などの環境的な影響が大きい。糖尿病患者の95％は2型の糖尿病である。

★★ Q038 保健・福祉制度に関する次の記述のうち、適切なものを1つ選びなさい。
- (1) 介護保険制度の保険者は、都道府県である。
- (2) 母子保健手帳の交付は、市区町村が行う。
- (3) 3歳児健康診査は、都道府県が行う。
- (4) 要介護認定では、要支援5段階、要介護は7段階にわかれている。

解説 介護保険制度の保険者、また3歳時健康調査の実施団体は全国の市町村（特別区を含む）。(4) 要支援は2段階、要介護は5段階にわかれている。

★ Q039 ウイルスによる感染症として、正しい組み合わせはAである。
A：コレラ・デング熱　B：日本脳炎・麻しん(はしか)　C：マラリア・結核

解説 Bの日本脳炎・麻しん（はしか）がウイルス。Aのコレラは細菌、デング熱はウイルス。Cのマラリアは原虫、結核は細菌である。

★ Q040 地球規模で取り組まれている環境課題として大規模地震がある。

解説 大規模地震はない。地球温暖化、オゾン層破壊、酸性雨を環境課題として取り組んでいる。

★ Q041 労働衛生対策の基本として、作業環境管理がある。

解説 労働衛生対策の基本には、作業環境管理、作業管理、健康管理がある。

★★ Q042 調理師法第5条の2に規定される就業届は、5年ごとに出生地の都道府県知事に提出しなければならない。

解説 調理師法第5条の2では、調理の業務に従事する調理師は、厚生労働省令で定める2年ごとの年の12月31日現在における氏名、住所、その他厚生労働省令で定める事項を、当該年の翌年の1月15日までに、その就業地の都道府県知事に届け出なければならないとしている。

解答 Q037−○、Q038−（2）、Q039−×、Q040−×、Q041−○、
　　　Q042−×

Chapter 2

食品学

この章で学ぶこと

◆食品学は、食品の知識とその応用によって私たちの健康と豊かな食生活に貢献していく学問です。

◆食品はいろいろな方法で分類できます。動物性食品や植物性食品、6つの基礎食品について、成分の違いと特性を理解しながら、それぞれどのような食品があるかを学習します。

◆個々の食品については、食品を18分類に従った方法でグループ分けし、共通してもつ成分や特性について整理していきます。

◆食品の加工においては、かび・酵母・細菌などの食用微生物が重要な働きをしています。それらを利用した加工品についてもまとめていきます。

◆食品を保存・貯蔵することは、限りある食品を有効に利用するために大切なことです。その方法は食品の特徴を生かしたものでなければなりません。

◆日本人の食生活がどのように変わってきたか、そして、現在の食料生産と消費についての知識は、食品学の幅を広げるために役立ちます。

① 食品学の基礎

健康な食生活を送るためには、食物の材料である食品に関する知識をもとにして、献立を作成し、調理・加工をする必要があります。食品学は食品に関する知識を深め、それを応用していくための学問です。

出題のポイント

🖉 食品学は、食品に関する知識を深め、その応用を図る学問である。
🖉 食品のなかの色素・味・香り・酵素などの成分を特殊成分という。
🖉 食品成分表には、食品の可食部 100 g 中の栄養成分の種類と量、エネルギーが記載されている。

食品学とは ～食品の知識とその応用～

食品の条件は、1 つでも栄養素を含み、有害物質は含まず、そして味や香りなどについても食用として好ましいものであることといえます。

食品学は、食材料であるさまざまな食品について、含まれる栄養素の種類や性質、働きを明らかにしていきます。そしてそれを応用して、食物にするための適切な調理・保存・加工法などの正しい知識を身につけ、豊かで安全な食生活を営むための学問です。

●食品の条件

食用として好ましい（味や香り）など

栄養素を含む

有害物質を含まない

食品の成分 ～食品を分解してみよう～

❶ 食品の成分　　　　　栄養成分と特殊成分

食品を組み合わせて食事を整えるためには、個々の食品の栄養価を知ら

なければなりません。食品には、水分のほかに栄養素となる**たんぱく質・炭水化物・脂質・ビタミン・無機質**の5つの成分が含まれています。そして、このほかに色素・味・香り・酵素などの成分が微量ですが含まれています。5大栄養素を**栄養成分**、それ以外の成分を**特殊成分**といいます。

●いろいろな特殊成分

色　素	タンニン：柿、茶類の渋味
	テオブロミン：ココアの苦味
クロロフィル：葉菜類、緑色野菜	**酵　素**
フラボノイド：大豆、みかん、そば	
アントシアニン：しそ、なす、赤かぶ	チアミナーゼ（ビタミンB₁分解酵素）：貝類、わらび、ぜんまい
カロテノイド：にんじん、緑黄色野菜	アスコルビナーゼ（ビタミンC分解酵素）：にんじん
呈　味	
グルタミン酸：コンブのうま味	アミラーゼ（でんぷん分解酵素）：さつまいも、だいこん
イノシン酸：カツオ節のうま味	
コハク酸：清酒のうま味	プロテアーゼ（たんぱく質分解酵素）：いちじく、パパイア
テアニン：玉露茶のうま味	
カフェイン：コーヒー、緑茶の苦味	

❷ 食品成分表　　　　食品の詳細が一目でわかる

　食品中の栄養素を知るには、一般に「**日本食品標準成分表2020年版（八訂）**」（18群別 収載食品数2478・文部科学省資源調査分科会編）が利用されます。各食品の可食部100g中に含まれる栄養素（エネルギー、水分、たんぱく質、脂質、炭水化物、無機質13種類、ビタミン13種類、食塩相当量、食物繊維など）の種類、量などがわかります。

●**食品成分表に使われる単位**‥‥‥‥‥‥‥‥‥‥‥‥‥‥‥‥‥‥‥‥

❶　エネルギー…kcal（キロカロリー）とkJ（キロジュール）

❷　水分、たんぱく質、脂質、炭水化物、食物繊維… g

❸　無機質…mg

❹　ビタミンB₁・B₂・C、ナイアシン…mg

❺　ビタミンA・レチノール、ビタミンD、カロテン…μg（マイクログラム）

❻　「Tγ」は0ではない微量、「－」は測定できなかったもの

65

❸ 食品のもつエネルギーと栄養価値 100g当たりから算出

　「日本食品標準成分表2020年版（八訂）」では、食品の可食部100ｇ当たりのエネルギー値が新たな方法で算出されます。

●従来の計算方法

　従来の算出方法は、**アトウォーター係数**（たんぱく質１ｇ当たり４kcal・脂質１ｇ当たり９kcal・炭水化物１ｇ当たり４kcal）をもとに、以下のように算出していました。

エネルギー（kcal）＝たんぱく質（g）×４kcal／g＋脂質（g）×９kcal／g＋炭水化物（g）×４kcal／g＋アルコール（g）×７kcal／g

●新しい計算方法

　新しい算出方法では、**エネルギー産生成分**を、たんぱく質＝アミノ酸組成によるたんぱく質、脂質＝脂肪酸のトリアシルグリセロール当量、炭水化物＝利用可能炭水化物（単糖当量）としています。計算方法は以下のように複雑になっていますが、実際の摂取エネルギー量に近づけることができます。

エネルギー（kcal）＝アミノ酸組成によるたんぱく質（g）×4.0kcal／g＋脂肪酸のトリアシルグリセロール当量（g）×9.0kcal／g＋利用可能炭水化物（単糖当量）（g）×3.75kcal／g＋糖アルコール（g）×2.4kcal／g＋食物繊維総量（g）×2.0kcal／g＋有機酸（g）×3.0kcal／g＋アルコール（g）×7.0kcal／g

●食品の栄養価値の判断

　例えばたんぱく質や炭水化物を多量に含んでいても、体の中に吸収されなければ栄養素として役立ちません。食品の栄養価は、❶成分値、❷エネルギー値、❸アミノ酸価、❹消化吸収率、などを総合して判断されます。

 # 食品の分類 ～多くの食品を一括する～

❶ 植物性食品と動物性食品 食品の大きな２つのまとまり

　食品の種類は、大きくは**植物性食品**と**動物性食品**の2つに分類されますが、鉱物性食品として食塩やにがり、ミネラルウォーターなどを加えることもあります。

●植物性食品の特徴

❶　一般に**炭水化物・ビタミン・無機質**が多く、たんぱく質・脂質が少ない。ただし、大豆及び大豆製品はたんぱく質・脂質を多く含む。

❷　炭水化物を多く含むので、重要な**エネルギー源**となる。

❸　ビタミン類は、緑黄色野菜（カロテン）、穀類や豆類（ビタミンB₁）、果物（ビタミンC）に多い。

❹　**食物繊維**が多く、**整腸作用**、**コレステロール低下作用**がある（砂糖類、油類を除く）。

●**動物性食品の特徴**‥‥‥‥‥‥‥‥‥‥‥‥‥‥‥‥‥‥‥‥‥‥‥‥‥‥‥

❶　一般に**必須アミノ酸**をバランスよく含んだ良質のたんぱく質と脂質が多く、炭水化物は肉類で1％以下と極めて低く、肝臓や骨格筋に**貯蔵多糖類**として**グリコーゲン**を含んでいます。乳類には**ラクトース**が約4％含まれています。

❷　無機質では、骨や歯をつくる**カルシウム**、**リン**に富んでいる。

❸　ビタミン類では、A、B₁、B₂、Dが多い。ビタミン類を多く含む食品は、レバー、豚肉、サバ、カツオ、ウナギなど。

❹　食物繊維はほとんど含まず、消化吸収は良い。

	植物性食品	動物性食品
たんぱく質	少ない	多い（必須アミノ酸が多い）
脂肪	少ないが、必須脂肪酸は多い	多い
炭水化物	炭水化物、繊維とも多い	炭水化物、繊維とも少ない
ビタミン	B₁、C、カロテンが多い	A、B₁、Dが多い
（例外）	大豆はたんぱく質、脂肪が多い	脂身はたんぱく質が少ない

❷ 塩の種類　　日本の塩は基本的に海水を煮詰めたもの

❶　**食塩**…一般的に広く使われている塩。塩化ナトリウムが99％以上で炭酸マグネシウムを添加していないため、普通の料理に適している。

❷　**並塩**…漬物や加工用に使われる塩。塩化ナトリウムが95％で苦汁（にがり）が多く、湿っている。

❸　**食卓塩**…塩化ナトリウムが99％以上で炭酸マグネシウムを0.4％添加している。固結防止の炭酸マグネシウムが添加されているため、サラサラしている。炭酸マグネシウムは水に溶けにくいので、吸い物などに用いると白く濁る。

❹　**再生加工塩**…海外から輸入した岩塩や天日塩を一度溶かし、塩化マグネシウムや塩化カルシウムなどのミネラルを添加したもので「○○の塩」といったような名前で売られている。

❸ 三色食品群 栄養素の特徴から3群に分類

　分類の仕方が簡単でわかりやすいことから、**学校給食の献立表**などに使われています。

赤色群	黄色群	緑色群
たんぱく質やミネラルを含み、血液や身体の筋肉・骨や歯を作る。	炭水化物や脂肪に富み、力や体温になるためのエネルギー源になる。	ビタミンやミネラルを含み、身体の調子を整え、たんぱく質や炭水化物・脂質の代謝に必要。
魚・肉・豆類・卵・乳類・海苔・わかめ・小魚など	穀類・砂糖・油・いも類・バター・マーガリンなど	緑黄色野菜・淡色野菜・果物・きのこなど

❹ 食品の18分類法 栄養成分による分類

　食品に含まれる栄養成分の特色によって分類する方法です。「日本食品標準成分表2020年版（八訂）」（18群別 収載食品数2478・文部科学省資源調査分科会編）の分類であり、特定給食施設の献立作成、監督官庁への栄養報告などはこの分類法が基準になっています。

●食品の18分類

分類		主な食品
植物性食品	❶穀類	米、小麦、大麦、雑穀及びそれらの加工品
	❷いも及びでんぷん類	じゃがいも、さつまいも、さといもなど、及びそれらの加工品
	❸砂糖及び甘味類	砂糖、水あめ、はちみつなど
	❹豆類	大豆、大豆製品、その他の豆類とその加工品
	❺種実類	ごま、栗、アーモンド、落花生及び加工品
	❻野菜類	にんじん、かぼちゃ、青菜、だいこん、たまねぎ、なすなど
	❼果実類	かんきつ類（みかんなど）、りんご、かき、いちごなど
	❽きのこ類	しいたけ、しめじ、えのきたけ、マッシュルームなど
	❾藻類	わかめ、こんぶ、のり、ひじき、寒天など
動物性食品	❿魚介類	魚、貝、えび、いかなど、及びそれらの加工品
	⓫肉類	牛、豚、鳥などの肉及び内臓、加工品
	⓬卵類	鶏卵、うずら、あひるの卵
	⓭乳類	牛乳、山羊乳、チーズ、バター、ヨーグルトなど
植・動	⓮油脂類	植物油、ラード、バター、マーガリンなど

その他	⑮菓子類	和・洋菓子、せんべい、チョコレートなど
	⑯嗜好飲料類	緑茶、紅茶、コーヒー、清涼飲料、アルコール飲料
	⑰調味料及び香辛料類	しょうゆ、ソース、酢、マヨネーズ、ケチャップ、こしょうなど
	⑱調理済み流通食品類	冷凍食品類、ポタージュなど

❺ その他の分類法　　　　　　　目的によって分類する

●6つの基礎食品群による分類

栄養素をバランスよく摂取するための食品分類として**厚生労働省**から示されています。

第1群：良質なたんぱく質（魚・肉・卵・大豆）

第2群：**カルシウム**（牛乳・乳製品・骨ごと食べられる魚）

第3群：**カロテン**（緑黄色野菜）

第4群：**ビタミンC**（その他の野菜・果実）

第5群：**炭水化物**（米・パン・めん・いも）

第6群：**脂質**（油脂）

この節のまとめ

- 食品は植物性食品と動物性食品とに大別できる。
- 6つの基礎食品

  第1群：筋肉や血、骨をつくる良質なたんぱく質の供給源

  第2群：骨や歯を丈夫にするカルシウムの供給源

  第3群：皮膚や粘膜を保護するカロテンの供給源

  第4群：身体の機能を調節するビタミンCの供給源

  第5群：糖質性のエネルギー源

  第6群：脂肪性のエネルギー源

さまざまな食品

私たちの食卓にのる食品の数は増加し、多様化してきています。限られた食料資源のなかで、豊かな食生活を営むためには、個々の食品の特徴を知り、その食品に合った調理方法を知る必要があります。

出題のポイント

🔖 植物性食品には穀類、いも類、砂糖・甘味類、菓子類、油脂類、種実類、豆類、野菜類、果実類、きのこ類、海藻類がある。
🔖 動物性食品には、肉類、魚介類、卵類、乳類がある。
🔖 嗜好飲料は、神経に刺激を与え、疲労を回復させる効果がある。
🔖 調味料や香辛料は、食品の味を調え、食欲を増進させる。

🏔 植物性食品 ～炭水化物・ビタミン・無機質の宝庫～

❶ 穀類　　　　　　　　　　　日本人のエネルギー源

穀類は米、大麦、小麦、雑穀〔ひえ、あわ、とうもろこし、えん麦（オーツ麦）、そばなど〕や、これらの加工品です。主として主食や菓子に用いられ、消費量も多く、重要なエネルギー源となっています。成分は炭水化物が多く（50～70％）、たんぱく質も含んでいます（6～14％）。

穀類は外皮・胚乳・胚芽からできており、胚乳部分が一般的に食用となります。外皮と胚芽には、たんぱく質、脂質、無機質、ビタミンB₁が多く含まれますが、精白すると除かれてしまいます。

●玄米の構造

胚芽 〕脂質、たんぱく質、ビタミンB₁を多く含む
外皮 （精白により除かれる）
胚乳 （主な食用部）

●米

❶ **精白米**…玄米を歩留まり90～92％に精白したものです。成分的には炭水化物が主で約77％、たんぱく質は6％、脂質0.9％、ビタミンB₁及びB₂は微量、無機質はリンを多く含んでいます。

精白米は美味で消化吸収が良いために、私たち日本人の主食となっていますが、精白した状態で長期間保存すると味が落ちるので、貯蔵する場合はもみ米か玄米のほうが適しています。

米の精白歩留まり別特徴			
	玄米	5分づき米	精白米
歩留まり	−	95〜96%	90〜92%
栄養素量	多い ◀━━━━━		少ない
風味	悪い ━━━━━▶		良い
消化・吸収	悪い ━━━━━▶		良い

❷ **うるち米ともち米**…日常、炊飯用としているのがうるち米、もち・おこわなどに使うのがもち米です。うるち米に含まれるでんぷん成分は、**アミロース**と**アミロペクチン**の含有比率が2：8ですが、もち米はほぼ100％アミロペクチンです。これがもち米独特の粘りになっています。

●米の種類

種類	米粒の形状	特徴	アミロース量
日本型 （ジャポニカ米）	丸みを帯びている	米飯は粘りがある	17〜27%
インド型 （インディカ米）	細長くて砕けやすい	米飯は粘りが少ない	27〜31%

＊世界で消費される米の80％はインド型

●米の加工と用途

・もち米が原料
みじん粉、道明寺粉
白玉粉、みりん、白
酒など

・うるち米が原料
新粉、上新粉
米粉（ビーフン）

・どちらも使われるもの
清酒、甘酒
米こうじなど

●**小麦**……………………………………………………………………………

米よりたんぱく質、脂質、ビタミンB$_1$を多く含んでいます（アミノ酸価は低い）。生産量の約80％は製粉し、小麦粉としてパンやうどん、マカロニ、菓子などの原料となり、残りはみそ、しょうゆの原料、飼料などです。小麦に含まれるたんぱく質は強い粘度をもち、この粘性物を**グルテン**と呼びます。グルテンの量により、小麦粉は、**強力粉、中力粉、薄力粉**に分類されます。

●小麦粉の種類と用途

・強力粉
（グルテンが多い）
パン、マカロニ、
スパゲティなど

・中力粉
（グルテンが中程度）
中華そば、うどん、
ビスケットなど

・薄力粉
（グルテンが少ない）
天ぷらの衣、ケーキなど

●大麦・ライ麦・えん麦

　大麦は繊維やビタミンB$_1$が多く、押し麦などにして米に混ぜて炊飯したり、麦茶、しょうゆ、みそ、焼酎などの原料として用いられたりします。また、大麦を発芽させた麦芽は、主にビール醸造用に使われています。グルテンをほとんど含まないため、製めん、製パンには向いていません。

　ライ麦は、黒パンの原料となりますが、グルテンがほとんどなく、硬いパンができあがります。**えん麦（オーツ麦）**はたんぱく質、脂質を多く含み、**オートミール**として用いられています。

●そば

　通常そば粉となり、つなぎとしての小麦粉や卵、やまのいもなどと一緒に製めんされます。良質のたんぱく質、ビタミンB$_1$・B$_2$が多く、また**ルチン**を含むために、高血圧の予防に効果があるといわれています。

●とうもろこし

　米、小麦とともに**世界3大作物**の1つに数えられています。胚芽には脂質が多く含まれ、良質の食用油（コーン油）ができます。また、コーンスターチ、コーンフレーク、コーングリッツなども作られています。

❷ いも類　　　　　　　　　　　でんぷんの供給源

　炭水化物（でんぷん）が主成分で、たんぱく質や脂質は少ししか含んでいません。水分量は70〜80％と多く、また、ビタミンB$_1$・Cや、無機質ではカリウムなどが多く、野菜と似ています。

●さつまいも

　主成分はでんぷんで、たんぱく質、脂質は少量です。ぶどう糖やしょ糖も含まれ甘味があり、カリウム、カルシウム、カロテン、ビタミンCが多く含まれています。

●**じゃがいも**……………………………

　でんぷんが主成分で、無機成分として
はカリウムが多く、ビタミンB_1・B_2・C
を含みます。特殊成分として、新芽や日
光が当たって緑色になった部分に**ソラニ
ン、チャコニン**という有害物質が生じます。

●**さといも・やまのいも・こんにゃく
いも**………………………………………

　さといもは、**ガラクタン**という多糖類

	さつまいも	じゃがいも
でんぷん	◎	◎
たんぱく質	△	×
脂質	△	×
カリウム	◎	◎
カルシウム	◎	○
ビタミン	C	B_1 B_2 C
その他		ソラニン(毒)

（多くのガラクトースから成る）のために特有の粘り気があります。葉柄
もずいきといって食用になります。手がかゆくなるのはシュウ酸カルシウ
ムのため、酸と結合し分解するので酢水やレモン汁で洗うとかゆみが取れ
ます。**やまのいも**の主成分はでんぷんと粘質物です。他のいもよりたんぱ
く質がやや多く、アミラーゼを含むため消化を助けます。また、**こんにゃ
くいも**は**グルコマンナン**という糖質が主成分。グルコマンナンは水を吸収
すると膨張して**コロイド状態**になり、これに石灰などのアルカリを加えて
加熱すると凝固します。消化されず栄養価は低いですが、血中コレステロ
ール**低下作用**があるといわれています。

❸ 砂糖・甘味料　　　　調味料としての価値が大きい

　砂糖、あめ、はちみつなどです。砂糖の主成分は**しょ糖**という糖質で、
味つけや貯蔵用として用います。

❹ 菓子類　　　　　　　　高エネルギー食品

　一般に米、小麦が主原料で、多くはこれに多量の糖分が加わっています。
成分はでんぷんと糖分が主で、水分が少なく、**高エネルギー食品**といえます。
洋菓子はバターや牛乳、卵なども使われ、たんぱく質や脂質も多くなります。

❺ 油脂類　　　　　　　　少量で多くのエネルギー源に

　主成分は脂質で、**エネルギー源**になります。油脂は不飽和脂肪酸の構成
割合が高いほど融点が**低く**（溶けやすく）、一般に常温（20℃）で液体の
ものを「**油**」、固体のものを「**脂**」と呼んでいます。植物性、動物性のほか、
マーガリン、ショートニングなどの加工油脂もあります。

●植物性油脂

ごま油、大豆油、なたね油、米油、オリーブ油などがあります。リノール酸、リノレン酸などの必須脂肪酸が多く、**コレステロール**の血管壁への沈着を防ぎます。ビタミンEを含み栄養価の高い食品です。

●動物性油脂

❶ **ラード（豚脂）・ヘット（牛脂）**…ラードはヘットよりも不飽和脂肪酸が多いためやわらかく、消化も早いのが特徴です。ヘットはビタミンAが多く、動脈硬化となるコレステロールも含んでいます。

❷ **魚油**…多価不飽和脂肪酸のエイコサペンタエン酸（EPA）、ドコサヘキサエン酸（DHA）などが豊富で、動脈硬化の予防や血栓症の予防に役立っています。融点が低く、性状は植物性油脂に似ています。

❻ 種実類　　　　　　　　　脂質に富み、無機成分も多い

栗、くるみ、アーモンド、ぎんなん、カシューナッツ、麻の実、ごまなど、植物の種や実が可食部となっているものです。一般に水分が少なく、多くの種実類は脂質に富み、無機成分やビタミンB_1・B_2が多く、落花生、麻の実などは、たんぱく質を多く含んでいます。

❼ 豆類　　　　　　　　植物性食品では重要なたんぱく質源

●大豆

大豆は良質なたんぱく質（35%）、脂質（19%）が豊富です。他に糖類（24%）、ビタミンB類、無機質ではカリウム、リンを多く含みます。大豆油のほか、豆腐、納豆、油揚げ、湯葉、みそ、しょうゆ、きな粉などの加工食品の原料にもなっています。

●大豆の加工品

> 豆腐：豆乳に塩化マグネシウム（にがり）、硫酸カルシウム（すまし粉）、グルコノデルタラクトン（GDL）などの凝固剤を入れて固める。

豆腐の種類	製法
木綿豆腐	豆乳に凝固剤を加え、布を敷いた穴の開いた型箱に流し込み、圧搾して固めたもの。
絹ごし豆腐	濃い豆乳に凝固剤を加え、型箱の中でそのまま固めたもの。
充填豆腐	濃い豆乳に凝固剤を加え、容器に入れ密封後、加熱凝固したもの。

●いんげん豆、そら豆、えんどう豆、あずきなど

主成分はでんぷん（30〜40%）で、たんぱく質（20%前後）にも富んで

74

いますが、脂質は少量です。さやえんどうなど未熟なものはビタミン類を多く含み、野菜として利用されています。

❽ 野菜類　　　　　　　　　　無機質、ビタミンが豊富

　水分の多いのが特徴で、糖質・たんぱく質・脂質が少なく、無機質ではカリウム・ナトリウム・カルシウムなどのアルカリ元素を多く含みます。ビタミンA（カロテン）・B_1・B_2・Cに富み、**ビタミン供給源**としても重要な食品です。

●緑黄色野菜

　ほうれん草、小松菜、かぼちゃ、にんじんなど、可食部100 g 当たりのカロテノイド含有が600μg 以上のもの（有色野菜）と、ピーマン、トマト、グリーンアスパラガス、さやいんげんなど、カロテノイドを比較的多く含むものからなります。カルシウム、鉄などの無機質やビタミンA・Cなどが豊富です。

●淡色野菜

　キャベツ、きゅうり、だいこん、なす、もやしなど、緑黄色野菜以外の野菜。だいこんにはでんぷん分解酵素のアミラーゼが含まれています。

野菜の食用部分別による分類
葉菜類：ほうれん草、はくさい、キャベツなど
茎菜類：たまねぎ、セロリ、アスパラガス、ねぎ、たけのこなど
根菜類：だいこん、かぶ、ごぼう、にんじん、れんこんなど
果菜類：かぼちゃ、きゅうり、なす、トマトなど
花菜類：カリフラワー、きく、ブロッコリー、みょうがなど

❾ 果実類　　　　　　　　　　ビタミンCの供給源

　一般にかんきつ類とそれ以外の果実に分けられます。酸味と甘味がほどよく調和し、特有の香りと色をもち、**生で食べられる**のが特徴です。糖分やカリウムなどの無機質、ビタミンCに富んでいます。砂糖と一緒に煮ると固まる**ペクチン**が含まれ、ジャムやマーマレードに利用されています。

果実の特徴と成分
甘味：ぶどう糖、果糖、しょ糖
酸味：りんご酸（りんご）、クエン酸（かんきつ類）、酒石酸（ぶどう）
香り：アルコール、エステル、アルデヒド、ケトンなど
色　：クロロフィル、カロテノイド、アントシアニン、フラボノイド

⑩ きのこ類　　　　　　　　　血中コレステロールを低下

　かびや酵母と同じ**菌類の仲間**で、まつたけやトリュフを除き多くは**人工栽培**されています。一般に栄養価は低く、消化も良くありません。近年は、血中コレステロール低下の働きが注目されています。生のままでは水分が多く、カリウム、リン、ビタミンB_1・B_2、ナイアシンを含みます。干しシイタケにはプロビタミンＤの**エルゴステリン**が豊富です。

⑪ 藻類　　　　　　　　　ヨウ素、カルシウムが豊富

　こんぶ、ひじき、わかめ、もずく、浅草のりなどがあります。主成分は**炭水化物**ですが、大部分は消化の悪い粘性をもつ**多糖類**。消化吸収が良くないため利用率は悪く、エネルギーが算定できません。無機質成分は、カリウム、カルシウム、ナトリウム、マグネシウム、リン、鉄、ヨウ素など。

動物性食品　～良質なたんぱく質の供給源～

❶ 肉類　　　　　　　　　　必須アミノ酸が豊富

　牛、豚、馬、羊、うさぎ、鶏（にわとり）、七面鳥などの肉と、これらを原料とする加工品です。主成分は**たんぱく質**と脂質ですが、脂質は動物の種類や部位によって含量が大きく変わります。たんぱく質は**必須アミノ酸**を多く含む、良質で消化吸収の良いものです。肉の部分にはビタミン、糖質はあまり含まれず、無機質ではリン、カリウム、イオウを多く含んでいます。内臓（レバーなど）は鉄、ビタミン類が豊富で、貧血などに効果があります。

●牛肉‥‥‥‥‥‥‥‥‥‥‥‥‥‥‥‥‥‥‥‥‥‥‥‥‥‥‥‥
　牛種、部位により脂質の含量が違い、エネルギー量も異なります。**もも**などは脂質が少なく、リブロース、サーロイン、バラなどが脂質の多い部位です。**霜ふり肉**は、リブロース、サーロインなど筋肉の内部に脂肪が細かく入り込んだものをいい、品質の基準にもされています。

●豚肉‥‥‥‥‥‥‥‥‥‥‥‥‥‥‥‥‥‥‥‥‥‥‥‥‥‥‥‥
　他の獣肉と比較するとやわらかく、肉の部分に**ビタミンB_1**を多く含みます。加工品にはハム、ソーセージ、ベーコンなどがあります。

●鳥肉‥‥‥‥‥‥‥‥‥‥‥‥‥‥‥‥‥‥‥‥‥‥‥‥‥‥‥‥
　鳥肉は皮下脂肪が多く、皮なしの場合は脂質が少なくなります。ささみ

は脂質が少なく、**たんぱく質**が多く、白身で味が淡白です。

❷ 魚介類 　　　　　　　　種類が多く重要なたんぱく質源

魚介類は、私たち日本人の重要な**たんぱく質源**となっています。農・畜
産物に比べて非常に多種類で
す。生産量が不確実なこと、
変質・腐敗しやすいなどの特
徴があります。また、同一種
類でもとれる季節、漁場、魚
体の大きさなどで成分が大き
く異なる場合があります。

●魚類

肉質はやわらかく、良質の
たんぱく質を約20％含み、ビ
タミンB$_2$・Dもかなり豊富で
す。脂質は、一般に白身の魚

魚介類の加工品
乾燥品
素乾品：タタミいわし、フカヒレ
塩乾品：開き干し、丸干し
煮干し品：煮干しいわし、干しえび
燻製品：サケ、ニシン、イカ、タコなど
練り製品：かまぼこ、ちくわ、はんぺんなど
塩蔵製品：新巻サケ、スジコ、イカの塩辛
水産調理食品：みりん干し、つくだ煮など
焙乾品：かつお節、なまり節など
その他：缶詰、冷凍食品

（ひらめ、きすなど）は少なく、赤身の魚（まぐろ、さばなど）に多く含
まれますが、漁獲時期などで大きく変わります。季節による含有成分の変
動は味にも影響し、脂が乗った時期を旬とするのが一般的ですが、必ずし
も旬と脂の乗った時期が一致しているわけではありません。

骨ごと食べられる小魚は**カルシウム**が多く、たらやおひょうの肝臓はビ
タミンA・Dが多く含まれ**肝油**として利用されています。うなぎは**ビタミ
ンA**をとくに多く含んでいます。

● POINT ●

DHA（ドコサヘキサエン酸）　まぐろやさんまなどの魚の脂質を構成する多価不
飽和脂肪酸の1つ。記憶力がよくなる、動脈硬化にならない、などと注目されて
いる。DHAの多いまぐろの頭や目玉が人気となり、DHA入りの飲料、食品が商
品になっている。

●貝類及びその他の魚介類

貝類にはあわび、さざえ、ほたて貝、はまぐり、あさり、かきなどがあ
ります。かきは**グリコーゲン**を多く含み、たんぱく質、ビタミンB$_1$・B$_2$も

多く、栄養的に優れ、消化の良い食品です。その他、いか、たこ、えび、かに、うになど、生食や加工品として幅広く利用されています。

❸ 卵類　　　　　　　　栄養価が高い"完全食品"

　鶏・うずら・あひるの卵が食用として使われています。鶏卵は栄養価が高く、質の良いたんぱく質とビタミンが豊富です。

　卵白と卵黄は、組成が大きく異なります。卵白は約90％が水分、残りほとんどがたんぱく質です。一方、卵黄は水分が50％、残りの固形成分は脂質、たんぱく質、無機質で、ビタミンC以外のビタミンをすべて含んでいるのも特徴です。

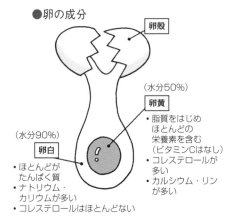

●卵の成分

卵殻

（水分50％）

卵黄
・脂質をはじめほとんどの栄養素を含む（ビタミンCはなし）
・コレステロールが多い
・カルシウム・リンが多い

（水分90％）

卵白
・ほとんどがたんぱく質
・ナトリウム・カリウムが多い
・コレステロールはほとんどない

CHECK!

卵の特性を利用した調理と加工品
・温泉卵 − 凝固温度の違い
　卵白の凝固温度は62〜85℃、卵黄は65〜70℃。全卵を65〜67℃に長時間保つと卵黄が固まり、卵白が半流動体の卵ができます。
・マヨネーズ − 乳化性
　卵黄に含まれるリン脂質は、脂肪を乳化させる性質があります。

❹ 乳類　　　　　　　　女性は多くとるようにしたい

●牛乳

　牛乳は消化が良く、ほとんどすべての栄養素が含まれ、とくに良質のた**んぱく質**、**カルシウム**の重要な供給源になっています。

　乳たんぱく質の約78％はカゼインで、カルシウムと結合して存在しています。カゼインは酸によって固まる性質があり、この性質を利用してチーズが作られています。また、乳糖を構成するガラクトースは、乳児の成長に欠かせない糖であり、カルシウムやマグネシウムの吸収に役立つといわれています。

●乳製品 ……………………………………………………………………

牛乳 ：市場で販売される牛乳を市乳といい、
　　　牛乳・特別牛乳・成分調整牛乳・低
　　　脂肪牛乳・無脂肪牛乳などに分類さ
　　　れる。

●乳製品のいろいろ

均質牛乳：**ホモ牛乳**ともいう。脂肪球を均
　　　質機（ホモゲナイザー）によっ
　　　て細かく均一化したもの。最近
　　　では市乳の処理工程では必ず均
　　　質化が行われている。

加工牛乳：生乳に濃縮乳、脱脂粉乳、クリーム、バターなどの乳製品を
　　　加えたもの。

乳飲料 ：牛乳、脱脂乳に香味料や甘味料、鉄やカルシウムなど乳以外の
　　　ものを添加したもの。

●アイスクリームの分類

種類	乳固形分	乳脂肪分
アイスクリーム	15%以上	8%以上
アイスミルク	10%以上	3%以上
ラクトアイス	3%以上	―
氷菓(シャーベット)	3%未満	―

クリーム：生乳から脂肪分を
　　　分離したもの。ク
　　　リームの脂肪分は
　　　15〜45％。アイス
　　　クリーム、バター
　　　などの原料になる。

発酵乳 ：原料乳に乳酸菌を加えて発酵させたもの。ヨーグルト、乳酸菌
　　　飲料などで、**整腸作用**がある。

練乳 ：牛乳を濃縮したもの。

バター ：クリームをかく拌して脂肪分を固まらせたもの。風味が良く、
　　　脂質のほか、ビタミンA、カロテンを多く含む。

チーズ ：牛乳のたんぱく質を乳酸菌、レンネット（キモシン）などで凝
　　　固・**発酵**させたもの。たんぱく質、カルシウム、ビタミンA・
　　　B_2を多く含む。

CHECK!

牛乳の均質化処理（ホモジナイズ）　牛乳の脂質は、他の食品の場合と異なり、脂肪球（直径0.1〜10μm）として牛乳中に混じっているため、牛乳を長時間放置すると、脂肪球が浮き上がり分離してしまいます。脂肪球を小さく砕き0.1〜0.5μmに均質化することで、分離せず消化吸収されやすくなります。

その他の食品 ～食生活を豊かにする～

❶ 嗜好飲料類　　　アルコール飲料と非アルコール飲料

● **アルコール飲料**……………………………………………………………

わが国の酒税法では、1％以上のアルコールを含む飲料は「アルコール飲料」と定義されています。製造法により次のように分類されています。

❶ 醸造酒：原料の糖質を酵母でアルコール発酵させたもの（清酒・ワイン・ビールなど）

❷ 蒸留酒：アルコール発酵させたものを蒸留してアルコール濃度を高くしたもの（ウィスキー・ブランデー・焼酎・ラム酒・ウォッカなど）

❸ 混成酒：醸造酒、蒸留酒、アルコールなどに、甘味料、調味料、香料などを混合したもの（みりん・リキュール・薬用酒など）

● **非アルコール飲料**…………………………………………………………

❶ 茶…製造法の違いから緑茶(非発酵茶)、ウーロン茶(半発酵茶)、紅茶(発酵茶)に分かれ、**カフェイン**(苦味)、**テアニン**(うま味)、**タンニン**（渋味）などの特殊成分のほか、緑茶にはビタミンCが含まれます。

❷ **コーヒー**…コーヒーの果実の種子を焙煎したもの。**カフェイン**や**タンニン**を含みます。

❸ **ココア**…カカオの種子を発酵させ、炒って粉にしたもの。たんぱく質、脂質、鉄、カルシウムなどの無機質、ビタミン類が多く、特殊成分として**テオブロミン**（苦味）を含みます。

❹ 清涼飲料…果実飲料、炭酸飲料、乳性飲料などがあります。

❷ 調味料と香辛料　　　　　　　　料理の引き立て役

● **調味料**……………………………………………………………………

調味料は、食品の味を調えるために加えられるもので、その味や香りは食欲を高め、消化を助けます。

❶ しょうゆ…大豆、小麦にこうじ菌を増殖させ、食塩を加えて熟成後、しぼり、加熱殺菌します。

❷ みそ…米こうじと蒸し大豆に食塩を加えて熟成。白みそ、江戸みそ、信州みそ、仙台みそなど。

❸ 酢…米酢、穀物酢（米以外のもの）、果実酢（りんご酢、ぶどう酢など）の醸造酢と、酢酸を薄め糖分や各調味料を加えた合成酢があります。

❹ うま味調味料…コンブ（グルタミン酸ナトリウム）、カツオ節（イノシン酸ナトリウム）、干しシイタケ（グアニル酸ナトリウム）などのうま味成分を微生物を利用して作ったもの。

味を基本にした調味料の分類
・甘味 — 砂糖、はちみつ、人工甘味料
・塩味 — 食塩
・酸味 — 食酢（穀物酢、果実酢）
・うま味 — コンブ、カツオ節、うま味調味料、酒
・複合の味 — みそ、しょうゆ、ソース、マヨネーズ、ケチャップ

だしの取り方
・こんぶ — 水から入れ、沸騰直前に取り出す
・かつお節 — 沸騰したところに入れ、短時間加熱する
・煮干し — 水から入れ、15分程度加熱する
・干し椎茸 — 冷水で8時間程度ゆっくりもどし、戻した液体を使用する
・肉 — 水から入れ、1.5〜3時間加熱する
・魚 — 水から入れ、約30分程度加熱する

単独のほか、うま味成分を複合したものも市販されています。

●香辛料

植物の種子、茎、葉、根、花蕾、樹皮などから作られます。刺激性（辛味）と香味をもつ食品で、料理に独特の風味を与え、味を引き立てます。

❶ 辛味が主…こしょう、からし、唐辛子、しょうが、わさび

❷ 芳香が主…オールスパイス、シナモン、クローブ、月桂葉

❸ 色と香りが主…うこん、パプリカ、サフラン

❹ 数種の香辛料を混合…カレー粉など

❸ 調理加工食品類　　　　　忙しい現代にぴったり

調理加工食品とは調理ずみの食品のことで、冷凍食品、レトルト食品、インスタント食品、缶詰などがあります。手軽にできる、調理時間が短くてすむなどの利便性と、食品加工技術の進歩による品質の向上、品種の増加、電子レンジなどの普及により今後ますます利用度が高まるといえます。

●冷凍食品

食品を素材の状態で、あるいは調理加工してから急速冷凍して、保存性をもたせた食品。流通・販売時は−18℃以下に保つことが条件です。

●レトルトパウチ食品 ……………………………………………………………

調理した食品をプラスチックフィルムなどで密封し、加圧加熱殺菌したもの。レトルトは加圧加熱殺菌釜、パウチは袋、通称レトルト食品。

●インスタント食品 ………………………………………………………………

水や熱湯を注いだり、短時間加熱したりするだけで食べられる食品です。でんぷんを糊化（α化）するとか、凍結真空乾燥法により乾燥し復元性を良くするなど、近代加工を施した品質の良いものが多くなっています。

❹ 保健機能食品　食品の第三次機能（生体調節機能）をもつ

保健機能食品には、次の3つがあります。

栄養機能食品	・人の生命・健康の維持に必要な特定の栄養素の補給のために利用される食品で、科学的根拠が十分ある栄養機能について表示することができる。 ・栄養素の名称と機能だけでなく、食事摂取基準に基づいた1日の摂取目安量（上限・下限量）や摂取上の注意事項も表示する義務がある。 ・国が決めた基準に沿っていれば、個別の許可申請を行う必要がない**自己認証**制度となっている。 ・機能の表示ができるのはn-3系脂肪酸、ミネラル6種類、ビタミン13種類。
特定保健用食品（特保）	・生理学的機能などに影響を与える保健機能成分を含む食品のこと。 ・消費者庁長官の許可を得ることにより、特定の保健の用途に適する旨を表示できる。 ・通常、特保は有効性・安全性を消費者庁長官が個別に審査する。有効性の証明として、査読付きの研究雑誌に掲載されることが条件となり、定められた試験機関によって関与成分の含有量の分析試験も行われる。こうして審査を経て認可された食品は**特保のマーク**と特定保健機能について表示することができる。 ・医薬品ではなく食品であるため、疾病名の表示や病態の改善に関する表示はできないが、2005年に、関与成分の疾病リスク低減効果が医学的・栄養学的に確立されている場合には、疾病名の表示が認められるようになった。現在新たな制度により「疾病リスク低減表示」が認められる関与成分は「**カルシウム**」と「**葉酸**」。
機能性表示食品	・食品の機能性をわかりやすく表示した商品の選択肢を増やし、消費者が商品の正しい情報を得て、選択できるよう2015年4月に制度が始まった。 ・疾病にり患していない人を対象に、健康の維持増進に役立つという食品の機能性を表示できる。 ・生鮮食品を含めすべての食品が対象であり、事業者の責任において科学的根拠に基づいた保健の機能性を表示できるが、消費者庁長官への届け出が必要。消費者庁長官の個別の許可を得たものではない。

●その他の分類・表示

> 特別用途食品……乳児の発育や、妊産婦、授乳婦、嚥下困難者、病者などの健康保持・回復などに適するという特別の用途について表示を行うもの。表示について消費者庁長官の許可を受けなければならない。
>
> いわゆる「健康食品」……法律上の定義は無く、医薬品以外で経口的に摂取される、健康の維持・増進に特別に役立つことをうたって販売されたり、そのような効果を期待してとられている食品全般。

❺ 食品表示制度 （2015年4月1日から新しい食品表示法）

　栄養成分表示（栄養の成分の量及び熱量）では、エネルギー、たんぱく質、脂質、炭水化物、ナトリウム（食塩相当量で記入）の表示を義務づけています。その他の栄養成分は任意で表示し、低・減・無・強化などの栄養強調表示を行う場合は、基準に合致した食品についてその表示を認める旨の自己認定制度が導入されています。

食品と医薬品の区分

　食品と医薬品では根拠法令や機能の表示などが異なります。

	医薬品（広義）		食品			一般食品（いわゆる健康食品を含む）
	医薬品	医薬部外品	保健機能食品			
			特定保健用食品	栄養機能食品	機能性表示食品	
根拠法令	医薬品医療機器等法		健康増進法・食品衛生法		食品表示法	食品衛生法
効果・効能の表示	厚生労働大臣の承認により表示可能		消費者庁長官の許可により表示可能	定められた栄養機能のみ可能	消費者庁長官への届出により表示可能	不可
販売	薬局・薬店のみ		一般小売店でも販売可能			

この節のまとめ

- 植物性食品は一般に炭水化物、ビタミン、無機質に富み、たんぱく質は少ない。
- 動物性食品は必須アミノ酸を多く含む良質のたんぱく質、脂質が豊富で、炭水化物はほとんど含まない。
- 油脂には動物性、植物性があり、常温で液体を油、固体を脂という。
- 植物性油にはリノール酸など必須脂肪酸が多い。
- 魚油にはエイコサペンタエン酸（EPA）やドコサヘキサエン酸（DHA）などの多価不飽和脂肪酸が豊富に含まれ、動脈硬化の予防に役立つ。
- 特定保健用食品は食品成分の生体調節機能を考えた特別用途食品の一種である。

③ 食品の加工と貯蔵

食品の栄養素の損失や味の変化を防ぐためには、その食品に合った加工法や貯蔵法が大切となります。ここでは、調理師にとって最も一般的な作業の1つといえる加工と貯蔵について学びます。

食品の加工法と加工食品 ~ほとんどの食品が加工されている~

私たちの食卓に並ぶ食品は、一部の野菜や果物を除き、加工されたり調理されたりしたものです。次のような理由から利用されています。

❶ 栄養成分の消化吸収を良くする。

❷ 有害成分を取り除く。

❸ 保存性を高める。

❹ 形、味、香りを良くして食べやすくする。

❺ 調理の時間や手間を省く。

●加工・調理された食品

●食用微生物とその加工品

食品を発酵・熟成させて品質を高めることを目的に使われる微生物を食用微生物といい、かび類、酵母類、細菌類があります。

❶ かび類…菌糸を出し、その先端に胞子を作って増殖。発育温度は20～30℃。麹かび（清酒、みそ、しょうゆなどの醸造食品、水あめなど）、

毛かび（アルコール製造）、青かび（特有の香気をもち、チーズの熟成、かつお節の香り付け）などが利用されています。

❷ **酵母類**…糖分を分解してアルコールと二酸化炭素にする性質を利用して、清酒、みそ、しょうゆ、ビールなどの醸造食品がつくられます。また二酸化炭素はパン製造に用いられます。増殖の適温は25〜30℃で、たんぱく質、ビタミンB_1・B_2、無機質に富んでいます。

❸ **細菌類**…かび、酵母より小さく、分裂しながら増殖します。

●かび類、酵母類、細菌類を使った食品の分類

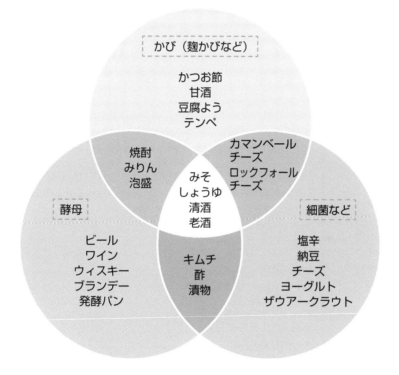

 # 食品の保存・貯蔵法 〜長時間食品の品質低下を防ぐための工夫〜

食品素材及びその加工品は、時間の経過とともに風味が衰え、変色し、毒性物質が生成されるなど品質が低下してきます。

食品の品質を保ち、長く保存する方法を知ることは、豊かな食生活を送るために大切です。

●食品の保存・貯蔵方法

冷蔵・冷凍法	凍結点以上で貯蔵することを冷蔵（野菜・果実は0〜10℃、魚介類・食肉は−5〜5℃） 一般に−18℃以下で流通する食品を冷凍食品という。 凍結点以下で貯蔵することを冷凍という。
半凍結法	−5〜−2℃で凍結して貯蔵する方法（細菌の増殖を防止、脂質の酸化抑制）。 パーシャルフリージングともいう。
チルド食品	チルドとは、「冷却した」という意味。冷凍室より高く、冷蔵室より低い、0℃前後。
乾燥法	食品の水分を少なくし、細菌の増殖や酵素作用を防止。天日乾燥　加熱乾燥　真空乾燥　凍結乾燥　真空凍結乾燥　などがある。 （例）乾めん、干ししいたけ、凍り豆腐、寒天など。
加熱殺菌法	高温にすることで殺菌し、同時に酵素を破壊する方法。
塩蔵法 糖蔵法	食塩・砂糖の高濃度液に漬け、細菌の増殖を防ぐ。微生物の原形質分離（細胞膜と細胞壁が分離する現象）、水分活性も低下。 （例）塩鮭、白菜漬け、果物の砂糖漬けなど
酸貯蔵法	酢の高濃度液に漬け、細菌の増殖を防ぐ。かびはpH2.0〜8.5の広い範囲で生息し、細菌は大部分が中性付近のpHで最も生息し、腐敗菌はpH5.5以下では生息できない。 （例）ピクルス、ザワークラウト、らっきょうなど
燻煙法	塩漬けにした食肉、魚肉類を煙でいぶしながら乾燥させ、風味をつける方法。 塩漬け・乾燥による防腐効果のほか、煙に含まれるホルムアルデヒド、クレオソートも防腐効果がある。
MA包装 （ガス置換 包装）	野菜類をプラスチックで包装することで、二酸化炭素濃度が高まり、野菜類の呼吸が抑えられる。 （例）葉物野菜、カット野菜など

　このほか、根菜類やいも類などを生のまま土中に埋めて保存する土中埋蔵法、紫外線で照射する殺菌灯による方法、貯蔵庫内の酸素と二酸化炭素濃度をコントロールし、低温で貯蔵するガス冷蔵法（ＣＡ貯蔵法）、食品衛生法で許可されている保存料、酸化防止剤などを用いる薬品貯蔵法などがあります。

●自由水と結合水

食品中の水分には、たんぱく質や糖質と強く結合して離れない**結合水**と、自由に動くことができる**自由水**の2つがあります。

細菌が利用できるのは自由水で、食品に占める自由水の割合を示した指標を**水分活性**（**Aw**＝Water Activityの略。ウォーター・アクティビティ）といいます。Ａw1.00がもっとも自由水の多い状態で、数値が小さくなるほど自由水が少なく、抗菌力が高まります（ほとんどの細菌は水分活性0.90未満では増殖できない。かびは水分活性0.80程度、耐乾性のかびで0.60程度になると増殖できなくなる）。

乾燥させる以外にも塩漬けや砂糖漬けにしても保存性が高まります。塩や砂糖が自由水と結びついて結合水となり、自由水が少なくなるためです。

●**食品の品質低下の原因**……………………………………………………………

食品は主に次のような原因によって品質が低下してきます。したがってその原因を取り除くことが、食品の**保存・貯蔵**につながります。

	品質低下の原因	防止方法
腐敗	かびなどの有害微生物により食品中のたんぱく質が分解し有害物質（アミン）や悪臭を発生させ、表面に粘液ができる。	有害微生物の殺菌、増殖抑制のため、加熱、乾燥、冷蔵、冷凍する。
自己消化	肉類・魚介類に含まれる自己消化酵素が自己の組織を分解し、鮮度を低下させる。	自己消化酵素は熱に弱いため、加熱するか、低温で抑制できるので冷蔵する。
酸化	空気中の酸素により、食品に含まれる成分が酸化分解される。	空気と接触させない。

この節のまとめ

- 発酵・熟成などの効果が得られるかび類、酵母類、細菌類を食用微生物といい、食品の加工に用いられる。
- かびを利用した加工品…カツオ節・チーズ　酵母…ワイン・パン　細菌…納豆・ヨーグルト・酢　かびと酵母…清酒　酵母と細菌…漬物　かびと酵母と細菌…しょうゆ・みそ
- 食品の品質低下の原因には腐敗、自己消化、酸化などがあり、これらを取り除くことが貯蔵のポイントとなる。
- 食品を保存・貯蔵するには、❶温度を下げる、❷水分をとる、❸酸素と触れさせない、❹いぶす、❺加熱、❻薬剤を使う、ことが基本となる。

これだけは覚えよう

1　動物性食品と植物性食品の特徴。

2　食品のいろいろな成分、色素、呈味、酵素を理解する。

3　調味料とうま味成分の分類。

4　香辛料とアルコールの分類。

5　特別用途食品の分類。

6　主な加工食品。

7　食品の保存、貯蔵方法。

○×、**または正解を選ぶ選択式です。★は普通、★★は重要、★★★は最重要のマーク。**

★★
Q001
□
□
□
食品の成分値は、農林水産省が公表している「日本食品標準成分表」で知ることができる。

解説 食品中の栄養素を知るには、文部科学省が公表している「日本食品標準成分表2020年版（八訂）」（18群別　収載食品数2478・文部科学省資源調査分科会編）が一般に利用される。

★★
Q002
□
□
「日本食品標準成分表2020年版（八訂）」には40種類のビタミンの成分値が記載されている。

解説 各食品成分値は可食部100g当たりの数値で示されている。13種類のビタミン、13種類の無機質が記載されている。

★
Q003
□
□
□
辛味は、痛覚をともなう感覚をもつ味覚成分である。

解説 トウガラシのカプサイシン、ショウガのジンゲロンやショウガオールなど、辛味は、痛覚をともなう感覚をもっている。またすりおろすと辛味成分を生ずる、ワサビ、ダイコンなどがある。辛味成分は、香りをもつものが多く、香辛料や薬味として利用される。

★★★
Q004
□
□
食品中の脂質は中性脂肪が主であり、中性脂肪を構成する脂肪酸には二重結合をもつ不飽和脂肪酸と、二重結合をもたない飽和脂肪酸がある。

解説 二重結合をもつ不飽和脂肪酸と、もたない飽和脂肪酸がある。不飽和脂肪酸のなかには、二重結合を1つもつ一価不飽和脂肪酸、2つ以上もつ多価不飽和脂肪酸がある。不飽和脂肪酸を多く含む油脂は常温で液体、飽和脂肪酸の多い油脂は常温で固体である。一般に動物性油脂は固体、植物性油脂は液体。

解答　Q001－×、Q002－×、Q003－○、Q004－○

★★ Q005
次の色素成分の組み合わせのうち、誤っているものはどれか。
(1)カロテノイド……カロテン……赤色、黄色、橙色
(2)クロロフィル……光合成……緑色
(3)フラボノイド……ポリフェノール……赤ワイン色
(4)ヘム……ヘモグロビン……赤色

解説 植物性食品には、さまざまな色素成分が含まれている。カロテノイド…カロテンなど動植物界に広く存在する赤色、黄色、橙色。クロロフィル…植物の葉・茎・藻類などの緑色。フラボノイドはポリフェノールの一種で白～淡黄色色素、赤ワインの色はアントシアニンというポリフェノールの一種。ポリフェノール…植物食品の色、味、風味に関与する物質の総称である。ヘム…ヘモグロビンなど動物性食品に含まれる赤色。

★ Q006
スイカの赤色はアントシアニンによるもので、酸性にすると濃い赤色となる。

解説 スイカの赤い色は、カロテノイド色素の一種であるリコピンと呼ばれる色素成分によるもの。抗酸化作用があるが、ビタミンA効力はない。

★★ Q007
大豆のたんぱく質は必須アミノ酸の構成が良く、大豆製品の豆腐も優れたたんぱく質を有している。

解説 1973年のアミノ酸スコアは86だったが、現在の基準では大豆のアミノ酸スコアは100で、優れたたんぱく質をもっている（第1制限アミノ酸のメチオニンの基準値が高く設定されていたため、スコアが低くなっていた）。

★★ Q008
海藻には、でんぷんなどの消化性多糖類が多く含まれる。

解説 こんぶ、ひじき、わかめなどの主成分は炭水化物だが、大部分はアルギン酸やフコイダン、マンニトールといった難消化性多糖類である。

★★★ Q009
豚脂や牛脂といった動物油脂は、大豆油やごま油といった植物油脂に比較して不飽和脂肪酸含量が高い。

解説 油脂は不飽和脂肪酸の構成割合が高いほど融点が低く、一般に常温（20℃）で液体である。豚脂や牛脂といった動物油脂は飽和脂肪酸量が高く固体、大豆油やごま油といった植物油脂は液体である。

★★ Q010
魚油にはDHAやEPAといった多価不飽和脂肪酸が多く、動脈硬化や血栓の予防に役立つといわれている。

解説 二重結合1つの脂肪酸を一価不飽和脂肪酸（オレイン酸など）、2カ所以上のものを多価不飽和脂肪酸（リノール酸、リノレン酸、アラキドン酸、DHA、EPAなど）という。

解答 Q005－（3）、Q006－ ×、Q007－ ○、Q008－ ×、Q009－ ×、Q010－○

★★ Q011 ☐ みそは、かびと酵母の2つのみが関与して製造される発酵食品である。

解説 発酵食品はかび・酵母・細菌といった食用微生物を利用して作られる。みそ、しょうゆなどは、かび・酵母・細菌を利用して作られている。

★★ Q012 ☐ 発酵食品、主な原料、主に利用する微生物の組み合わせで、誤っているものを1つ選びなさい。
☐
    (1) ビール　・・・　小麦　・・・　麹かび
    (2) 焼酎　　・・・　芋　　・・・　麹かび、酵母
    (3) ワイン　・・・　ぶどう・・・　酵母
    (4) 清酒　　・・・　米　　・・・麹かび、酵母

解説 ビールの原料は、大麦とホップ。①まず発芽し始めた大麦を乾燥させ麦芽を作る、②麦芽の持つアミラーゼででんぷんを糖化させる、③ビール酵母を加えて発酵させる。清酒は麹かび、酵母の他に少しだけ乳酸菌の力も借りている。

★★★ Q013 ☐ 機能性表示食品は疾病にり患している者も摂取の対象とし、対象食品として生鮮食品が含まれる。
☐

解説 機能性表示食品は、疾病にり患していない人を対象にした食品で、対象食品として、生鮮食品が含まれている。事業者が食品の安全性と機能性に関する科学的根拠などの必要事項を、販売前に消費者庁長官に届ければ、機能性を表示できる。

★★ Q014 ☐ 栄養機能食品は、国の基準に沿っていれば、許可や届出等なく、食品に含まれている栄養成分の栄養機能を表示することができる。
☐

解説 栄養機能食品は、特定の栄養成分の補給のために利用される食品で、栄養成分の機能を表示するものをいう。個別の許可申請を行う必要がない自己認証制度となっている。機能の表示ができるのはn-3系脂肪酸、ミネラル6種類、ビタミン13種類。

★★ Q015 ☐ ブロッコリー、カリフラワー、アーティチョークは花菜類に分類される野菜である。
☐

解説 野菜は食用部位により、葉菜類、茎菜類、根菜類、果菜類、花菜類に分ける方法がある。花菜類は花を食用とするもので、みょうがやふきのとうなどもある。果菜類はかぼちゃ、なす、きゅうりなどがある。

解答　Q011－×、Q012－（1）、Q013－×、Q014－○、Q015－○

90

★★★ Q016 □ 緑黄色野菜とは、可食部100g当たりのカロテン含有量が100μg
□ 以上のもので、キャベツ、大根、もやしなどがある。
□

解説 緑黄色野菜とは、可食部100g当たりのカロテン含有量が600μg以上のもので、ほうれん草やにんじん、かぼちゃ、小松菜、いんげん、オクラなどがある。トマトやピーマンは600μg未満であるが、食べる回数や量が多いため、緑黄色野菜に分類される。

★★ Q017 □ ラード（豚脂）は、ヘット（牛脂）に比べ融点が高いので、冷た
□ い肉料理には脂肪が口中で溶けやすい牛肉が向いている。
□

解説 ラード（豚脂）は、ヘット（牛脂）に比べ融点が低いので、冷めてから食べる料理には融点が低い豚肉が向いている。融点の高い脂肪の多い牛肉は冷めると脂肪がパサつき食感が悪くなる。

★★ Q018 □ 牡蠣（かき）は、グリコーゲンが多く、たんぱく質、ビタミンB_1、
□ B_2、亜鉛が含まれ栄養価が高く消化も良い。
□

解説 牡蠣は栄養が豊富なことから「海のミルク」とも呼ばれる。なかでも亜鉛は可食部100g当たり14mgと、食品の中でもトップクラスの含有量である。

★★★ Q019 □ 薄力粉は硬質小麦から製粉され、たんぱく質含量が少なく、天ぷ
□ らの衣やケーキなどに利用される。
□

解説 薄力粉はグルテン含量の少ない軟質小麦から製粉され、天ぷらの衣やケーキなどに利用される。小麦に含まれているたんぱく質であるグルテニンとグリアジンは加水して練ると、粘弾性のあるグルテンを形成する。

★★ Q020 □ うるち米のでんぷん組成は、アミロース20%、アミロペクチン80%で
□ あるが、もち米のでんぷんは、アミロペクチンが100%である。
□

解説 アミロースはぶどう糖が1本の鎖状につながったもの、アミロペクチンは枝分かれした状態にぶどう糖がつながった形をしている。100%がアミロペクチンのもち米は粘性が強くよく伸びるが、うるち米はアミロースを含むため粘性は落ちる。

★★ Q021 □ マーガリンはバターに似せて作った加工品ではあるが「乳及び乳
□ 製品の成分規格等に関する省令」で乳製品に分類されている。
□

解説 マーガリンは油脂類に分類されていて植物性油を原料としているのが一般的。バターは「乳及び乳製品の成分規格等に関する省令」によって、乳脂肪分80%が基準であるが、マーガリンは日本農林規格によって油脂含有率が80%以上と定められている。ファットスプレッドはマーガリンに比べて脂肪が80%未満。

解答 Q016－×、Q017－×、Q018－○、Q019－×、Q020－○、Q021－×

★★★ Q022 ☐☐☐ 加工乳は、生乳にカルシウムや鉄分など乳製品以外のものを加えたものである。

解説 牛乳の種類は使用原料によって分けられ、牛乳は生乳のみを原料としたもの、加工乳は牛乳に他の乳製品を加えたもの、乳飲料は牛乳に乳製品以外の原料を加えたもの。カルシウムや鉄分などを加えたものは乳飲料になる。

★★ Q023 ☐☐☐ アレルギー表示など安全性に関わる違反表示を行った場合には、懲役または罰金が規定されている。

解説 単に基準に則さない表示をしただけであれば指示が出るが、指示に従わない場合は措置命令が出される。えび、かに、小麦、そば、卵、乳、落花生、くるみの8品目が特定原材料である。

★★ Q024 ☐☐☐ 動物性食品は、一般に炭水化物とたんぱく質が多く、脂質は極めて少ない。

解説 食品の種類は、大別すると植物性食品と動物性食品の2つに分類される。動物性食品は、一般にたんぱく質と脂質が多く、炭水化物は極めて少ない。動物性食品のもつ炭水化物はグリコーゲンや乳類のラクトースなどごくわずかである。

★★ Q025 ☐☐☐ 濃口しょうゆに比べ薄口しょうゆのほうが塩分が2％ほど高い。

解説 濃口しょうゆは、その生産量が全体の8割を占めており、しっかりしたコクやしょうゆの香りが楽しめる。薄口しょうゆは色が薄いため、食材の色をそのまま活かしたい、だし巻きやお吸い物に適している。塩分濃度は濃口16〜17％、薄口18〜19％で2％ほど薄口しょうゆが高い。

★ Q026 ☐☐☐ ガス貯蔵法（ＣＡ貯蔵）は、青果物の呼吸作用などを抑え、品質保持効果を高める貯蔵法で、肉類や魚介類の貯蔵にも適している。

解説 CA貯蔵（Controlled Atmosphere Storage）は温度を低くする通常の冷蔵機能に加えて、気密性の高い貯蔵庫の大気組成を「低酸素・高二酸化炭素」の状態に調節し、野菜や果実などの呼吸作用を抑え、品質保持効果を高める貯蔵法である。肉類や魚介類の貯蔵には適していない。

★★ Q027 ☐☐☐ 放射線貯蔵法は、食品に放射線を当てることで、微生物を殺菌又は発芽を抑制する手法だが、日本では使用が認められていない。

解説 食品に適切な放射線（γ線）を当てて殺菌したり、発芽防止をしたりする。世界ではさまざまな食品に利用されているが、日本ではじゃがいもの芽止めにのみ利用されている。芽止めじゃがいもは栄養を損なわず長期の保存ができ、商品にその旨のシールが貼られている。

解答 Q022－×、Q023－○、Q024－×、Q025－○、Q026－×、Q027－×

栄養学

この章で学ぶこと

◆栄養学では、たんぱく質、炭水化物、脂質、ビタミン、無機質の5大栄養素に関する出題が中心となります。それぞれの栄養素の働きや特徴、性質についてしっかり覚えるようにしましょう。

◆たんぱく質については種類と働き、必須アミノ酸の名称など。また、炭水化物ではその種類とそれぞれの特性と働き、脂質ではその働きと分解吸収の仕方、必須脂肪酸の働きなど。さらに、ビタミン、無機質では種類と働きや性質、それを多く含む食品について理解しておきましょう。

◆エネルギー計算では、実際に計算練習をしておきましょう。

◆その他、消化吸収のしくみや国民栄養の現状と問題点についての知識、病気と栄養の関連についても出題されています。

① 栄養学の基礎

　私たちは、さまざまな食品を摂取し、必要な成分を体内で生合成したり不必要なものを分解して体外に排出したりしています。これら一連の作用を代謝といい、食品の成分（栄養素）を利用して代謝を繰り返しながら健康を維持していく複雑な生命現象を総称して栄養と呼んでいます。

出題のポイント

- 体は常に代謝を行っており、古い細胞と新しい細胞を入れ替えるために同化作用と異化作用を繰り返している。
- 摂取した食品成分（栄養素）を利用しながら代謝を繰り返し、生命活動を維持していく現象を総称して栄養という。
- 私たちの体は約30種の元素で構成され、食物を食べることによってそれらを吸収している。
- 体を構成する成分の約60%は水であり、それ以外は5大栄養素で構成されている。
- 私たちの体に必要な5大栄養素の働きは、主に3つに分けられる。
- 食物摂取の行動を促す因子には、胃の収縮運動、血糖値の低下、体温の低下（外気温が寒冷になる）の3つがある。

🍲 代謝と栄養 ～生命活動を維持する～

　私たちは、生命を維持していくのに必要な物質（食物）を毎日体内にとり入れて、エネルギーや組織に換えています。そして、古い細胞と新しい細胞を入れ替えるために必要な成分は生合成し（同化作用）、不要なものは分解（異化作用）して体外に排出しています。この同化と異化の一連の現象を**代謝**と呼びます。

　代謝を繰り返し**生命活動**を維持して

●代謝のしくみ

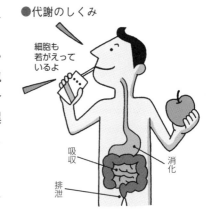

細胞も若がえっているよ

吸収
消化
排泄

いくために、食物からとった食品の成分（栄養素）を利用していく生命現象の総称が栄養です。

 # 私たちの体 ～人体の構成要素と成分～

❶ 体の構成要素

約30種（極微少量要素も加えると約60種とされる）の元素で構成されている

私たちの体は約**30**種の**元素**で構成されています。それらは、性別、年齢、体質によって多少の差がありますが、おおむね次のようになっています。

元素	含有率	元素	含有率
酸素（O）	65%	鉄（Fe）	0.004%
炭素（C）	18	マンガン（Mn）	0.0003
水素（H）	10	銅（Cu）	0.00015
窒素（N）	3	ヨウ素（I）	0.00004
カルシウム（Ca）	1.5～2.2	コバルト（Co）	微量
リン（P）	0.8～1.2	亜鉛（Zn）	微量
カリウム（K）	0.35	フッ素（F）	微量
イオウ（S）	0.25	モリブデン（Mo）	微量
ナトリウム（Na）	0.15	ケイ素（Si）	微量
塩素（Cl）	0.15	セレン（Se）	微量
マグネシウム（Mg）	0.05	臭素（Br）	微量

私たちの体を構成する最小の単位は**細胞**で、同じ働きをする細胞同士が集まって組織を作っています。

❷ 体を構成する成分　脂質とたんぱく質で３割を占める

体を構成する成分の成人男女の平均的な割合はおおよそ右図のようになっています。

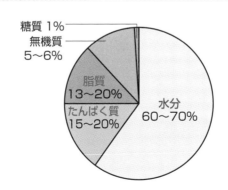

糖質 1%
無機質 5～6%
脂質 13～20%
たんぱく質 15～20%
水分 60～70%

🍲 いろいろな栄養素 ～毎日の生活に欠かせないもの～

❶ 栄養素の種類　　　　　　　5大栄養素と3大栄養素

　生物が成長や健康の維持・増進などのために摂取しなければならない物質を栄養素といい、私たちは食べ物を食べることによって、毎日の生活活動に必要なものを補給する習慣をもっています。

● 5大栄養素
　栄養素には❶たんぱく質、❷炭水化物、❸脂質、❹無機質（ミネラル）、❺ビタミンの5種類があり、これを5大栄養素といいます。

● 3大栄養素
　栄養素のうち、とくに主要なたんぱく質、炭水化物、脂質を3大栄養素（エネルギー産生栄養素）といいます。

● 水
　成人男性は体重の60%は水分です。小腸・大腸から吸収され、血液などの体液となって全身を絶えず循環しています。酸素や栄養分を細胞に届け、老廃物を尿として排泄します。体温上昇時は、皮膚への血液循環を増やし、汗を出して熱を逃がし、体温を一定に保ちます。発汗などで水分が失われると浸透圧が上昇して抗利尿ホルモンの分泌が促されます。

　水分を5%失うと発熱し健康被害を発症、20%失うと死に至ることもあります。体内水分のバランスは、口渇感による水分摂取と、膀胱の排尿調節によって保たれています。水の必要量は1日約2～3ℓです。

● 栄養素の分類

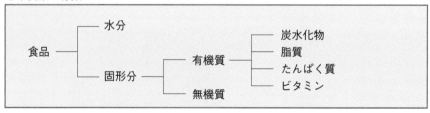

❷ 5大栄養素の働き　　　　　　　3つの大きな働き

❶　熱やエネルギーのもとになる（熱量素）
　➡たんぱく質、炭水化物、脂質：穀類、いも類、油脂類など

❷ 体の組織を作る（構成素）

➡たんぱく質、無機質、脂質：卵、魚介類、豆類、肉類など

❸ 体の調子を整える（調整素）

➡ビタミン、無機質：乳製品、海藻類、果実・野菜類など

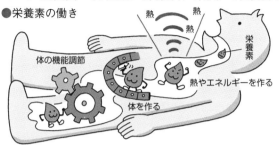

●栄養素の働き

❸ 栄養素の損失　　　　　調理による成分変化

　栄養素には調理によって損失しやすいものもあります。例えばビタミン（水溶性）の場合、青菜をゆでれば約60％のビタミンCが失われます。

この節のまとめ

● 同化作用：体に必要なものをとり入れる変化のこと。
● 異化作用：とり入れた物質が役目を終えて不要となり、分解されて捨てられる過程のこと。
● 代謝：異化作用と同化作用の2つの働き。
● 栄養：必要な栄養素を体内にとり入れて、代謝を繰り返していく生命現象の総称。
● 栄養学：食物に含まれる栄養素と人間の体の関係を研究する学問。
● 人体の構成要素：約30種類の元素で構成され、酸素が約65％を占める。
● 5大栄養素：たんぱく質、炭水化物、脂質、無機質、ビタミンの5種類。
● 3大栄養素：たんぱく質、炭水化物、脂質。
● エネルギー源（熱量素）：熱やエネルギーのもとになる栄養素。
● 構成素：体の組織を作る栄養素。
● 調整素：体の調子を整える栄養素。

```
   栄養素              働き
たんぱく質 ―――――――→エネルギー源（熱やエネルギーのもと）
炭 水 化 物
脂     質 ―――――――→構 成 素（体の組織を作る）
無 機 質
ビ タ ミ ン ―――――――→調 整 素（体の調子を整える）
```

2 栄養素の機能

　人間の体と栄養との関係をさまざまな分野からとり上げます。出題率の高い5大栄養素の性質については、とくにしっかり覚えておきましょう。

> **出題のポイント**
>
> - たんぱく質は多くのアミノ酸が結合した高分子の化合物である。
> - 炭水化物は炭素、水素、酸素からなる有機化合物である。
> - 脂質は最も濃縮されたエネルギー源となっている。
> - 無機質のなかでもカルシウムと鉄は不足しやすいので注意がいる。
> - ビタミンは体内で合成できないので食物からとらなければならない。
> - ホルモンは、特定の器官及び肝臓、すい臓などから分泌される化学物質で、正常な生理作用の維持や成長発育を行う。

栄養素の性質 ～どんな栄養素がどう働くか～

❶ たんぱく質　　　　　約20種類のアミノ酸でできている

　たんぱく質は消化されると**アミノ酸**に分解されて小腸から吸収され、血液によって肝臓に運ばれて再びたんぱく質に合成され、体の筋肉や血液、毛髪など体の組織や器官を構成する細胞を作ります。

　たんぱく質は約20種類のアミノ酸でできており、肉、魚、卵、乳製品などの**動物性食品**や豆類に多く含まれています。

　このうちの9種類は、体内では必要な量を合成できないので、食物から摂取しなければなりません。これを**必須アミノ酸**といいます。

必須アミノ酸	
❶トリプトファン	❷ロイシン
❸リシン（リジン）	❹イソロイシン
❺バリン	
❻トレオニン（スレオニン）	
❼フェニールアラニン	
❽メチオニン	❾ヒスチジン

※❶～❽の8種類を必須アミノ酸とする説もある。

●たんぱく質の補足効果

　一般に、必須アミノ酸の含まれる率が高いほど栄養価も高く、植物性た

んぱく質に比べて動物性たんぱく質のほうが必須アミノ酸の含有率が高く、消化吸収もよいため栄養価も高いといわれます。

　ただ大豆のように肉や魚に近い必須アミノ酸をもった良質のたんぱく質もあり、食品によってアミノ酸組成はまちまちなので、いろいろな食品を組み合わせてそれぞれの不足を補うことが大切。これをたんぱく質（アミノ酸）の補足効果といいます。

●たんぱく質の3つの分類

❶ 単純たんぱく質…アミノ酸だけで作られている。

❷ 複合たんぱく質…アミノ酸と他の物質が結合したもの。

❸ 誘導たんぱく質…
変性たんぱく質：天然のたんぱく質が酸、アルカリ、熱、酵素などの作用を受けて分子量に変化なく、構造だけが変化したもの。
分解たんぱく質：加水分解によって分子が小さくなったもの。

単純たんぱく質	アルブミン	血清アルブミン、卵アルブミン、乳アルブミンなど
	グロブリン	血清グロブリン、卵グロブリン、ミオシン（筋肉グロブリン）など
	グルテリン	小麦のグルテニン、米のオリゼニンなど
	プロラミン	とうもろこしのツェイン、小麦のグリアジンなど
	アルブミノイド	つめや毛のケラチン、骨や結合組織のコラーゲン、エラスチンなど
複合たんぱく質	核たんぱく	リボ核酸たんぱく、デオキシリボ核酸たんぱく
	糖たんぱく	粘膜、分泌液、卵白などに含まれる
	リポたんぱく	血清中の高比重リポたんぱく、低比重リポたんぱく、卵黄のリポビテリンなど
	リンたんぱく	乳汁のカゼイン、卵黄のビテリンなど
	色素たんぱく	ヘモグロビン、ミオグロビンなど
誘導たんぱく質	変性たんぱく質	ゼラチン＝豚の皮（コラーゲン）を長時間煮出したもの
	分解たんぱく質	プロテオース⇨ペプトン⇨ポリペプチド⇨ジペプチド⇨アミノ酸

❷ 炭水化物　　　　炭素・水素・酸素からなる有機化合物

　炭水化物は穀類、いも類、砂糖などに含まれ、体の**エネルギー源**やエネルギー貯蔵物質として重要な栄養素です。炭素（C）、水素（H）、酸素（O）の3元素からなり、**糖質**と**食物繊維**に分かれています。

99

●糖質の分類

糖質は**単糖類、二糖類、多糖類**の３つに大きく分けられ、いずれも体内で消化され、単糖類となって吸収されます。

❶ **単糖類**…糖１個からなるもの（これ以上加水分解を受けない糖類）。ぶどう糖（グルコース）、果糖（フルクトース）、ガラクトース、マンノース

❷ **二糖類**…単糖類が２個結合（２個の糖から水がとれて結合）したもの。しょ糖（スクロース）、麦芽糖（マルトース）、乳糖（ラクトース）

❸ **多糖類**…多数の単糖類が結合したもの（無味で溶けにくいが、分解されて単糖類になると甘くなる）。でんぷん、グリコーゲン、セルロース、ペクチン、デキストリンなど

❸ 脂質　　　　　　　　　最も濃縮されたエネルギー源

炭素、酸素、水素からできており、熱や力のもとになる最も濃縮されたエネルギーで、他のエネルギー源の２倍以上の発熱量をもっています。

●脂質の分類

脂質には大きくわけて**単純脂質、複合脂質、誘導脂質**の３つがあります。

❶ **単純脂質**…**脂肪酸**と**グリセロール**が結合したもの。中性脂肪（脂肪、油脂）、ロウなど。

❷ **複合脂質**…単純脂質にリン酸、糖などが結合したもの。**リン脂質**（レシチンなど）、糖脂質（ガラクト脂質など）。

❸ **誘導脂質**…単純脂質や複合脂質を代謝して得られる脂質で、**コレステロール、ステロイドホルモン、脂肪酸**など。

●必須脂肪酸

脂肪酸には２重結合をもつ**不飽和脂肪酸**（植物性脂肪、液体、二重結合の位置により、n3系：EPAやDHA、αリノレン酸、n6系：リノール酸、アラキドン酸に分けられる）と、もたない**飽和脂肪酸**（動物性脂肪、固体）とがあり、不飽和脂肪酸のうち２重結合２個以上のものは多価不飽和脂肪酸といいますが、そのうちリノール酸とαリノレン酸の２種を**必須脂肪酸**※といいます。ただし広義にはエイコサペンタエン酸（EPA）やドコサヘキサエン酸(DHA)やアラキドン酸等の脂肪酸を含めた多価不飽和脂肪酸を必須脂肪酸とすることもあります。

※必須脂肪酸を、リノール酸、αリノレン酸、アラキドン酸としている出題もあります。

●短鎖脂肪酸と長鎖脂肪酸 ………………………………………………………………

　その脂肪酸を形成する炭素数により分類され、炭素数6以下を短鎖脂肪酸、8〜10を中鎖脂肪酸、12以上を長鎖脂肪酸といいます。中鎖脂肪酸は消化がよくエネルギーとして使われやすいので体内に蓄積されにくく、長鎖脂肪酸は蓄積されやすいという特徴があります。動植物の脂質はほとんどが長鎖脂肪酸ですが、ココナッツオイルやパーム核油、牛乳・乳製品には中鎖脂肪酸が多く含まれています。

❹ 無機質（ミネラル）　　不足しがちなカルシウムと鉄

　食品を焼くと、炭素、水素、酸素、窒素は水や二酸化炭素などになって失われてしまいます。この4元素を除いた無機物を無機質（ミネラル）または灰分といいます。

　無機質の主なものにカルシウム、リン、カリウム、イオウ、ナトリウム、塩素、マグネシウム、鉄、銅、ヨウ素などがあります。このなかで日本人に不足しがちなカルシウムと鉄は、とくに重要視されています。

●無機質の働き ………………………………………………………………

❶骨や歯の　　　　　❷体の調子を整える　　　❸たんぱく質などと結合し、
　主成分となる　　　　　　　　　　　　　　　　筋肉、皮膚、臓器、血液などを作る

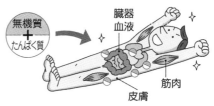

●いろいろな無機質 ………………………………………………………………

　ミネラルには多量ミネラルと微量ミネラルがあります。多量ミネラルはカルシウム、リン、マグネシウム、カリウム、ナトリウムなど。微量ミネラルは鉄、銅、亜鉛、マンガン、セレン、クロムなどです。

無機質	特　徴
カルシウム	リン酸カルシウムのかたちで骨や歯となる（99%） 神経の興奮を抑える 体液をアルカリ性に保ち、血液を凝固させる 筋肉の収縮を調節する カルシウムとリンの比が1：1のときに、最も利用率が高い ビタミンD、たんぱく質、乳糖を一緒にとると吸収が良くなる

リン	カルシウムと結合して骨や歯となる（80％） 体液のpHを調節する　リン脂質、核酸の成分である 加工食品の添加物として多用されているので、摂取量に注意する
マグネシウム	骨の主成分となり（66％）、体液を**アルカリ性**に保つ 納豆、小魚、カキなどに多く含まれ、偏った食生活では不足しやすい
カリウム	98％が細胞内に含まれ、細胞外液のナトリウムとバランスを保って 体液の浸透圧を調節している。その他にも水分保留、酸塩基平衡、 酵素反応、エネルギー代謝など重要な役割を果たしている
ナトリウム、 塩素	**塩化ナトリウム**として吸収され、胃液を作る 血液の濃度を一定に保つ 食塩として摂取しているので不足することはほとんどない
鉄	**ヘモグロビン**中に含まれる（70％） 不足すると**貧血**を起こす たんぱく質やビタミンCと一緒にとると吸収が良くなる レバーや貝類、赤身肉、小魚などに多く含まれる
銅	肝臓、腎臓、脳に多く存在。鉄からヘモグロビンが作られるときに 必要なため、銅が不足すると貧血になる。多くの酵素の成分
亜鉛	酵素の活性化、インスリンの合成に関与。亜鉛が欠乏すると味覚障 害や成長障害などを引き起こす。食物繊維、鉄、銅などの過剰摂取 は亜鉛の吸収を阻害する
マンガン	骨の形成や糖質・脂質・たんぱく質の代謝で多くの酵素の働きを活性化する
ヨウ素	**甲状腺ホルモン**を作る 海藻や海産魚介類に多く含まれる

❺ ビタミン　　　　　　　　微量で新陳代謝を調節

　ビタミンは他の栄養素の働きを助け、ごく微量で新陳代謝を調節する働きがあります。一部を除いては体内で合成できず、必要なビタミンが不足すると**欠乏症**を起こし、一部のビタミンはとり過ぎると**過剰症**になります。

　ビタミンの性質には大きく分けて**脂溶性**と**水溶性**の2つがあります。

　❶　**脂溶性**ビタミン（油に溶けやすい性質）…A・D・E・K
　❷　**水溶性**ビタミン（水に溶けやすい性質）…B_1・B_2、ナイアシン、B_6・B_{12}・C・葉酸など

❻ 食物繊維　　　　　　　　6番目の栄養素ともいわれる

　人の消化酵素では分解されず**難消化性多糖類**とも呼ばれ、**水溶性食物繊維**と**不溶性食物繊維**に分けられます。水溶性食物繊維1：不溶性繊維2の比率で摂取するとよいといわれます。

　❶　**水溶性食物繊維**…ペクチン（完熟果実）、アルギン酸（海藻）、β－

グルカン（きのこ）、グルコマンナン（こんにゃく）、アガロース（寒天）、イヌリン（ごぼう）などがあります。糖質の消化・吸収を遅らせる、ナトリウムの吸収を抑制する、腸内細菌の改善、胆汁酸やコレステロールの吸収抑制などの働きがあります。

❷ **不溶性食物繊維**…リグニン（野菜・豆類）、ペクチン（未熟果実）、キチン（かに・えびの殻）、セルロース（さつまいも・穀類）、ヘミセルロース（穀類・海藻・豆類）などがあります。大腸内で水分保持をして排便促進、整腸作用があり、大腸がんのリスクの低減も期待できるといわれます。

●ビタミンの種類

<table>
<tr><th colspan="2">種類</th><th>特　性</th><th>不足すると出る症状</th><th>多く含まれる食品</th></tr>
<tr><td rowspan="4">脂溶性</td><td>A</td><td>発育促進、視力増強
カロテンは体内でAになる</td><td>夜盲症、発育不全、皮膚乾燥</td><td>緑黄色野菜、レバー、バターなど</td></tr>
<tr><td>D</td><td>骨や歯となる
日光により体内で合成</td><td>クル病、骨や歯の発育不全</td><td>レバー、卵黄、牛乳、干しシイタケなど</td></tr>
<tr><td>E</td><td>脂肪の酸化を防止
生殖機能に関わる</td><td>不妊症</td><td>ごま、大豆、コーン油など</td></tr>
<tr><td>K</td><td>血液の凝固
成人は腸内細菌により体内で合成
新生児には腸内細菌が少ないので不足</td><td>血液の凝固が遅れ、出血しやすくなる</td><td>キャベツ、ほうれん草、レバーなど</td></tr>
<tr><td rowspan="6">水溶性</td><td>B₁</td><td>糖質の代謝を補助</td><td>脚気、食欲不振、不眠</td><td>豚肉、豆類、胚芽米、強化米など</td></tr>
<tr><td>B₂</td><td>成長促進、脂質の代謝補助</td><td>発育不全、口角炎、口内炎、舌炎</td><td>牛乳、卵、レバー、緑黄色野菜など</td></tr>
<tr><td>B₁₂</td><td>発育促進、貧血予防</td><td>悪性貧血</td><td>レバー、魚介類、卵など</td></tr>
<tr><td>C</td><td>コラーゲンの生成
病原菌に対する抵抗力をつける</td><td>壊血病、貧血、食欲不振など</td><td>野菜、かんきつ類、いもなど</td></tr>
<tr><td>ナイアシン</td><td>エネルギー代謝の補助
トリプトファンから体内でも作られる</td><td>下痢、口内炎など</td><td>レバー、きのこ類、肉類、魚類など</td></tr>
<tr><td>葉酸</td><td>造血作用、成長・妊娠の維持</td><td>胎児神経管障害による脳の発育不全</td><td>レバー、枝豆、なばな、などの緑黄色野菜</td></tr>
</table>

🍲 ホルモン ～生体機能の調節～

　特定の器官から血液中に分泌され、別の組織や器官の働きを調整する物質を**ホルモン**といい、ホルモンを分泌する器官を**内分泌腺**といいます。

　体内の各分泌器官から分泌された**ホルモン**は、血液中を通ってさまざまな器官や組織に運ばれ、生体機能の調節に重要な役割を果たしています。「ホルモン」は「**刺激する物質**」という意味で、ホルモンの分泌が正しく行われないと、さまざまな障害が起こります。

●ホルモンの種類

分泌する部位	ホルモン	特性
甲状腺	チロキシン	新陳代謝の促進／ヨードを含むアミノ酸の一種／過剰でバセドウ病、不足でクレチン病
副甲状腺	パラトルモン	血糖低下／たんぱく性ホルモン／血中カルシウム量を一定に保持／不足でテタニー症（けいれん）
すい臓（ランゲルハンス島）	インスリン（β細胞） グルカゴン（α細胞）	血糖低下／たんぱく性ホルモン／不足で糖尿病 血糖上昇／たんぱく性ホルモン
副腎髄質	アドレナリン ノルアドレナリン	血糖・血圧上昇 筋肉の収縮
副腎皮質	コーチゾル コーチゾン	組織たんぱく質の分解／コレステロールから合成／不足で胃腸障害など
	アルドステロン	塩類と水分代謝に関係／コレステロールから合成／不足で胃腸障害など
脳下垂体	成長ホルモン オキシトシン バゾプレッシン	発育促進／過剰で巨人症、不足で小人症 子宮筋肉の収縮 血圧上昇／抗利尿作用
精巣	アンドロゲン テストステロン	男性ホルモン／変声／性毛／骨格／性器発達
卵巣	エストロゲン プロゲステロン	女性ホルモン／性毛／乳房の発達／丸みをおびた体型／性器の発達
消化管 （胃の幽門部）	ガストリン	胃液分泌促進
消化管 （十二指腸）	セクレチン コレシストキニン	胃液分泌抑制・膵液分泌促進

この節のまとめ

- たんぱく質：細胞を作る栄養素。約20種のアミノ酸からできている。
- 必須アミノ酸：アミノ酸のうち、体内で合成できないもの9 (8) 種。
  トリプトファン、ロイシン、リシン（リジン）、イソロイシン、バリン、トレオニン（スレオニン）、フェニールアラニン、メチオニン、ヒスチジン。
- ❶単純たんぱく質（アミノ酸だけで作られている）、❷複合たんぱく質（アミノ酸と他の物質が結合）、❸誘導たんぱく質（たんぱく質が熱、酸、アルカリ、酵素、アルコールなどによって変化）。
- 炭水化物：食物中に最も多く含まれ、重要なエネルギー源となる栄養素。炭素、水素、酸素の3元素からなる。糖質と食物繊維を合わせて炭水化物と称する。
  ❶単糖類：糖1個からなるもの（これ以上加水分解を受けない糖質）。ぶどう糖（グルコース）、果糖（フルクトース）、ガラクトース、マンノース
  ❷二糖類：単糖類が2個結合したもの（2個の糖から水がとれて結合したもの）。しょ糖（スクロース）、麦芽糖（マルトース）、乳糖（ラクトース）
  ❸多糖類：多数の単糖類が結合したもの（無味で溶けにくいが、分解されて単糖類になると甘くなる）。でんぷん、グリコーゲン、セルロース、ペクチン、デキストリンなど
- 脂質：バターやラードなどの動物性の固形のもの、大豆油やごま油などの植物性のもので、一般油脂の総称。
  ❶単純脂質：脂肪酸とグリセロールが結合したもの。中性脂肪（脂肪、油脂）、ロウなど
  ❷複合脂質：単純脂質にリン酸、糖などが結合したもの。リン脂質（レシチンなど）、糖脂質（ガラクト脂質など）
  ❸誘導脂質：単純脂質や複合脂質を代謝して得られる脂質で、**コレステロール、ステロイドホルモン、脂肪酸**など
- 脂肪酸：2重結合をもつ不飽和脂肪酸（植物性脂肪、液体）と、もたない飽和脂肪酸（動物性脂肪、固体）とがある。
- 必須脂肪酸：不飽和脂肪酸のうちリノール酸と α リノレン酸（広義ではアラキドン酸やEPA・DHAを含む）。
- 無機質：人体を構成する元素のうちH、O、C、Nを除いたもの。
- 無機質の働き：❶骨や歯の主成分となる、❷体の調子を整える、❸たんぱく質などと結合し、筋肉、皮膚、臓器、血液などを作る。
- ビタミンの働き：他の栄養素の働きを助け、ごく微量で新陳代謝を調節する。
  ❶脂溶性ビタミン（油に溶けやすい性質）：A、D、E、K
  ❷水溶性ビタミン（水に溶けやすい性質）：B_1、B_2、ナイアシン、B_6、B_{12}、C、葉酸など
- ホルモン：生体機能の調節を行う「刺激する物質」。
- 外分泌：汗や涙のように導管を通して体外へ分泌される物質。
- 内分泌：血液によって必要な器官、組織に運ばれる分泌物で、ホルモンという。

3 消化・吸収・代謝

摂取した食物がどのような過程を経て、文字どおり私たちの血となり肉となるか、を見るのがここでの学習です。具体的には、消化・吸収・代謝の過程です。また、食事摂取基準についても見ます。

出題のポイント

- 各消化器官でさまざまな消化・吸収が行われている。
- 必要なエネルギーの摂取量は、基礎代謝と生活活動代謝から求められる。

 ## 消化と吸収 ～食物を分解して血液にとり込む～

食物をとり入れてもたんぱく質、炭水化物、脂質などはそのまま吸収されず、体内でそれぞれアミノ酸、単糖類など低分子物質に分解されます。

消化とは、摂取した食物を消化器官（口、胃、小腸、大腸）で吸収されやすいかたちにすること。また、吸収とは消化されたものを腸（主に小腸）から吸収して血液、リンパ液にとり込んでいくことです。

●主な消化器官と消化酵素の働き

消化器官・液		消化酵素	消化酵素の働き
口	だ液	プチアリン（だ液アミラーゼ）	でんぷん➡麦芽糖（マルトース）
胃	胃液	ペプシン レンニン	たんぱく質➡ペプトン カゼインの凝固
十二指腸	すい液	アミロプシン トリプシン ステアプシン	でんぷん➡麦芽糖 たんぱく質➡ポリペプチド 中性脂肪➡脂肪酸とグリセロール
	胆汁	胆汁酸（消化酵素ではない）	脂肪の乳化作用、すい液のたんぱく質分解酵素の活性化
小腸	腸液	エレプシン サッカラーゼ マルターゼ ラクターゼ 腸リパーゼ	ポリペプチド➡アミノ酸 しょ糖➡ぶどう糖と果糖 麦芽糖➡ぶどう糖 乳糖➡ぶどう糖とガラクトース 脂肪➡脂肪酸とグリセロール

●3つの消化作用 ………………………………………………

❶ **機械的作用**…食物を歯で細かくして口の中で混ぜ、胃や腸のぜん動運動で吸収されやすくすること。

❷ **化学的作用**…消化器官から分泌される消化酵素を含む消化液で、食物を吸収されやすく分解すること。

❸ **生物的消化** 難消化性食物成分が腸内細菌による発酵や腐敗などにより、分解されることであり、大腸で行われる。

●吸収作用 ……………………………………………………………

消化によって小分子に分解された栄養素は、そのほとんどが多数のしわと絨毛を持つ**小腸粘膜**を通過して、**リンパ管**や**毛細血管**にとり入れられます。これを**吸収**といいます（胃ではアルコールだけが吸収され、水分の吸収は大腸で行われる）。

水溶性成分（単糖類、アミノ酸、ミネラル、水溶性ビタミンなど）
　　➡**毛細血管**へ流入。

脂溶性成分（長鎖脂肪酸やグリセロール、コレステロールや脂溶性ビタミンなど）➡**リンパ管**に流入。

 # エネルギー　~摂取基準の算出法~

食物として摂取されたたんぱく質、脂質、炭水化物は体内で**分解・合成**されてエネルギー源となります。この化学変化を**代謝**といい、熱や運動エネルギー産生に関わるものを**エネルギー代謝**といいます。

●エネルギーの摂取基準 …………………………………………

エネルギーの摂取基準は**基礎代謝**（生命維持に必要な最小エネルギー代謝量で、体表面積に比例する。女性より男性が高い、加齢とともに減少〔2歳が最高〕、筋肉質の人が高い、外気温が高くなると低下する）、**生活活動代謝**（仕事をするために必要な代謝）を考慮して次の式で計算します。

1日に必要な エネルギー	=	基礎代謝基準値 （kcal／kg／日）	×	目標とする 体重（kg）	×	身体活動 レベル

基礎代謝基準値……日本人の食事摂取基準に示されている
目標とする体重……目標とするBMIから計算する。＊P109の表を参照

107

●栄養学…**3** 消化・吸収・代謝

（例）目標とするBMIを22とすると、
目標とする体重＝22×［身長（m）］²
身体活動レベル……日本人の食事摂取基準に示されている

あ～あ寝ているだけなのに代謝しちゃった

基礎代謝

身体活動レベル

身体活動区分	Ⅰ（低い）	Ⅱ（ふつう）	Ⅲ（高い）
身体活動レベル	1.5	1.75	2.00

CHECK!

身体活動レベルの区分
Ⅰ低　い：生活の大部分が座位で、静的な活動が中心の場合。
Ⅱふつう：座位中心の仕事だが、職場内での活動や立位での作業・接客等、あるいは通勤・買物・家事・軽いスポーツ等のいずれかを含む場合。
Ⅲ高　い：移動や立位の多い仕事への従事者。あるいはスポーツなど余暇における運動習慣をもっている場合。

●エネルギー摂取基準の計算

エネルギー摂取基準＝１日の基礎代謝量×身体活動レベル
＊１日の基礎代謝＝基礎代謝基準値×目標とする体重（kg）

　身体活動レベルがⅡ（ふつう）の18～29歳男性（基礎代謝量1,510kcal/日）の場合のエネルギー摂取基準は、以下のとおりです。
エネルギー摂取基準＝1,510×1.75＝約2,643kcal
　また、同様の女性（基礎代謝量1,120kcal/日）の場合のエネルギー摂取基準は、1,960kcalとなります。

食事摂取基準 〜生活に必要なエネルギー量と栄養摂取量〜

　健康な個人または集団を対象として、国民の健康の維持・増進、生活習慣病の予防を目的とし、エネルギー及び各栄養素の摂取量の基準を示しています。
　なお「日本人の食事摂取基準（2020年版）」は2020〈令和2〉年度から2024〈令和6〉年度までの5年間使用されます。

●食事摂取基準の設定指標 ‥‥‥‥‥‥‥‥‥‥‥‥‥‥‥‥‥‥

エネルギーについては1種類、栄養素については5種類の指標を設定しています。

エネルギー⇒「推定エネルギー必要量」

栄養素⇒「推定平均必要量」「推奨量」「目安量」「耐容上限量」「目標量」

推定平均必要量⇒50%の人が必要量を満たすと推定される量

推奨量⇒ほとんどの人(97～98%)において1日の必要量を満たすと推定される1日の量

目安量⇒推定平均必要量及び推奨量を算定するのに十分な科学的根拠が得られない場合に、一定の栄養状態を維持するのに十分な量

耐容上限量⇒健康障害をもたらす危険がないとみなされる習慣的な摂取量の上限量

目標量⇒生活習慣病の一次予防を目的として、現在の日本人が当面の目標とすべき摂取量

「日本人の食事摂取基準(2020年版)」の主なポイントは以下のとおりです。

❶ 高齢者を**65～74歳、75歳以上**の2つに区分した。

❷ 生活習慣病における発症予防の観点からナトリウムの目標量を引き下げ。

❸ 重症化予防を目的としてナトリウム量やコレステロール量を新たに記載。

❹ フレイル予防の観点から高齢者のたんぱく質の目標量を見直し。

❺ 生活習慣病の予防を目的とした「目標量」を充実した。

・ナトリウム(食塩相当量)について、高血圧予防の観点から、男女とも値を低めに変更。

18歳以上男性:2015年版 8.0g/日未満
　➡2020年版 **7.5**g/日未満

18歳以上女性:2015年版 7.0g/日未満
　➡2020年版 **6.5**g/日未満

目標とする BMI の範囲(18 歳以上)

年齢(歳)	目標とする BMI(kg／㎡)
18 ～ 49	18.5 ～ 24.9
50 ～ 64	20.0 ～ 24.9
65 ～ 74	21.5 ～ 24.9
75 以上	21.5 ～ 24.9

🍲 運動と栄養 ～バランスが悪いと健康障害に～

運動量と摂取するエネルギーのバランスが悪いと何らかの**健康障害**を招くことになります。例えば、運動不足でエネルギー過剰な人は肥満や高血

圧、糖尿病などになりやすく、反対にエ
ネルギー不足の人はやせや貧血になりや
すい、といえます。

●肥満や高血圧を招く過食・運動不足

肥満や
高血圧に
なりやすい

❶ 運動量と栄養 　　　　運動に必要な栄養素

❶ 激しい運動によるエネルギーの消費の増大➡糖質、脂質を多くとる

❷ 労働やスポーツによる発汗➡適当な水分と食塩の補給が必要

❸ 疲労によるカリウム消費➡果物や野菜などの補給が必要

❹ 激しい労働やスポーツ活動➡たんぱく質、ビタミンCを多くとる

❺ 疲労による食欲不振、胃の機能低下➡消化しやすいものをとる

❷ 労働環境と栄養 　　　仕事によって補いたい栄養素

労働環境や**仕事の種類**によって消費される栄養素は異なりますが、それ
ぞれの場合において補わなければならない栄養素は次のとおりです。

❶ 高温・高湿の場所での作業…カルシウム、ビタミンB群・C、塩分

❷ 疲れの激しい作業…ビタミンB_1・B_2、ナイアシン、カリウム

❸ 暗所での作業…ビタミンA・D

❹ 有毒物質を扱う作業…ビタミンB群・C

❺ 騒音の激しい場所での作業…ビタミンB_1

❻ 精神労働、頭脳労働…たんぱく質、リン、カルシウム、銅、ビタミ
ンA・B群、イオウなど

❸ 消費エネルギー量の求め方 　1日のエネルギー消費量

消費エネルギー量は、日常生活時間（1日24時間）を求め、メッツ（METs）
を用いてエクササイズ（メッツ×時間）を求めることでおおよその**1日の
エネルギー消費量**を求めることができます。メッツ（metabolic
equivalents：METs、単数はMET）とは、座位安静時代謝量の倍数とし
て各身体活動の強度を示したものです。1日のエネルギー消費量の計算式
は以下のようになります。

$$\text{エネルギー消費量} \atop (\text{kcal／日}) = \text{体重} \atop (\text{kg}) \times \text{エクサ} \atop \text{サイズ} \times \text{1.05} \atop (\text{成人体重1kg、1時間当たりの} \atop \text{安静時のエネルギー消費量})$$

例：体重60kgの人が下記の表のような身体活動をした場合は、
60×35.5×1.05＝2237kcalとなる。

●1日の生活時間と身体活動

1日の生活時間	時間	メッツ	メッツ×時間（エクササイズ）
睡眠	8	0.9	7.2
身支度	1	2.0	2.0
料理	1	2.0	2.0
食事	2	1.5	3.0
通勤（立位）	1	1.2	1.8
通勤（歩行）	0.5	3.3	1.8
オフィスワーク	7	1.5	10.5
テレビ	2	1.0	2.4
読書	1	1.3	1.3
ジョギング	0.5	7.0	3.5
計	24		35.5

この節のまとめ

- 消化：摂取した食物を消化器官（口、胃、小腸、大腸）で吸収されやすいかたちにすること。
- 吸収：消化されたものを腸（主に小腸）から吸収して血液、リンパ液にとり込んでいくこと。
- 消化吸収の作用
  ①機械的作用：食物を歯で細かくして口の中で混ぜ、胃や腸のぜん動運動で吸収されやすくする。
  ②化学的作用：消化器官から分泌される消化酵素を含む消化液で食物を吸収されやすく分解する。
- 消化吸収率：一定期間内に体内にとり入れられた食物がどのくらい消化吸収されたかを測る基準。

$$\text{消化吸収率}(\%) = \frac{\text{摂取量} - \text{糞便中排泄量}}{\text{食物摂取量}} \times 100$$

- 代謝：食物として摂取されたたんぱく質、糖質、脂質が体内で分解・合成されてエネルギー源となる化学変化。熱や運動エネルギー産生に関わるものはエネルギー代謝。

4 国民栄養と食生活

　ここでは、母子栄養、幼児期から高齢期にいたる栄養摂取の留意点、そして治療食などを通してわが国の国民栄養の現状を学びます。古いデータと比較するなど、具体的数字を見ながら把握しておきましょう。また、私たちの食生活全般についてあらためて考えてみるのもねらいです。

出題のポイント

- 母子、成人、高齢者など、年齢によって必要な栄養素は異なる。
- 特別治療食は食事そのものが治療の役割を果たしている。
- 日本人の栄養摂取の状況は、平均で見れば理想に近いが、動物性脂肪の摂取量が増えて肥満や生活習慣病が多発するようになっている。
- 偏りのない食事のために食品構成は有効である。

母子栄養 ～母体と胎児、乳児の健康を守る～

　妊娠期、授乳期の栄養は母体の健康はもちろんのこと、胎児、乳児の発育にも大きく影響するため、とても重要です。

❶ 妊産婦、授乳婦の栄養　　栄養価の高いものを選ぶ

❶　高エネルギー、高たんぱく質、高ビタミン食を心がける。

❷　良質たんぱく質、無機質（カルシウム、鉄）を多くとる。

❸　栄養価が高く、消化の良い食品を組み合わせてとる。

❹　偏食をせず、刺激物、冷たいもののとりすぎに注意する。

❺　妊娠期は妊娠高血圧症候群や肥満などになりやすいので、塩分・糖分を控え、過食に注意。

●妊娠期の食事上の注意

ちょうだい♥

ダメ

❷ 乳児栄養　　　　母乳と人工栄養の特徴

❶　**母乳栄養**…乳児に必要な栄養素、病気になりにくい**免疫体**を含んでおり、衛生的・経済的。

❷　**人工栄養**…育児用粉ミルクなどで育てる方法で、発育は良いが肥満になりやすい。また、免疫体がないので病原菌に対する抵抗力が劣る。

❸　**混合栄養**…人工栄養と母乳栄養とで行う方法で、母乳の分泌不足や母乳を与えられない場合に人工栄養で補い、健全な発育を図る。

●母乳の最大の特長

人工栄養

母乳栄養

病原菌に対する抵抗力

❸ 離乳栄養　　　消化吸収が良いものを薄味で調理

母乳や乳児用ミルクなどの流動食で育った乳児が生後5カ月頃から少しずつ乳汁以外の半流動食・半固形食の食物を食べて、乳児食へと移行することを離乳といいます。

●**離乳の注意点**………………………………

❶　生後6～7カ月以降は、乳汁だけでは発育・成長不良になる。

❷　生後5～6カ月頃から離乳を始め、12～18カ月頃に完了するのが望ましい。

❸　消化吸収が良く、必要な栄養素（良質のたんぱく質、カルシウム、ビタミンなど）を含む食品を選び、薄味で調理する。

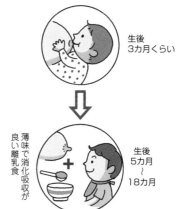

生後3カ月くらい

薄味で消化吸収が良い離乳食

生後5カ月～18カ月

❹　乳児の発育状態に合わせて無理のないように離乳を進める。

❺　乳児は腸内細菌の環境が整っていないため、ボツリヌス菌の定着と増殖が起こりやすくなっている。乳児ボツリヌス症を発症する恐れのあるハチミツは、生後1歳未満の乳児にはあげないようにする。

❹ 幼児栄養　　　　　　　　　　　盛んな発育に合わせる

　幼児期（満1〜6歳）は乳児期に次いで心、体、脳の発育が盛んな時期です。運動も盛んになるので、体の大きさの割にたくさんの栄養をとらなければなりません。ただし消化器が未発達のため、1日3回の決まった食事で必要量を満たすことは困難です。不足分は間食で補うようにします。

● **幼児栄養の注意点**‥‥‥‥‥‥‥‥‥‥‥‥‥‥‥‥‥‥‥‥‥‥‥‥‥‥‥‥‥‥‥‥

❶　良質のたんぱく質、カルシウム、鉄、ビタミンを多く摂取させる。

❷　必要な栄養量が大きく、消化器は未発達なので間食で不足分を補う。

❸　間食は1日の総エネルギーの10％くらいを充て、3度の食事と合わせてバランスを考える。

❹　薄味の調味で食品本来の味を学ばせ、虫歯などを予防する。

学童期〜成人期の栄養　〜学童、成人の健康を守る〜

❶ 学童期・思春期の栄養　　　高エネルギーの食物をとる

　6〜12歳未満の**学童期**、12〜15歳未満の**思春期**は、成長がいちじるしく、体のもとをつくる大切な時期で、高エネルギーの食物が必要です。

● **学童期・思春期に摂りたい栄養素**‥‥‥‥‥‥‥‥‥‥‥‥‥‥‥‥‥‥‥‥‥‥‥‥

❶　動物性たんぱく質…肉類、チーズ、魚、卵など

❷　カルシウム…牛乳、小魚など

❸　鉄…肉類、卵、豆類、緑黄色野菜など

❹　ビタミンB群…赤身の肉、青い背の魚

❷ 青年期・成人期の栄養　栄養バランスのとれた食生活を

　15〜20歳未満の**青年期**、20〜65歳未満の**成人期**の時期には病気に対する抵抗力もあり、疲労も早く回復するため、自覚のないまま無理をすることがあります。睡眠不足や不規則、不健康な生活をつつしんで、**栄養バランス**のとれた食生活を心がけます。

● **青年期・成人期の食事摂取基準**
（身体活動レベルⅡの場合）

2500 kcalが目安

2000 kcalが目安

114

高齢期の栄養 ～機能の低下を補う栄養のとり方～

　高齢になると身体の各機能が低下（**老化**）するため、次のような特徴が現れます。

❶　消化機能の衰え。

❷　食欲減退による低栄養。

❸　活動量の低下による過剰栄養と肥満。

❹　カルシウム吸収の衰えによって歯や骨が弱くなる。

❺　コレステロールがたまって動脈硬化を起こしやすくなる。

　こうした機能低下を補い、生活能力が十分発揮できるような栄養のとり方が必要になります。

●高齢期の栄養

❶　適量（腹八分目）を心がける。

❷　消化しやすいものをとる（細かく切ったものや煮たもの）。

❸　良質のたんぱく質をとる（脂肪の少ない魚、大豆製品、牛乳など）。

❹　動物性脂肪は控えて植物性脂肪をとるようにする。

❺　ビタミン、カルシウムを十分にとる。

❻　繊維の多い食物（野菜、果物、いも、豆、海藻など）をとる。

❼　塩分、糖分、刺激物は控えめにする。

●高齢者のフレイル予防

　加齢にともなってさまざまな機能の低下が進み、それによって健康障害を起こしやすくなっている状態を**フレイル**といいます。フレイルを進行させないためには、栄養状態に気をつけることが重要です。1日3食を心がける、バランスよく食べる、肉・魚・乳製品・大豆製品などたんぱく質を多く含む食品を食べるなどの心がけが必要です。

　フレイルを見極める5つの基準は、体重減少・筋力低下・疲労感・歩行速度の低下・身体活動の低下です。特に筋力の減少、筋肉量の減少などを専門用語で**サルコペニア**といいます。こうしたことに注意した栄養のとり方が大切となってきます。

臨床栄養 ～病気回復を目指す治療食～

　病人にとって栄養状態や食事のとり方は病気の経過に大きな影響を及ぼすこともあるため、調和のとれた食事をすることが大切です。

●治療食とは

　病人栄養の目的は、病気の状態に合わせた食物療法、薬物療法によって病気の回復を早めることです。病人の食事は栄養量の制限や食べてはいけない食品、制限する食品などを考えて特別につくられるもので、治療食と呼ばれます。

❶ 治療食の種類　　治療の補助から治療そのものまで

治療食は**一般治療食**と**特別治療食**に分けることができます。

●一般治療食

薬や手術などの主な治療を補助するためのもの（間接的）です。

❶　常食…病気の回復期、食欲がある場合。主食はご飯、パン、めん類など。繊維や脂質が少なく、消化の良いもの。

❷　軟食（かゆ食）…胃腸病や高熱後の回復期。繊維や脂質が少なく、消化の良いもの。主食はかゆが中心。場合によってはパン、めん類など。

❸　流動食…胃腸病、高熱時、手術後、重病の場合。刺激が少なく消化しやすい液状の食物。くず湯、野菜や肉のスープ、果汁、牛乳、アイスクリームなど。

●特別治療食

食事そのものが治療の役割を果たします。

❶　医師の発行する食事箋に基づいて献立を作成し調理する。

❷　病態の改善や疾病のコントロール、治療が目的。

❸　腎臓病食や肝臓病食といった疾病分類法と、病名にとらわれずに、病態に応じた食種を選択する、エネルギーコントロール食やたんぱく質コントロール食といった主成分分類法の2つがある。

❷ 治療食　病状別にみる栄養

●糖尿病

すい臓から分泌される**インスリン**というホルモンが異常をきたして、血糖値（血液中のぶどう糖の濃度。食後30～60分で最高となり、食後2～3時間でインスリンの働きにより正常値に戻る。エネルギーに使われたり、グリコーゲンとして蓄えられる）が高くなり、尿中にぶどう糖が排泄される慢性疾患。

●糖尿病の症状

頭痛がする
WC
食事量が増す
尿が多くなる
体がだるくなる

2022〈令和4〉年の20歳以上の糖尿病が強く疑われる者の割合は、男性18.1％、女性9.1％と高く、**国民病**ともいわれます。糖尿病には1型と2型があります。成人に多い糖尿病は2型です（1型は3～5％）。多くの場合無症状で始まりますが、この無症状の時期に糖尿病を発見することが重要です。食事療法が治療の決め手となります。

❶ 標準体重を維持できるようエネルギーを制限する。

❷ たんぱく質、脂質、炭水化物のバランスをとる。

❸ ビタミン、無機質を適量補給する。

●腎臓病

腎臓病になると血尿またはたんぱく尿が出て、体がむくみます。

①刺激の強い食品を避ける、②たんぱく質を制限する、③食塩と水分を制限する（重症度では無塩、中症度では1日に３～５ｇ、軽症度では1日に５～８ｇ）、④ビタミンB_1を多くとる。

●肝臓病

肝臓は代謝の中心的器官で、重要な生理機能を営んでいます。そのため肝臓疾患には急性肝炎、肝硬変症、胆石症、胆のう炎などさまざまな種類があり、体がだるくなるとか、食欲がなくなるなどの症状が現れます。

❶ 高エネルギー、高たんぱく質、高ビタミン食で、たんぱく質の３分の１から２分の１以上は良質のたんぱく質をとる。

❷ 脂肪は植物油や消化されやすいバターなどを用いる。

❸ 糖質、各種ビタミン（とくにB_1・B_2）を十分にとる。

❹ 過食を避け、標準体重を保つ。

●肥満症（太り過ぎ）

BMI（Body Mass Index）の値が25を超えると肥満であり、肥満に起因ないし関連する健康障害を合併するか、その合併症が予測される場合で、医学的に減量を必要とする病態を肥満症といいます。主な原因は過食と運動不足で、余分なエネルギーが脂肪となり皮膚の下に蓄えられた状態になるのです。

肥満はさまざまな生活習慣病との関連が深いため、乳幼児期からのきちんとした予防が望まれます。また、1日1,000kcal以下の食事を続ける場合は、医師による管理・指導が必要です。

❶　糖質の制限が重要である。

❷　エネルギーは必要量の3分の1から2分の1までに制限する。

❸　たんぱく質は良質のものを不足しないようにとる。

❹　脂質はできるだけとらないようにする。

❺　ビタミン、無機質は十分に補給する。

●脂質異常症（高脂血症）

血液中の**コレステロール**値が異常になる**病気**で、病気の原因には体質や生活習慣などが考えられます。脂質異常症そのものが症状を起こすことはまれですが、脂質異常症が動脈硬化を早めたりすることでさまざまな病気を起こしやすくなります。悪玉コレステロール（LDLコレステロール）やトリグリセリド（中性脂肪）が増加した状態や、善玉コレステロールが低下した状態を脂質異常症といいます。

●貧血症

赤血球または血色素が健康人の90％以下に減少した状態を**貧血**といい、食事との関連が深いのは**鉄欠乏性（低色素性）**の貧血です。これは鉄分、たんぱく質、エネルギーの不足などが原因で起こるものです。

❶　高たんぱく質の食事からエネルギーや**鉄分**を十分にとる。

❷　鉄の吸収を高める**ビタミンC**を多くとる。

❸　貧血の予防と治療に効果的なレバー、ごまなどをとる。

●貧血症には鉄分補給

レバニラ炒め

〈貧血防止〉

❹ 茶類に含まれる**タンニン**は鉄の吸収を妨げるので注意する。

❺ 朝食をきちんととってエネルギーを補給し、規則正しい生活をする。

 # 国民の栄養状態と栄養改善 ～国民健康・栄養調査からわかること～

❶ 国民健康・栄養調査　　　　毎年11月に実施される

わが国では毎年11月に、国民の栄養状態や栄養素の摂取量に関する**国民健康・栄養調査**が実施されています。

●国民栄養の現状

❶ 食塩摂取量の状況

　20歳以上の食塩摂取量の平均値は9.7gであり、男女別にみると男性10.5g、女性9.0gである。この10年間でみると、いずれも有意に減少している。

❷ 野菜摂取量の状況

　20歳以上の野菜摂取量の平均値は270.3gであり、男女別にみると男性277.8g、女性263.9gである。この10年間でみると、いずれも有意な増減はみられない。年齢階級別にみると、男女ともに20～40歳代で少なく、50歳代から70歳以上で多くなっている。

❸ 飲酒の状況

　生活習慣病のリスクを高める量を飲酒している者の割合は、20歳以上の男性13.5％、女性9.0％である。10年間の推移をみると、男性では有意な増減はなく、女性で有意に増加している。年齢階級別にみると、その割合は男性では50歳代、女性では40歳代が最も高く、男性20.0％、女性16.5％である。

●体格の状況

❶ 65歳以上の低栄養傾向の者（BMI＜18.5kg／m²）の割合は、男女別に見ると男性12.9％、女性22.0％であり、この10年間で有意な増減は見られない。年齢階級別に見ると、男女とも85歳以上でその割合が最も高い。

❷ 20歳以上の肥満者（BMI≧25kg／m²）の割合は男性31.7％、女性21.0％であり、この10年間でみると、女性では有意な増減は見られないのに対し、男性では有意に増加している。年齢階級別にみると、男

性では50歳代、女性では70歳代以上が最も高い。

❸ やせの者（BMI＜18.5kg／m²）の割合は男性4.3％、女性11.3％であり、この10年間で有意な増減は見られない。なお、20歳代女性のやせの割合は19.1％である。

● **健康の状況**‥‥‥‥‥‥‥‥‥‥‥‥‥‥‥‥‥‥‥‥‥‥‥‥‥‥‥‥‥‥‥‥‥

❶ 糖尿病に関する状況

20歳以上の糖尿病が強く疑われる者の割合は男性18.1％、女性9.1％である。この10年間でみると、男女とも有意な増減はみられない。年齢階級別にみると、年齢が高い層でその割合が高い。

❷ 血圧に関する状況

20歳以上の収縮期（最高）血圧の平均値は男性131.4mmHg、女性125.5mmHgである。2019〈令和元〉年と比較して男女とも有意な増減はみられない。収縮期（最高）血圧が140mmHg以上の者の割合は男性28.9％、女性21.1％である。2019〈令和元〉年と比較して、男性では有意な増減はみられないのに対し、女性では有意に減少している。

❸ 血中コレステロールに関する状況

20歳以上の血清総コレステロール値が240mg／dL以上の者の割合は男性13.4％、女性24.8％である。この10年間でみると男女とも有意に増加している。

● **喫煙の状況**‥‥‥‥‥‥‥‥‥‥‥‥‥‥‥‥‥‥‥‥‥‥‥‥‥‥‥‥‥‥‥‥‥

20歳以上の喫煙者の割合は14.8％であり、男女別に見ると男性24.8％、女性6.2％である。ここ10年間でみると、いずれも有意に減少している。年齢階級別に見ると、30～40歳代男性ではその割合が高く、3割を超えている。

❷ 食生活指針　　　　　何をどれだけ食べたら良いのか

　私たちが、日々の生活のなかで何をどれだけ食べたら良いのかを示しているのが「**食生活指針**」といわれるものです。これは、**厚生労働省、文部科学省、農林水産省**が具体的に実践できるであろう目標として策定したものです。これまでにも同様の食生活指針は示されていましたが、近年、心臓病や糖尿病などの生活習慣病が社会的な問題として浮上してきたところから、2000年に見直されて新たに策定されました。以下はその要旨です。

● **食生活指針**

❶ 食事を楽しみましょう

❷　１日の食事のリズムから、健やかな生活リズムを

❸　主食、主菜、副菜を基本に、食事のバランスを

❹　ご飯などの穀類をしっかりと

❺　野菜・果物、牛乳・乳製品、豆類、魚なども組み合わせて

❻　食塩や脂肪は控えめに

❼　適正体重を知り、日々の活動に見合った食事を

❽　食文化や地域の産物を活かし、ときには新しい料理も

❾　調理や保存を上手に行って無駄や廃棄を少なく

❿　自分の食生活を見直しましょう

また、以下は1990年に策定された高齢者のための食生活指針です。

●高齢者のための食生活指針

❶低栄養に気を
つけよう

❷調理の工夫で
多彩な食生活を

❸副食から
食べよう

❹食生活をリズムに
乗せよう

❺よく体を
動かそう

❻食生活の知恵を
身につけよう

❼おいしく、楽しく、
食事をとろう

❸ 食事バランスガイド　コマのイラストで食事量の基本を示す

　食事バランスガイドとは、1日に、「何を」、「どれだけ」食べたらよいか
を考える際の参考になるよう、食事の望ましい組み合わせとおおよその量
をコマのイラストでわかりやすく示したものです。毎日の食事を「主食」「副
菜」「主菜」「牛乳・乳製品」「果物」の5つの料理グループに区分し、区分
ごとに「つ（SV）」という単位を用いて、1日にそれぞれどれだけ食べれ
ばよいか目安が示されています。2005年に**厚生労働省**と**農林水産省**が決定
しました。健康な人たちの健康づくりを目的に作られたものです。

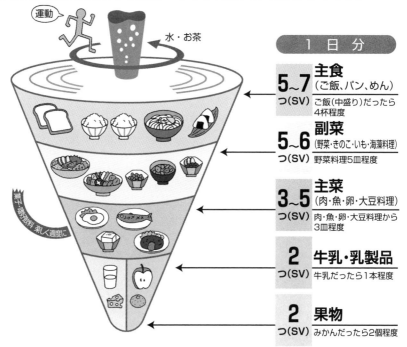

運動

水・お茶

1 日 分

5～7
つ(SV)
主食
（ご飯、パン、めん）
ご飯（中盛り）だったら
4杯程度

5～6
つ(SV)
副菜
（野菜・きのこ・いも・海藻料理）
野菜料理5皿程度

3～5
つ(SV)
主菜
（肉・魚・卵・大豆料理）
肉・魚・卵・大豆料理から
3皿程度

2
つ(SV)
牛乳・乳製品
牛乳だったら1本程度

2
つ(SV)
果物
みかんだったら2個程度

厚生労働省・農林水産省策定　　　　　　　　　　※SVとはサービング（食事の提供量の単位）の略

●1つ（SV）の基準

主食	主材料の穀類に由来する炭水化物　約40g
副菜	主材料の野菜、きのこ、いも、豆類（大豆を除く）海藻類の重量　約70g
主菜	主材料の魚、肉、大豆、大豆製品に由来するたんぱく質　約6g
牛乳・乳製品	主材料の牛乳・乳製品に由来するカルシウム　約100mg
果物	主材料の果物の重量　約100g

122

●1日に必要なエネルギー量 ·······················

年齢・性別によって、1日に「何を」「どれだけ」食べたらよいのかが変わってきます。

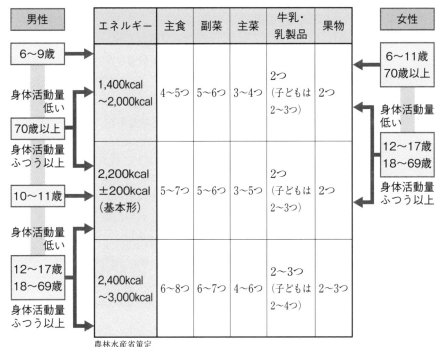

男性	エネルギー	主食	副菜	主菜	牛乳・乳製品	果物	女性
6～9歳 身体活動量 低い 70歳以上 身体活動量 ふつう以上	1,400kcal ～2,000kcal	4～5つ	5～6つ	3～4つ	2つ (子どもは 2～3つ)	2つ	6～11歳 70歳以上 身体活動量 低い 12～17歳 18～69歳 身体活動量 ふつう以上
10～11歳 身体活動量 低い	2,200kcal ±200kcal (基本形)	5～7つ	5～6つ	3～5つ	2つ (子どもは 2～3つ)	2つ	
12～17歳 18～69歳 身体活動量 ふつう以上	2,400kcal ～3,000kcal	6～8つ	6～7つ	4～6つ	2～3つ (子どもは 2～4つ)	2～3つ	

農林水産省策定

この節のまとめ

● 妊娠期、授乳期の栄養：母体の健康と胎児、乳児の発育のために十分な栄養が必要。乳児栄養には、母乳栄養と人工栄養、混合栄養がある。
● 学童期・思春期の栄養：体のもとをつくる大切な時期であるため、良質のたんぱく質、カルシウム、ビタミンなどが必要。
● 高齢期の栄養：消化しやすく栄養バランスのとれた食事が理想。
● 治療食：❶一般治療食：他の治療法を補助するための食事。
　　　　　❷特別治療食：食事そのものが治療の役割を果たす。
● 栄養素の摂取状況と問題点
　❶カルシウムは依然として摂取基準を下回っている。
　❷たんぱく質と脂肪はとり過ぎの傾向にある。
　❸食物繊維、無機質、ビタミン類をもっと摂取することが望ましい。
　❹動物性脂肪の摂取量は減少傾向にあるものの生活習慣病の危険性が高い。

第3章　栄養学　一問一答式問題

これだけは覚えよう

1　3大栄養素と5大栄養素の働きやその性質。

2　たんぱく質については、種類と働き、必須アミノ酸の名称。炭水化物については、種類と特性と働き。脂質については、働きと分解吸収の仕方。必須脂肪酸の働き。

3　ビタミンには脂溶性と水溶性とがあることを理解する。また、無機質と併せてその種類と働きや性質、その成分を多く含む食品を覚える。

4　アトウォーター係数を使っての計算の仕方。

○×、または正解を選ぶ選択式です。★は普通、★★は重要、★★★は最重要のマーク。

★★ Q001　□□□ 生体は摂取した物質を材料として、生命維持のために必要な生体成分の合成と分解を絶えずくり返す。これを代謝という。

解説 エネルギー源と栄養素が反応し、古くなった細胞から新しい細胞へ作り替えられることを代謝（新陳代謝）という。新陳代謝が行われるためには、体内で活発に代謝のための活動が行われることが大切。

★ Q002　□□□ 食事バランスガイドは、厚生労働省及び文部科学省から示された。

解説 食事バランスガイドとは、1日に、「何を」、「どれだけ」食べたらよいかを考える際に参考になるように、食事の望ましい組み合わせとおおよその量をイラストで示したもの。2005年に厚生労働省と農林水産省が決定した。

★★ Q003　□□□ 人体構成成分と1日に摂取する食事中に含まれる成分比率は、ほぼ同じとなっている。

解説 食事から摂取する栄養素は炭水化物が50〜60%を占めるが、体組成ではわずか1%未満。人体内に存在する糖質のほとんどは、グリコーゲンとして肝臓や筋肉中に存在している。

★★ Q004　□□□ 人体を構成する元素で含有率がもっとも高いのは酸素である。

解説 人体を構成する元素で1%以上あるものには、酸素、炭素、水素、窒素、カルシウム、リンがある。このうち最も含有率が高いのは酸素（65%）、2番目に高いのが炭素（18%）である。

解答　Q001−○、Q002−×、Q003−×、Q004−○

124

★★★
Q005
□
□
□ ビタミンの多くは体内合成ができず、外界から摂取しないと健康保持が困難である。

解説 ほとんどのビタミンは合成できないため、外界から摂取する必要がある。しかしビタミンK、ビタミンB₆、ビオチンは一部腸内細菌により合成される。ナイアシンはトリプトファンというアミノ酸から合成される。ビタミンDは日光の紫外線により合成される。

★★
Q006
□
□
□ でんぷんは多数のぶどう糖（グルコース）で構成されている。

解説 でんぷんはぶどう糖（グルコース）が多数結合した多糖類。直鎖状に結合したものをアミロース、枝分かれして結合したものをアミロペクチンという。アミロースとアミロペクチンの比率により「もち」と「うるち」に分類できる。

★★
Q007
□
□
□ たんぱく質は、糖質や脂質が十分に足りていると、エネルギー源としての消費は抑えられる。

解説 たんぱく質の主な機能は、酵素、ホルモンの材料となり代謝を調整すること。効率のよいエネルギー源は炭水化物や脂質だが、長時間運動を続けることで炭水化物や脂質からのエネルギー供給が不足すると、生命維持のためにたんぱく質が分解されてエネルギー源となる。

★★
Q008
□
□
□ たんぱく質は、アミノ酸がペプチド結合で数多くつながった化合物であり、1gにつき約4kcalのエネルギーをもつ。

解説 アミノ酸同士により脱水結合したアミド結合をペプチド結合という。人体を構成するアミノ酸は20種類あるが、体内で合成可能なアミノ酸を非必須アミノ酸、合成不可能なアミノ酸を必須アミノ酸（不可欠アミノ酸）という。

★★
Q009
□
□
□ たんぱく質の構成アミノ酸のうち、最も不足するアミノ酸を、第1制限アミノ酸という。

解説 体内で合成出来ない不可欠アミノ酸（必須アミノ酸）は9種類あるが、人体のアミノ酸必要量に基づいて、最も不足するアミノ酸を第1制限アミノ酸という。必須アミノ酸のバランスを数値化したものをアミノ酸スコアという。

★★
Q010
□
□
□ 爪や毛のケラチンは、複合たんぱく質（リポたんぱく質）である。

解説 たんぱく質は単純たんぱく質、複合たんぱく質、誘導たんぱく質の3つに分類される。爪や毛のケラチンは単純たんぱく質である。複合たんぱく質はアミノ酸と他の物質が結合したもので、核たんぱく質やリポたんぱく質、色素たんぱく質などがある。

●栄養学 ── 一問一答式問題

解答 Q005−○、Q006−○、Q007−○、Q008−○、Q009−○、Q010−×

★★ Q011 ☐☐☐ 日本人の食事摂取基準（2020年版）では、ビタミンB_1の耐容上限量が設定されている。

解説 耐容上限量が設定されているビタミンは、ビタミンA・D・EおよびナイアシンとビタミンB_6。

★★ Q012 ☐☐☐ ビタミンB_1は炭水化物（糖質）代謝（エネルギー化）などの補酵素として働く。

解説 ビタミンB_1が不足すると、いくら糖質をたくさん摂取してもエネルギーに変えることができず、乳酸などの疲労物質がたまり疲れやすくなる。ビタミンB_1は、糖質がエネルギー物質に変わるときに補酵素として働く。

★★★ Q013 ☐☐☐ しょ糖、麦芽糖、乳糖は単糖類、でんぷん、グリコーゲンは多糖類である。

解説 糖質は単糖類、二糖類、多糖類の3つに大きく分けられる。単糖類は糖1個からなるものでぶどう糖、果糖、ガラクトースがあり、二糖類にはしょ糖、麦芽糖、乳糖、多糖類にはでんぷん、グリコーゲン、セルロース、ペクチンなどがある。

★★ Q014 ☐☐☐ 日本人の食事摂取基準（2020年版）では、炭水化物のエネルギー産生栄養素バランスは、すべての年齢で13〜20％である。

解説 日本人の食事摂取基準（2020年版）では、生活習慣病の発症予防とその重症化予防を目的として、1歳以上の人を対象に、エネルギー産生栄養素バランスの目標値の範囲が設定されている。炭水化物はすべての年齢で50〜65％。

★★ Q015 ☐☐☐ 日本人の食事摂取基準（2020年版）では食物繊維の摂取目安量を、18〜64歳で男性21g／日以上、女性18g／日以上としている。

解説 食物繊維は多糖類の一種であり水溶性と不溶性に分けられる。水溶性繊維にはペクチン、海藻多糖類などがあり、血糖上昇抑制作用がある。不溶性繊維にはセルロース、ヘミセルロース、キチンなどがあり、便のカサを増やす、善玉菌のエサとなるなどの働きがある。

★★ Q016 ☐☐☐ 葉酸には、妊娠初期における胎児の神経管閉鎖障害のリスクを低減させる働きがある。

解説 葉酸はビタミンB群の一種で水溶性ビタミン、ビタミンB_{12}とともに赤血球の生産を助け、欠乏すると巨赤芽球性貧血を起こす。代謝に関係しDNAやRNAなどの核酸やたんぱく質の生合成を促進し細胞の生産や再生を助ける。胎児の脳や神経管、心臓などの重要な部分が形成される妊娠初期に特に多く必要とする。

解答 Q011－×、Q012－○、Q013－×、Q014－×、Q015－○、Q016－○

★★ Q017 ☐ ビタミンは、油脂に溶けにくい水溶性ビタミンと、水に溶けにく
☐ い脂溶性ビタミンに分類される。
☐

解説 脂溶性ビタミンにはビタミンA、D、E、Kがあり、水溶性ビタミンにはビタミンB₁、B₂、B₆、B₁₂、C、葉酸、ビオチン、パントテン酸、ナイアシンなどがある。脂溶性ビタミンは油脂と同時に摂取すると吸収がよくなる。

★★★ Q018 ☐ ビタミンとその欠乏症の組み合わせとして、正しいものを1つ選
☐ びなさい。
☐

　　　　　ビタミン　　　　　　欠乏症
　　（1）ビタミンB₁・・・・　脚気
　　（2）ビタミンB₂・・・・　ペラグラ
　　（3）ビタミンB₆・・・・　壊血病
　　（4）ビタミンB₁₂　・・・　夜盲症

解説 ペラグラはナイアシン、壊血病はビタミンC、夜盲症はビタミンAの欠乏症。B₂の欠乏症は口角炎や口内炎、B₆は脂漏性皮膚炎、舌炎など、B₁₂は貧血や神経障害などが欠乏症である。

★★ Q019 ☐ DHA（ドコサヘキサエン酸）、EPA（エイコサペンタエン酸）は
☐ n-3（ω3）系脂肪酸である。
☐

解説 二重結合2つ以上の多価不飽和脂肪酸は、最初の二重結合の位置によりn-3系脂肪酸とn-6系脂肪酸に分類される。n-3系にはDHA、EPA、α-リノレン酸、n-6系にはリノール酸やアラキドン酸があり、これらは必須脂肪酸である。

★★ Q020 ☐ 脂質は大きく分けて単純脂質、複合脂質、誘導脂質に分類される。
☐
☐

解説 単純脂質は脂肪酸とグリセロールが結合したもので、中性脂肪やロウなどで食品中に最も多く含まれる。複合脂質は単純脂質にリン酸や糖が結合したものでリン脂質のレシチン、糖脂質のガラクト脂質などがある。誘導脂質には脂肪酸やステロイドホルモン、コレステロール、胆汁酸などがある。

★★ Q021 ☐ 誘導脂質であるコレステロールは、細胞膜（生体膜）の構成成分
☐ である。
☐

解説 コレステロールは、細胞膜（生体膜）の構成成分であり、ホルモンや胆汁酸の材料として大切な成分でもある。体内で増えすぎたコレステロールを回収し、さらに血管壁にたまったコレステロールを取り除いて肝臓にもどす働きをする、善玉コレステロールと呼ばれるリポたんぱく質として、高比重リポたんぱく質（HDL）がある。

解答 Q017－○、Q018－（1）、Q019－○、Q020－○、Q021－○

★★ Q022 □ 乳化とは、油脂が空気中の酸素と反応し、酸化され劣化すること
□ である。

解説 乳化とは、水と油のように本来は混ざり合わないものが均一に混ざり合う現象。油脂が空気中の酸素と反応し、酸化され劣化する現象は酸化である。

★★ Q023 □ 無機質とその主な欠乏症の組み合わせで、誤っているものを1つ
□ 選びなさい。
□
(1) 鉄　・・・・・　貧血
(2) ヨウ素　・・・　甲状腺肥大
(3) カリウム　・・　骨粗しょう症
(4) 亜鉛　・・・　味覚障害

解説 カリウムが欠乏すると、筋力低下、筋肉のけいれん、麻痺、不整脈などを生じる。骨粗しょう症は骨の代謝バランスが崩れてもろくなった状態である。原因としてはカルシウムやマグネシウムの不足や、ビタミンDの不足などが挙げられる。

★★★ Q024 □ 次のうち、ホルモンとそのはたらきに関する組み合わせとして、
□ 正しいものを1つ選びなさい。
□
(1) 副甲状腺ホルモン　・・・・　血中カルシウム濃度を下げる
(2) アドレナリン　　　・・・・　血圧を上げる
(3) 甲状腺ホルモン　　・・・・　エネルギー代謝を低下させる
(4) インスリン　　　　・・・・　血糖値を上げる

解説 副甲状腺ホルモンは血糖低下、血中カルシウム量を一定に保持する働き。甲状腺ホルモンは新陳代謝の促進、インスリンは血糖値の低下。

★★ Q025 □ 消化には、物理的（機械的）消化、化学的（酵素的）消化、生物
□ 学的（細菌学的）消化がある。
□

解説 舌や歯による咀しゃく、胃腸のぜん動運動によるかく拌、腸の分節運動による運搬といった物理的消化。唾液・胃液・膵液・腸液中の消化酵素による化学的消化。主に大腸の腸内細菌などによる腐敗・発酵による未消化物の分解という生物的消化がある。

★★ Q026 □ 小腸から吸収された栄養素のうち、脂溶性成分は毛細血管へ、水
□ 溶性成分はリンパ管へ流入する。
□

解説 脂溶性成分はリンパ管へ、水溶性成分は毛細血管へと流入する。たんぱく質は、低分子のアミノ酸などに分解されて、小腸壁から吸収され、門脈を通って肝臓に運ばれる。中鎖脂肪酸（MCFA）は、小腸で吸収され、血管を通って肝臓に運ばれる。

解答 Q022－×、Q023－（3）、Q024－（2）、Q025－○、Q026－×

Chapter 4

食品衛生学

この章で学ぶこと

◆食品衛生学の意義を理解し、実践に役立つ知識を身につけていくことが大切です。

◆食品の安全を確保し、飲食に起因する危害を防止するために、食品衛生法による食品や添加物、器具・容器、表示広告、営業などの規定を学びます。

◆食中毒は、原因となる微生物や物質、特徴、予防法まで関連付けてまとめていきます。

◆食品添加物では、添加物の名称、使用目的、使用規則など細かく学んでいきます。

◆衛生微生物については、種類と特徴、さらにこれらの微生物の増殖する条件を学び、食品の鑑別法、保存法に関連付けていきます。

◆調理師にとって食品衛生対策についての知識は大切で、不可欠です。食品をはじめ調理施設、器具などの衛生的な取り扱いを学んでいきます。

① 食品衛生学とは

食品を介して起こる病気は、人々に少なからぬ不安を与えます。その原因となるものを大まかに理解し、食品衛生の目的を学びます。

> **出題のポイント**
>
> ◈ 食品衛生の目的は飲食に起因する衛生上の危害の発生を防止し、国民の健康の保護を図ることにある。
> ◈ 飲食による危害には、生物学的危害（経口〈腸管〉感染症、微生物性食中毒など）、化学的危害（重金属、食品添加物など）、物理的危害（害虫・異物など）がある。

食品衛生の目的 ～安全な食生活により人々の健康を守る～

飲食物は、私たちの生命を維持し、活動するためのエネルギー源になると同時に、生育・成長のために欠くことのできない重要なものです。しかし、時として飲食することにより健康障害を起こしたり、感染して命をおとすこともあります。

悪いものはあっち!

食品衛生とは、すべての飲食物・添加物・器具・容器包装などを対象とした飲食に関する危害を排除することをいい、飲食物などによるさまざまな衛生上の原因を取り除いたり、予防したりしてその危害を未然に防ぎ、

私たちの健康の保護を図ることを目的としています。

飲食物などによる危害には、次のようなものがあります。

●生物学的危害

❶ 経口感染症…赤痢・コレラ・腸チフスなど、**衛生微生物**に汚染された飲食物の摂取によって起こる危害。

❷ 微生物性食中毒…食品に付着した食中毒菌やウイルスによって起こる危害。

❸ 寄生虫症…食品を介して感染する寄生虫の危害。

●化学的危害

❶ 重金属類…器具、容器・包装過程で残留したり付着したりした**ヒ素・鉛・亜鉛・カドミウム**などの有害金属による危害。

❷ 食品添加物・農薬…食品製造及び加工の過程で使用される**甘味料・着色料**などや**残留農薬**による危害。

●物理的危害

❶ 異物…毛髪・砂・ガラス片などが食品に混入したために起こる危害。

❷ 衛生害虫・そ族…ハエ・ゴキブリ・ネズミ・ダニなどの死骸及びそれらの排泄物。

廃棄物の取り扱い 〜工程別廃棄物の種類〜

廃棄物は、汚染源そのものとなり異物混入の原因にもなります。適正な取り扱いをすることで徹底した衛生管理を行います。

●各作業工程で生ずる廃棄物の種類

❶ 検品・検収工程…包装材、ダンボール、葉物・くず等

❷ 下処理工程…ポリ容器、残渣（ざんさ）、包装材、ペットボトル等

❸ 調理・盛り付け工程…残渣、手袋、マスク、ペーパータオル、包装材等

❹ 下膳工程…残飯・残菜、箸、使い捨て容器、小袋調味料等

この節のまとめ

- 食品衛生法の目的〈食品衛生法第1条〉：飲食に起因する衛生上の危害の発生を防止し、国民の健康の保護を図ることを目的とする。
- 食品衛生の定義〈食品衛生法第2条〉：食品、添加物、器具及び容器包装を対象とする飲食に関する衛生。

② 食品衛生法

食品衛生法は、飲食による危害の発生を防ぐために、食品、添加物、器具、容器包装、表示、検査、営業にいたるまで食品衛生についてさまざまなことを規定しています。国民の食生活の安全を守るための法律であり、調理師は当然知っておかなければなりません。

> **出題のポイント**
> ◢食品衛生法は国民の食生活の安全を守るための法律である。
> ◢食品、添加物は清潔で衛生的に取り扱わなければならない。
> ◢食品、添加物、器具、容器包装についての表示は適正であること。
> ◢公衆衛生に影響を与える業種には、都道府県知事の営業許可がいる。

食品衛生法の目的 ～食生活の安全を守る～

●食品衛生法の目的

この法律は、食品の安全を確保することにより飲食に起因する衛生上の危害を防止し、国民の健康の保護を図ることを目的としています。

そのため食品や添加物などの飲食物から、器具や容器包装、それらの表示・広告、営業にいたるまで、細かく規定されています。

食品、添加物の取り扱い ～販売のための取り扱いの原則～

●取り扱いの原則と禁止事項

安全な食生活を守るために、食品衛生法は、販売用の食品、添加物の採取、製造、加工、使用、調理、貯蔵、運搬、陳列、授受は清潔で衛生的に取り扱わなければならないと規定しています。

そして、次のような食品、添加物の販売を禁止しています。販売のための採取、製造、輸入、加工、使用、調理、貯蔵、陳列も禁止です。

●販売禁止されている食品・添加物

❶腐敗・変敗したもの。 未熟であるもの（飲食 に適したものは除く）

❷有毒・有害な物質が含 まれ、付着し、またそ の疑いのあるもの

❸病原微生物の汚染や その疑いがあり、人の 健康をそこなうお それのあるもの

❹厚生労働大臣の定め る基準・規格に合わ ないもの

●ADI（1日摂取許容量）

　食品添加物は1日摂取許容量を超えてはならないよう食品衛生法で決め られています。ADIの定義では「人がある物質を毎日、一生涯にわたって 摂取しても健康に悪影響がないと判断される量」となっています。具体的 には　ADI＝NOAEL（無毒性量）÷100　となります。

　NOAEL（無毒性量）とは、各種動物の1日当たり体重1kgあたりの無 害とされる最高の量なので、ADIは無害とされる量の100倍程度安全とい うことになります。

●ポジティブリスト制度

　食品添加物の指定制度であり、使用してもよい食品添加物、農薬、飼料 添加物、動物用医薬品をそれぞれ細かく指定し、該当しない物質は使用を 禁止する制度です。

🔑 *KEY WORD*

食品衛生に関する8つの用語の定義
【食品】医薬品及び医薬部外品を除くすべての飲食物。【添加物】食品の製造過程 で、食品の加工、保存のために、食品に添加、混和、浸潤などの方法で使用する もの。【天然香料】動植物から得られたものまたはその混合物で、食品の着香の 目的で使用される添加物。【器具】飲食器、割ぽう具、その他食品または添加物 の採取、製造、加工、調理、貯蔵、運搬、陳列、授受または摂取のために使われ、か つ、食品、添加物に直接接触する機械、器具その他のもの。ただし、農業や水産 業で食品採取に使われるものは含まれない。【容器包装】食品または添加物を入 れたり包んだりし、授受するときにそのまま引き渡すもの。【食品衛生】食品、 添加物、器具、容器包装を対象とする飲食に関する衛生のこと。【営業】業として 行う、食品や添加物の採取、製造、輸入、加工、調理、貯蔵、運搬、販売。または、 器具や容器包装の製造、輸入、販売。ただし、農業や水産業における食品の採取 業は含まれない。【営業者】営業を営む人または法人。

取り扱いのための基準・規格 ～守るべきガイドライン～

❶ 食品、添加物の基準・規格　不適合なら販売できない

厚生労働大臣は、公衆衛生の見地から販売用食品、添加物の取り扱い方法や成分について基準・規格を定めることができます。この基準・規格に合わない次の行為は禁止されます。

●食品・添加物に適用される基準・規格

- ❶　食品、添加物を基準に合わない方法で製造、加工、使用、調理、保存すること。
- ❷　❶の食品、添加物を販売、輸入すること。
- ❸　規格に合わない食品、添加物を製造、輸入、加工、使用、調理、保存、販売すること。

上の基準・規格が定められた添加物、及び表示の基準が定められた添加物については、厚生労働大臣は「食品添加物公定書」を作成し、それらの基準・規格を載せることになっています。

> **KEY WORD**
>
> **基準**…食品や添加物、器具等の製造、加工、使用等に関する標準
> **規格**…食品や添加物、器具等の原材料等に関する標準

❷ 器具、容器包装の取り扱い　器具、容器包装にも決まり

食品衛生法は、営業上使用する器具、容器包装についても清潔で衛生的であることを求めるとともに、有毒、有害な器具や容器包装の販売、輸入、営業上の使用などを禁止しています。

また、食品、添加物と同様に販売用、営業上使用する器具、容器包装について厚生労働大臣は原材料の規格や製造方法の基準を定めることができ、その規格・基準に合わない器具、容器包装の販売、製造、輸入、営業上の使用、原材料の使用などは禁止されています。

●容器包装に関係するおもなプラスチック

種類	耐熱温度（℃）	用途
（熱硬化性樹脂） フェノール樹脂 メラミン樹脂	約130 約110	弁当箱、漆器の素地材 食器、盆、箸
（熱可塑性樹脂） ポリエチレン ポリエチレンテレフタレート ポリカーボネイト 塩化ビニル ポリアミド ポリスチレン	70〜100 約200 約150 60〜70 約230 70〜90	ラップフィルム、ザル、容器 各種清涼飲料水用びん、レトルト食品 容器、哺乳びん ラップフィルム、卵パック 冷凍食品、レトルト食品 卵パック、ストロー、乳酸菌飲料用びん

❸ 総合衛生管理製造過程承認制度　厚生労働大臣が個別に審査、承認

　一般的衛生管理（施設基準と管理運営基準）の実施を基礎としたHACCP（ハサップ）（危害要因分析重要管理点）システムによる管理が適切に実施されている施設かどうかを、**厚生労働大臣**が各施設を個別に**審査**し、**承認**を与えることができる制度です。その有効期間は、３年を下らない期間となります。

　承認の対象食品は、❶乳・乳製品、❷清涼飲料水、❸食肉製品、❹魚肉ねり製品、❺容器包装詰め加圧殺菌食品です。

表示・広告の決まり　〜基準に従い、ウソもつかない〜

❶ 表示の基準　　　　　　　基準に合う表示で販売する

　食品表示法では、公衆衛生の見地から**内閣総理大臣**は販売用の食品、添加物、あるいは規格・基準が定められた器具、容器包装、原材料について、**必要な表示基準を定める**ことができるとしています。

　この表示基準が定められた食品、添加物、器具、容器包装は、基準に合う表示がなければ販売や販売用の陳列、営業上の使用などはできません。

　食品、添加物、器具、容器包装は、公衆衛生に害を及ぼすおそれのある**虚偽**や**誇大**な表示・広告を行ってはなりません。

検査と営業 〜安全確認が済んではじめて営業できる〜

❶ 製品検査、検査命令　　　　検査で安全を確認する

　政令で定める食品、添加物、器具、容器包装は**厚生労働大臣**か**都道府県知事、厚生労働大臣の指定した者の検査**を受け、合格したことの表示がなければ、販売や販売用の陳列、営業上の使用はできません。厚生労働大臣または都道府県知事は不衛生なものや規格・基準に合わないものを発見した場合、製造・加工業者に検査を受けるよう命令できます。

●臨検検査・収去

　厚生労働大臣、都道府県知事や保健所を設置する市の市長・特別区長は、次のことができます。❷❸は**食品衛生監視員**に命じて行います。

❶　営業者への必要な報告の要求
❷　営業施設の臨検（立入検査）
❸　試験するための無償での収去

そのタール色素ちょっと待った！

現在は、タール色素だけが厚生労働大臣の製品検査を受けることになっている

❷ 営業　　　　　　　　　　　施設基準を満たす

　都道府県知事は、飲食店など公衆衛生に大きな影響を与える営業のうち、政令で定める施設につき、条例で**施設基準**を定めることができます。この基準を満たさないと**営業**ができません。また、営業を営もうとする者が**食品衛生法違反**で罰せられたり、営業許可を取り消されたりすると、2年間は許可を与えられないことがあります。

❸ 監視指導等を行う者　　　　食品衛生を指導する人

【食品衛生監視員】食品衛生に関する営業施設の監視・指導・臨検、帳簿の検査、食品、添加物、器具、容器包装の収去の権限をもつ公務員です。
【食品衛生管理者】衛生上の考慮を必要とする食品、添加物の製造・加工の過程を管理します。
【食品衛生責任者】営業者に衛生管理上の改善を進言したり、法令の改廃に留意し違反を防いだりするとともに、従業員の衛生教育の指導をします。

　このほか都道府県知事は「食品衛生推進員」を委嘱し、その協力を得て、

営業者の相談活動にあたることができます。

 # 食中毒に対する措置 ～医師には24時間以内の届け出義務～

万一、食中毒が発生したときには、適切に対処し拡大の防止に努めなければなりません。食品衛生法で次のような措置がとられます。

❶ 食品、添加物、器具、容器包装が原因で中毒を起こした患者やその疑いがある者を診断したり、その死体を検案したりした**医師**は、直ちに（**24時間以内**）最寄りの**保健所長**にその旨を届け出ます。

❷ 保健所長は、原因となった食品や原因が何であるかを調査し、**都道府県知事**に報告します。

❸ 都道府県知事はこれを取りまとめて**厚生労働大臣**に報告します。

❹ 都道府県知事は感染症予防上必要と認めたときは、感染症患者を、**感染症指定病院**に入院させなければなりません。

●食中毒発生時の措置

| 医師 | 保健所長 | 都道府県知事 | 厚生労働大臣 |

食中毒の防止をはじめ食品衛生に関する重要事項を審議するために、厚生労働大臣の諮問機関として「**薬事・食品衛生審議会**」が置かれています。

●罰則

食品衛生法をはじめ関連法規に違反すれば、食品の廃棄が命じられるほか、悪質な場合は**営業許可の取り消し、営業の停止処分**などの措置がとられたりします。法違反に対しては両罰規定で、違反の行為者だけでなく、その法人や使用者なども罰せられます。

この節のまとめ

（テスト）Ⓐ〔　　　〕に適切な語句を答えよ。
　　　　　Ⓑ正誤を答えよ。

Ⓐ 食品衛生法の目的は〔食品の安全〕を確保することにより、〔衛生上の危害防止〕、〔国民の健康を保護する〕ことである。

Ⓑ 器具、容器包装には食品、添加物のような規格・基準はない。〔×：P.134参照〕

3 食品安全基本法

国民の健康を保護することを目的に、食品の安全にまつわる国の政策の基本を定め、2003年に成立したのが食品安全基本法です。その目的や理念、基本方針を見ていきましょう。

出題のポイント

🖋 食品安全基本法では、食品の安全の確保に際して3つの基本理念を定めている。

🖋 食品安全基本法の基本方針には、❶リスク評価（食品健康影響評価）、❷リスク管理、❸リスクコミュニケーション等がある。

🖋 食品安全基本法は、食品の安全性を確保して国民の健康を保護することを目的としている。

食品安全基本法とは ～食品の安全性の確保～

❶ 食品安全基本法の目的 　　　　3つの基本理念

食品安全基本法により、内閣府に**食品安全委員会**を置くことが規定されています。食品安全委員会では**食品健康影響評価**を行い、その結果に基づき、食品の安全性のために確保すべき施策について内閣総理大臣を通じて関係各大臣に勧告することになっています。

以下は、その3つの基本理念です。

❶ 健康の保護を基本的認識とし、食品の安全性確保のための措置を講ずること。

❷ 食品供給工程の各段階において適切な措置を講ずること。

❸ 国際的動向及び国民の意見に配慮しつつ、科学的知見に基づき、食品の安全性の確保のために必要な措置を講ずること。

❷ 基本方針　　　　　　　　食品健康影響評価の実施

施策の策定に係る基本方針の一部として、以下のものがあります。

❶　科学的知見に基づく**食品健康影響評価の実施**（**リスク評価**）

❷　評価に基づく施策の策定（**リスク管理**）

❸　情報の提供、関係者相互の情報及び意見の交換（**リスクコミュニケーション**）

❹　緊急事態への対処、発生防止体制の整備

❸ 関係者の責務　　　　　　　基本理念に則って役割分担

適切な食品安全行政のために、国、地方公共団体、食品関連事業者、消費者の4者にそれぞれの責務と役割があります。

国の責務	食品の安全性の確保に関する施策を総合的に策定・実施する
地方公共団体の責務	国との適切な役割分担をふまえ、施策を策定・実施する
食品関連事業者の責務	①食品の安全性の確保について一義的な責任を有することを認識し、必要な措置を適切に講ずる ②正確かつ適切な情報の提供に努める ③国等が実施する施策に協力する
消費者の役割	食品の安全性の確保に関し知識と理解を深めるとともに、施策について意見を表明するよう努めることによって、食品の安全性の確保に積極的な役割を果たす

❹ 食品安全委員会　　　　　科学的にリスク評価を行う

食品安全基本法、そして科学的知見に基づき、客観的かつ中立公正に**リスク評価**を行う機関として、**内閣府**に**食品安全委員会**が設置されました。食品安全委員会は7名の委員からなり、その下には専門調査会が設置されています。専門調査会には、企画専門調査会、リスクコミュニケーション専門調査会、緊急時対応専門調査会と、危害原因物質ごとに14の専門調査会が設置されています。なお、委員は有識者から**内閣総理大臣**が両議院の同意を得て任命（任期3年）します。

この節のまとめ

● 食品安全基本法の目的は、食品の安全性の確保に関する施策を総合的に推進することである。

④ 食品表示法

消費者基本法の基本理念を踏まえ、食品表示義務付けのわかりやすい統合・一元化を目指して、2015年に施行されたものが食品表示法です。新たな表示基準のポイントと具体的な変更点をみます。

出題のポイント

🖊食品表示法は、一般消費者の自主的かつ合理的な食品選択の機会を確保するために、食品衛生法、JAS法及び健康増進法の食品の表示に関する規定を統合したもの。

 ## 食品表示法の表示基準 〜表示分野を一元化〜

消費者庁は、食品衛生法、JAS法、健康増進法の3法の食品表示の分野を一元化して食品表示法を公布しました。

食品表示法では、食品表示基準として次の3つを規定しています。

❶ 食品の素性を明らかにする「名称」
❷ 食品を摂取する際の安全性の確保に関する「アレルゲン」「保存の方法」「消費期限」「賞味期限」
❸ 消費者の食品選択の機会確保に関する「原材料」「添加物」「栄養成分の量及び熱量」「原産地」

また、それ以外に食品関連事業者が遵守すべき事項を内閣府令で措置することとされています。

 ## 食品表示制度からの主な変更点 〜新たな基準〜

❶ 機能性表示食品…野菜や果物などの生鮮食品や加工食品、サプリメントなどで、「肝臓の働きを助ける」などの効果を示すことが可能に。機能性表示を行うには事業者の基本情報や安全性・機能性の根拠に関する情報など必要な事項を、販売日の60日前までに消費者庁長官に届け出る。
❷ 原材料の表示方法…新たに「添加物」の項目を設け、添加物か、そ

れ以外の原材料かがわかるよう明確な表示になった。

❸ **アレルゲンの表示方法**…食物アレルギーを起こすことが明らかとなり、症例が多いものや症状が重篤なもの8品目を特定原材料とし、これらを含む加工食品には一括表示欄への表示が義務付けられた。*

特定原材料	卵、乳、小麦、そば、落花生、えび、かに、くるみ
特定原材料に準ずるもの	アーモンド、あわび、いか、いくら、オレンジ、カシューナッツ、キウイフルーツ、牛肉、ごま、さけ、さば、大豆、鶏肉、バナナ、豚肉、マカダミアナッツ、もも、やまいも、リンゴ、ゼラチン

❹ **栄養成分表示の義務化・ナトリウムの表示方法**…すべての消費者向けのあらかじめ包装された加工食品及び添加物に**栄養成分表示**（熱量〔エネルギー〕・たんぱく質・脂質・炭水化物・ナトリウム〔食塩相当量〕）を義務付ける。ナトリウムの量は、一般消費者にわかりやすい**食塩相当量**で表示する。

❺ **栄養強化表示の方法**…低減された成分表示（熱量、脂質、飽和脂肪酸、コレステロール、糖類及びナトリウム）及び強化成分の表示（たんぱく質及び食物繊維）には、基準以上の絶対値に加え、新たに25%以上の相対差が必要となるなど。

❻ **栄養機能食品のルール**…新たにn-3系脂肪酸、ビタミンK及びカリウムが追加。鶏卵以外の生鮮食品も栄養機能食品の対象となった。

❼ **加工食品と生鮮食品の区分の統一**…JAS法の考え方に基づいて区分が整理された。簡単な加工をしたもの（生干しや軽度の撒塩、ドライフルーツなど）は以前の食品衛生法ではアレルゲン、製造所所在地については表示義務対象外だったが、新基準では加工食品の区分に整理したため、アレルゲン、製造所所在地が必要になった。

❽ **製造所固有記号使用方法**…原則として、製造所固有記号を使用せず、製造所（または加工所）の所在地、製造者（または加工者）の氏名または名称を表示する。

❾ **表示可能面積が小さい食品の表示方法**…表示可能面積が30㎠以下の場合は省略可能だった保存方法・消費期限または賞味期限・アレルゲン・L‐フェニルアラニン化合物を含む旨について省略不可に。

この節のまとめ

● 商品の表示について食品衛生法、JAS法、健康増進法の3法を一元化した食品表示法が2015年4月に施行された。

*2023〈令和5〉年3月に食品表示基準改正・2025〈令和7〉年3月31日までが経過措置期間とされている。

食品衛生法などに基づき、国と地方で食品衛生に関する行政が運営されます。食品衛生の実施機関のしくみと、その監視体制や検査・指導のシステムを見ていきます。

> **出題のポイント**
>
> ◆食品衛生行政は、食品衛生法、食品安全基本法、食品表示法に基づいて実施される。
> ◆HACCPシステムには12の手順があり、そのうち重要部分を7原則とする。

食品衛生の行政機構 ～国と地方で行政運営～

食品衛生行政は、**食品衛生法**、食品安全基本法、食品表示法などに基づいて運営されます。行政機構としては、中央組織である国と、都道府県、政令指定都市、特別区などの地方組織に分けられます。

食品衛生行政の第一線の機関は、地方公共団体が設置する**保健所**です。大部分の**食品衛生監視員**は保健所に所属しています。

❶ 食品衛生監視員　　　　　　飲食物の危害を防ぐ監視

食品衛生監視員は、**国や地方自治体**の行政機関の職員です。彼らは、食品衛生法に基づいて、食品衛生上の健康危害を防止するために営業施設等への**立入検査**や食品衛生に関する指導を行っています。したがって、飲食店などの営業許可の取り消し、営業停止及び禁止、その他行政処分に関する強い権限をもって臨んでいます。

また、わが国の食料自給率が38％という状況のなかで、約60％を占める輸入食品の安全性は極めて重要で、輸入食品監視指導計画が年度ごとに策定されるとともに、**検疫所**において食品衛生監視員が**書類審査**や**検査**を実施しています。とくに、残留農薬や食品添加物の安全対策においては、国際的視野に立った対応が求められています。

❷ 食品の自主衛生管理(HACCP) 危害要因分析重要管理点

食品を製造する多くの施設で、HACCPシステムによる衛生管理が行われています。

このシステムは、1960年代のアメリカのNASA（アメリカ航空宇宙局）で安全な宇宙食をつくるために考案された管理手法で、HACCP（Hazard Analysis and Critical Control Point）=「危害要因分析重要管理点」と訳されています。

原料の入荷から製品の出荷までのあらゆる工程において、①発生しうる危険は何かを分析し、②危険を防ぐ衛生計画を立て、③それを実行・記録する方法です。

●HACCP認証

HACCP認証とは、HACCPの基準に基づく衛生管理を実施していると認められることです。自治体や業界団体などの第三者機関が審査して認証するものであり、HACCPの認証機関は地方自治体と業界団体、民間審査機関の3つに分けられます。

●2つの衛生管理

事業者の規模や業種等を考慮し、「HACCPに基づく衛生管理」と「HACCPの考え方を取り入れた衛生管理」の2つがあります。
HACCPに基づく衛生管理……大規模事業者、と畜場、食鳥処理場、その他事業者の規模等を考慮し対象。
HACCPの考え方を取り入れた衛生管理……小規模事業者や飲食店など特定の業種向けに簡略化されたもの。

HACCP制度は2021〈令和3〉年6月1日から完全施行され、すべての事業者にHACCPに基づく衛生管理の実施が定められています。

HACCPシステム 〜その手順と概略〜

❶ HACCPシステムの12手順と7原則　導入の方法

　HACCPシステムに基づく衛生管理を効率的かつ効果的に実施するため、導入の方法について12の手順が示されています。このうち後半の7手順についてはとくに重要で、7原則と呼ばれています。

| 手順1 | 導入の決定・専門家チームの編成 |

↓

| 手順2 | 製品についての記述 |

↓

| 手順3 | 意図される使用方法の確認 |

↓

| 手順4 | 製造工程一覧表及び施設の図面の作成 |

↓

| 手順5 | 現場確認 |

↓

| 手順6 | （原則1）危害要因分析（HA） |

↓

| 手順7 | （原則2）重要管理点（CCP）の決定 |

↓

| 手順8 | （原則3）管理基準の設定 |

↓

| 手順9 | （原則4）モニタリング方法の設定 |

↓

| 手順10 | （原則5）改善措置の設定 |

↓

| 手順11 | （原則6）検証方法の設定 |

↓

| 手順12 | （原則7）記録保存方法及び文書作成規定の設定 |

HACCPの7原則

❷ HACCPシステムの概略 製造工程ごとに安全点検

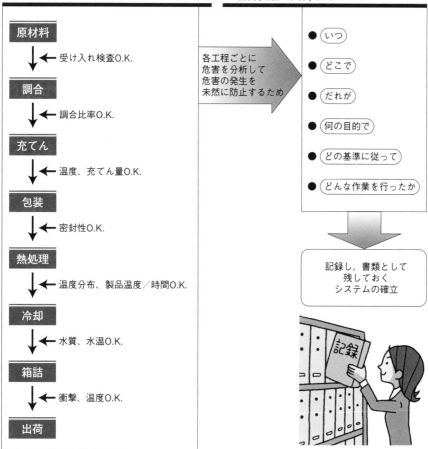

製造工程

原材料の受け入れから
最終製品の出荷まで

原材料
　↓← 受け入れ検査O.K.
調合
　↓← 調合比率O.K.
充てん
　↓← 温度、充てん量O.K.
包装
　↓← 密封性O.K.
熱処理
　↓← 温度分布、製品温度／時間O.K.
冷却
　↓← 水質、水温O.K.
箱詰
　↓← 衝撃、温度O.K.
出荷

各工程ごとに
危害を分析して
危害の発生を
未然に防止するため

● いつ
● どこで
● だれが
● 何の目的で
● どの基準に従って
● どんな作業を行ったか

記録し、書類として
残しておく
システムの確立

この節のまとめ

● 食品の衛生行政は、食品衛生法、食品安全基本法、食品表示法などに基づいて行われる。大部分の食品衛生監視員は保健所に所属している。
● HACCPは食品の取り扱い過程で起こる危害を分析し、それに基づいて「重要管理点」を定めて連続的に監視し、その結果を記録保存するシステムである。

6 食品安全対策に関わる その他の法律や基準

食品の安全対策に関わる決まりについて、ここでは「製造物責任法（PL法）」と「と畜場法」、「放射性物質基準」などについてみます。

 ## 製造物責任法（PL法） ～弱者救済の法～

この法律は1994年に公布され、製造者に製造過程における過失が認められなくとも、製造した製造物の欠陥によって人の生命、身体や財産にかかる被害が生じた場合、製造業者等にその**損害賠償責任**を負わせることにより、被害者を円滑かつ適切に救済することを目的としています。

 ## と畜場法 ～食用に適する肉のみが販売される～

と畜場の経営と食用に供するために行う獣畜（牛、馬、豚、めん羊、山羊）の適正な処理について定めています。
食鳥の処理に関しては「**食鳥処理の事業の規制及び食鳥検査に関する法律**」があります。

 ## 遺伝子組み換え食品 ～遺伝子組み換えの表示義務～

安全審査を経て流通が認められた9農産物（大豆・じゃがいも・なたね・とうもろこし・綿実・てん菜・アルファルファ・パパイヤ・からしな）お

よびそれを原料とした33加工食品があります。表示については、当該原材料の後に（遺伝子組み換え）と表示、分別生産流通管理をしていない場合及びそれを加工食品の原材料とした場合は（遺伝子組み換え不分別）と表示することになっています。

放射性物質の基準値 〜放射性セシウムの基準値〜

福島第一原子力発電所の事故後、より一層、食品の安全と安心を確保する観点から、食品中の放射性物質の基準値が設定され、基準値を超える食品が市場に流通しないように、検査が続けられています。

●放射性セシウムの新基準値（単位：ベクレル/kg）　　　（厚生労働省　2012年4月1日）

食品群	一般食品	乳幼児食品	牛乳	飲料水
基準値	100	50	50	10

食品異物
生産、貯蔵、流通の過程で食品中に侵入したあらゆる有形外来物のこと。
　動物性異物……昆虫（クモ、ダニなど）・羽毛・動物由来の排泄物など。
　植物性異物……種子・植物の断片（木片、わらくず、もみがら等）繊維など。
　鉱物性異物……小石・土砂、ガラス片・陶磁器・セメント・金属・プラスチック・ゴムなど。

残留農薬
農作物の病害虫防除等のために使用された農薬が、直接または間接的な経路を経て、農・畜産物に残留したもの、または、大気・河川等を汚染したもの。残留農薬の量が一定量を超えると健康に害を及ぼすことになるため、薬の使用方法として食品中の残留農薬基準を設けて安全性を確保している。

この節のまとめ

- 飲食店が出す料理は製造物としてPL法の対象となる。
- さまざまな食材を扱う調理師は、PL法の被害者にも加害者にもなりうる。
- 食用の獣畜はと畜場で解体され、知事の検印を受けて食用として販売される。
- 食品中の放射性セシウムの基準値が設定されている。

7 食中毒

Chapter 4 —— 食品衛生学

食中毒の知識は、調理師のみならず食品業務に携わる人にとっては重大な関心事です。食中毒の原因、種類、予防方法などについて学習します。

出題のポイント

- 食中毒は、飲食により体内に入った食中毒菌及び毒素、有害・有毒な化学物質により起きる健康障害で、細菌性食中毒、ウイルス性食中毒、自然毒食中毒、化学性食中毒がある。
- 細菌性食中毒には、感染型食中毒と食品内毒素型食中毒がある。
- 自然毒食中毒には、動物性自然毒と植物性自然毒がある。
- 化学性食中毒は、慢性的な中毒を起こしたり、大きな社会問題（食品公害の原因）になったりする場合もある。

食中毒とは ～何が原因でいつ起こるか～

❶ 食中毒の分類　　　　　食中毒の分類と特徴

食中毒は、食中毒を起こす**細菌**が付着していたり、また細菌が産生した**毒素**あるいは有毒・有害物質によって汚染されたりした飲食物を摂取したときに、腹痛・嘔吐・下痢・発熱などの症状を起こす病気です。

●原因物質による食中毒の特徴

細菌性食中毒	感染型	感染侵入型	サルモネラ属菌、腸管侵入型大腸菌、カンピロバクター、エルシニア・エンテロコリチカなど。
		感染毒素型	腸炎ビブリオ、ウエルシュ菌、腸管出血性大腸菌（VT産生）、セレウス菌（下痢型）など。
	食品内毒素型		黄色ブドウ球菌、ボツリヌス菌、セレウス菌（嘔吐型）など。
ウイルス性食中毒			ノロウイルス、A型肝炎ウイルス、その他。
寄生虫食中毒			アニサキス、クドア、サルコシシティス、旋毛虫、旋尾線虫、顎口虫、その他の寄生虫。➡「食品と寄生虫」（P164を参照）
自然毒食中毒	動物性		ふぐ、シガテラ中毒、イシナギ中毒、貝類中毒など。
	植物性		きのこ、じゃがいも、チョウセンアサガオ、青梅、五色豆など。
化学性食中毒			ヒスタミン、水銀・ヒ素・銅・亜鉛などの有害化学物質など。

❷ 食中毒発生の特徴　　細菌性食中毒は6〜9月がピーク

●発生の時期
　細菌性食中毒は梅雨など高温多湿となる6〜9月にかけて発生件数が多く、ウイルス性食中毒は12〜2月の乾いた寒い時期に多発しています。

●2023〈令和5〉年の食中毒発生状況
病因物質別事件数：1,021件　①アニサキス42.3%　②カンピロバクタージェジュニ／コリ20.7%　③ノロウイルス16.0%　④植物性自然毒4.3%　⑤ウエルシュ菌2.7%

病因物質別患者数：11,803人　①ノロウイルス46.6%　②カンピロバクタージェジュニ／コリ17.7%　③ウエルシュ菌9.3%　④サルモネラ属菌5.5%　⑤アニサキス3.7%

原因食品別事件数：1,021件　①魚介類31.1%　②野菜およびその加工品4.3%　③肉類およびその加工品3.3%　④複合調理食品2.6%　⑤菓子類0.7%（その他36.7%　不明20.4%）

原因食品別患者数：総数11,803人　①穀類およびその加工品8.0%　②魚介類5.9%　③複合調理食品4.8%　④肉類およびその加工品1.8%・菓子類2.7%（その他70.6%）

原因施設別事件数：①飲食店47.9%　②家庭11.0%　③販売店6.1%　④事業所3.2%　⑤旅館2.5%（不明23.4%）

原因施設別患者数：総数11,803人　①飲食店55.3%　②製造所9.9%　③仕出屋9.5%　④事業場9.2%　⑤旅館4.7%

 # 細菌性食中毒　〜発生率は断然トップ〜

❶ 感染侵入型食中毒　　　　体内に入った細菌が原因

　食品中で**食中毒菌**が増殖したものを喫食し、体内にとり入れることにより、細菌が消化器に作用して起こる食中毒です。

●サルモネラ属菌
　サルモネラはウシ・ニワトリ・ヒトなどや、ネズミ、ゴキブリ、下水・河川などに広く分布し、畜肉、鳥肉、卵などの畜産品とそれらの加工品が原因食品となることが多いものです。**低温では発育せず**、また**熱に弱く**60℃20分で死滅します。

● 下痢原性大腸菌（病原性大腸菌）

大腸菌は人や動物の腸管に存在し、通常病原性はありません。しかし、いくつかの大腸菌は人に対して病原性があり、これらは総称して**下痢原性大腸菌**（または**病原性大腸菌**）と呼ばれています。現在、この菌は❶腸管病原性大腸菌（感染侵入型）、❷腸管侵入性大腸菌（感染侵入型）、❸毒素原性大腸菌（感染毒素型）、❹腸管出血性大腸菌（感染毒素型でO-157が代表的）、❺腸管凝集付着大腸菌（感染侵入型）の5つのタイプに分類されています。

● カンピロバクター

酸素濃度の低い状態でしか増殖できない**微好気性細菌**で、生あるいは加熱が不十分な鳥肉、あるいは調理過程の不備で二次汚染された食品などが原因となります。潜伏期間が長いのが特徴です。カンピロバクター・ジェジュニとカンピロバクター・コリの菌種が原因菌のほとんどで、食中毒統計ではカンピロバクター・ジェジュニ／コリと表されます。

❷ 感染毒素型食中毒　　　　細菌が腸管内で毒素を産生

微生物が腸管内で増殖したり**芽胞**（耐久細胞）を形成するときに毒素を産生し、その毒素が原因となる食中毒です。**毒素原性大腸菌**もこの型です。

● ウエルシュ菌

ヒトの腸管内に常在する嫌気性の芽胞形成菌で、芽胞形成時にエンテロトキシンを産生し、中毒症状を起こします。原因食品は肉だんごやカレーなどの加熱調理された食品です。予防するためには、調理後すぐに食べる、保存する場合には急速に冷却することで菌の増殖を防ぐことが大切です。

● 腸炎ビブリオ

夏季の海域に広く分布し、３％の塩分濃度でよく増殖する菌です。魚介類が汚染源となり、わが国では魚介類の生食による発生件数の**最も多い食中毒**です。**熱に弱く、60℃15分間の加熱**、及び**真水での洗浄**で死滅します。

❸ 食品内毒素型食中毒　　　　細菌の出した毒素が原因

食品中で菌が増殖するときに**毒素**を産生し、その汚染食品を食べることで起こる病気です。発病までの時間が短いのが特徴です。

● 黄色ブドウ球菌

ヒトの鼻腔、咽頭内や、とくに化膿巣に多く存在しています。ブドウ球

菌の毒素は**エンテロトキシン**と呼ばれ、加熱によっても破壊されず、この毒素によって中毒が起こります。発病までの時間は3時間前後と短く、発熱はありませんが、吐き気・嘔吐（おうと）が激しいのが特徴です。

●ボツリヌス菌

空気を嫌う嫌気性菌で、自家製ソーセージや缶詰類に混入した芽胞が発芽して菌が増殖し、毒素を出して中毒が起こります。わが国では古くは飯鮨（いずし）、近年ではからしれんこんから発生しており、**致命率**が**高い食中毒**です。

●セレウス菌

この菌による食中毒は、「下痢型」（感染毒素型）と「嘔吐型」（食品内毒素型）に分類されますが、日本では「嘔吐型」が多く見られます。「嘔吐型」は食品中で毒素を産生しますので、一度に大量の米飯やめん類を調理し、作り置きしないこと。穀類等が原料の食品は、調理後保温庫で保管するか、小分けにして速やかに低温保存（8℃以下）する、室温に6時間以上放置しないことが、予防のポイントになります。

●細菌性食中毒の特徴

病原体	タイプ	特徴と病原所在	原因食品	潜伏期間	症状
サルモネラ	感染侵入型	鳥・豚・牛肉、ネズミ・ゴキブリなど	食肉及びその加工品、鳥肉料理、レバー	12〜24時間	急激な発熱が特徴。腹痛、水様性下痢、嘔吐。
腸炎ビブリオ	感染毒素型	好塩性。海水や海泥（とくに近海や河口付近）	近海産魚介類（とくにアジ・イカ・タコなど）の生食、一夜漬の漬物など	8〜20時間	激しい上腹部痛、下痢、嘔吐、発熱。
病原性大腸菌 毒素原性 非毒素原性	感染侵入型・毒素型	ヒトや動物の腸内、土壌、下水、河川、井戸	汚染された水系、野菜サラダ	10時間〜10日以上。菌の型による。	下痢、腹痛、嘔吐。赤痢様症状のときもある。
カンピロバクター・ジェジュニ／コリ	感染侵入型	微好気性菌 動物の腸内	生や加熱不十分の鳥肉、牛レバーの生食、消毒不十分な井戸水や湧水	長いのが特徴。2〜7日	下痢、腹痛、発熱。
黄色ブドウ球菌	食品内毒素型	毒素はエンテロトキシン 手指の化膿巣、鼻咽喉、頭髪	とくにたんぱく質に富んだ食品に多い。うぐいす豆、あん類、シュークリーム	比較的短いのが特徴。30分〜6時間（平均3時間）	嘔吐は必発症状、下痢、腹痛。普通発熱はしない。
ボツリヌス菌	食品内毒素型	嫌気性菌 耐熱性芽胞菌 土中、水中	飯鮨、からしれんこん、外国ではハム・ソーセージ類、缶詰	比較的長い18〜36時間	吐き気、嘔吐、神経麻痺、視力障害。致命率が高い。

セレウス菌	嘔吐型（食品内毒素型）下痢型（感染毒素型）	セレウリドという毒素を産生	焼飯、ピラフ、スパゲティー等	30分～5時間(嘔吐型) 8～16時間(下痢型)	吐き気、嘔吐(嘔吐型)。 腹痛、下痢（下痢型）。
ウエルシュ菌	感染毒素型	ヒト・動物の腸内、土壌、水	前日に加熱調理されたシューマイ、シチューなど	8～12時間	激しい下痢、腹痛、嘔吐、腹部膨満。

ウイルス性食中毒 ～人自身が感染源となる～

　ウイルスは食品中では増殖できず、人に感染するウイルスの感染源は人自身です。

　食中毒の原因となるウイルスのほとんどは**ノロウイルス**です。ウイルス性食中毒は極めて少量のウイルスで感染・発症します。

　潜伏期間は1～3日と幅があります。主症状は腹痛、吐き気、下痢で、嘔吐、発熱、頭痛を伴うことがあります。原因食品としてもっぱらカキが疑われましたが、カキ以外の食品からも多く発生しており、さまざまな食品を媒介して発生しています。ウイルスは食品中心温度85℃1分以上の加熱で感染性はなくなり、100℃では瞬時に死滅するので、予防法は十分な加熱です。なお、ノロウイルスの不活性化にはアルコール消毒では効果が薄く、次亜塩素酸ソーダなどの塩素系の消毒剤や洗剤が有効です。

自然毒食中毒 ～疑わしいものは食べない～

　自然毒とは、動植物が体内にもっている有毒成分（固有毒）、あるいは生育状態や異常環境などにより有毒成分が体内にとり込まれて蓄積（有毒化）したものをいい、このような自然毒をもつ動植物を誤って口にして起こるのが**自然毒食中毒**です。家庭内での発生が多く、致死率が高いのも特徴です。

❶ 植物性自然毒　　　　　　　　鑑別する目を養おう

　毒きのこやじゃがいもの芽、すいせん（リコリン）、トリカブト（アコニチン）、ドクゼリ（シクトキシン）、五色まめ（リナマリン）などの毒草があります。特徴は以下のとおりです。

●植物性自然毒の特徴

種　類	毒成分	特　徴	症　状
毒きのこ	ムスカリン、アマニタトキシン、アマトキシンなど	ツキヨタケ、イッポンシメジ、クサウラベニタケ、テングタケ、ベニテングタケ、ニセシメジ、ワライタケなど。	食後1～2時間で発症し、胃腸型と、脳症型コレラ様の症状がある。
じゃがいも	ソラニン、チャコニン	発芽した芽の部分と皮下の緑の部分に毒素が含まれている。熱に強く、少量は水に溶ける。	食後数時間で発症。頭痛、腹痛、めまい、倦怠感が起こる。
青梅	アミグダリン	毒素は青梅の核に含まれる。成熟するにしたがって毒成分は減少する。	食後数分～15時間で発症。頭痛、嘔吐、めまい、けいれんなど。

❷ 動物性自然毒　　　　　　　　素人調理人は危険

　代表的なものがふぐによる食中毒で、食中毒死亡者の6～7割を占めるほどの猛毒をもっています。

●動物性自然毒の特徴

種　類	毒成分	毒素の所在	特徴及び症状
ふぐ	テトロドトキシン	内臓、とくに卵巣、肝臓	ほとんどのフグの肉は毒を含んでいない。猛毒で、熱にも強い。食後30分～5時間で発症、その時間が短いほど致死率が高い。口唇のしびれ、手足麻痺、呼吸困難。
イシナギ	ビタミンA過剰摂取	肝臓	食後30分～12時間で発症し、激しい頭痛、嘔吐、発熱を起こす。1～2日後頃から全身の皮がむけていく。
シガテラ毒魚	シガトキシン、シガテリン、スガリトキシン	全体	熱帯海域のサンゴ礁の周辺に生息する毒魚をいう。食後30分～2時間で発症し、嘔吐、下痢、腹痛、口や手足のしびれ。
あさり毒	ベネルピン	中腸腺（肝臓）	食後1～2日で発症。全身倦怠、肝臓腫脹、皮下出血斑など。

ほたて貝 ムラサキイガイ かき	麻痺性貝毒サ キシトキシン、 ゴニオトキシン	中腸腺 （肝臓）	食後30分〜3時間で口唇・顔面や四肢などの末梢神経麻痺を起こす。
	下痢性貝毒 オカダ酸	中腸腺	食後30分〜9時間で嘔吐、下痢、腹痛を起こす。

化学性食中毒 ～長期摂取すれば健康障害が大きい～

不良な食品添加物や有害化学物質などが混入した飲食物によって起こります。

アレルギー様食中毒（ヒスタミン中毒）～たんぱく質が分解して発生～

主に動物性食品が腐敗細菌の作用によって腐敗し始めると、たんぱく質が分解して**ヒスタミン（有毒アミン）**が生成され、このヒスタミンが原因で起こる食中毒です。

さんま、いわし、さばなどによって起こることがよくあり、顔面・上半身の紅潮、じんましん、吐き気、発熱などの症状が出ます。

食中毒対策 ～まず予防、発生したら広めない～

❶ 食中毒の予防 　　　　清潔、温度管理、迅速が基本

●微生物性食中毒の予防

味・香り・色などに**変化が現れない**ことが多いので、❶付けない、❷やっつける、❸増やさないの3点を原則として予防します。

❶　清潔を保つ…食品に食中毒菌を付着させない。

❷　温度管理をする…低温にして微生物の増殖を防ぐ。加熱して殺菌する。

❸　迅速に食べる…できあがった料理は微生物が増殖しないうちに食べる。

●自然毒食中毒の予防

自然毒による食中毒は、**家庭で発生する**ことが多いので、安易に食べないことが大切です。

154

●化学性食中毒の予防 …………………………………………………………

　化学物質による中毒は、**取り扱う人の不注意**により誤った使い方をして
よく起きます。

　次の点に注意します。

❶　食品添加物は、認可されているものを、使用基準に従って用いる。

❷　殺虫剤や農薬など有害な化学物質は、調理場内に置かない。

❷ 食中毒が起きたときの処置　　保健所の調査に協力

　発生してしまった食中毒が広がる
のを防ぐため、原因と思われる食品、
患者の吐いたものや排泄物は保存し、
保健所の**食品衛生監視員**の指導に協
力しなければなりません。

この節のまとめ

● 5つの食中毒　❶細菌性食中毒：感染型と食品内毒素型　❷ウイルス性食中
　　毒：人自身が感染源　❸寄生虫食中毒：寄生虫による　❹自
　　然毒食中毒：自然毒による　❺化学性食中毒：有毒・有害物
　　質が原因

● 細菌性食中毒：細菌の増殖に最適な高温多湿の6〜9月に発生
　・感染侵入型―サルモネラ属菌、下痢原性大腸菌（病原性大腸菌）、カンピロバクター
　・感染毒素型―ウエルシュ菌、腸炎ビブリオ
　・食品内毒素型―黄色ブドウ球菌、ボツリヌス菌、セレウス菌

● ウイルス性食中毒：ノロウイルスなど

● 自然毒食中毒：毒成分を含む動植物が出回る季節に多く、有毒部位の除去が
　　不十分の場合に発生。家庭で発生することが多い
　・植物性自然毒―毒きのこ、じゃがいもの芽、青梅など
　・動物性自然毒―ふぐ、貝類、シガテラなど

食品添加物

食品の製造・加工技術の進歩により食品の種類が増え、同時に使われる添加物の量も種類も多くなっています。調理師にとって食品添加物の基本的な知識は、食品の安全を確保する立場上、必要不可欠なものです。

出題のポイント

- 食品添加物は、食品の製造、加工、保存に使われる。
- 使用に当たっては、規格にかなったもの（規格基準）を、基準どおり（使用基準）に用い、必要な事項を記載（表示規定）する。

食品添加物の使用目的 ～食品の製造、加工、保存に使う～

食品添加物は、食品の製造、加工及び保存の際に用いられる**調味料**、**着色料**、**保存料**などをいいます。現在使われている添加物には天然のものと化学的に合成されたものがあります。いずれも安全性の確保から厚生労働大臣の定めるものを除いて販売、製造、輸入などに規制があります。

●食品添加物の使用目的

❶ 製造・加工に必要なもの

…凝固剤、乳化剤、膨張剤、かんすいなど。

❷ 食品の風味や外観を良くする

…甘味料、香料、酸味料、漂白剤など。

●いろいろな食品添加物

こんにゃく
凝固剤

豆腐
豆腐凝固剤
硫酸カルシウム
（にがりの代用）

パン
膨張剤
（塩化アンモニウム）

あめ
着色料

マーガリン
栄養強化剤

ジュース
甘味料

ウインナー
発色剤
保存料

たくあん
着香料
着色料

❸　腐敗・変敗を防止する

　…保存料、殺菌料、防かび剤、酸化防止剤など。

❹　栄養価の維持及び補充

　…ビタミン類、必須アミノ酸など。

❺　品質向上

　…着色料、発色剤、安定剤など。

●食品添加物の分類

❶　指定添加物：安全性と有効性が確認され、国が使用を認めたもの（品目が決められている）

❷　既存添加物：わが国においてすでに使用され、長い食経験があるものについて、例外的に使用が認められている添加物（品目が決められている）

❸　天然香料：植物、動物から得られ、着香の目的で使用されるもの

❹　一般飲食物添加物：通常、食品として用いられるが、食品添加物として使用されるもの

食品添加物の安全性 〜安全確保のための基準〜

❶ 法的基準　　　　　　　　指定されたものを使用する

●指定

　使用できる食品添加物は**厚生労働大臣**が指定します。厚生労働大臣の諮問機関である**薬事・食品衛生審議会**によって詳しく審議され、適合しないものは食品添加物として食品に使用することは認められません。

❶　安全性が証明されるか認められるもの

❷　使用することで消費者に利益をもたらすもの

❸　使用効果が十分に認められるもの

❹　使用した添加物が、食品から分析できるもの

●成分規格

　純度に関する規格で、含量と製造の際に混入しやすい不純物の許容限度が決められています。

●使用基準

　食品添加物の半数以上については、**食品衛生法**により、以下の基準に合

わない使い方での製造、加工、販売などは禁止されています。❶使用して
よい食品の種類、❷使用量、❸使用目的、❹食品中の残存量。

●表示規定

　食品に使用される添加物は、天然添加物も含めすべて表示しなければな
りません。表示は、次のようにすることと規定されています。

❶　天然添加物も含め、食品に使用した添加物の物質名または一般名を
　原則としてすべて表示する。

❷　甘味料、着色料、保存料、防かび剤、糊料、漂白剤、酸化防止剤、
　発色剤を使用した場合は、物質名のほか用途名を併記する。

❸　長い名前の物質名は簡略名で表
　示してもよい。

❹　香料、酸味料、豆腐凝固剤など
　一括名で表示してよいものもある。

❺　表示が免除される添加物
　加工助剤、キャリーオーバー、栄
　養強化剤

添加物の表示例

品名：ウインナーソーセージ
原材料名：豚肉……
　　　……食塩、香辛料
保存料（ソルビン酸）
発色料（亜硝酸Na）
保存方法…………
製造者…………

 # 食品添加物の種類と用途 ～1つの食品に何種類も～

●主な添加物の使用基準

❶　亜硫酸ナトリウム（漂白剤）
　…ごま、豆類、野菜には使用禁止。

❷　亜硝酸ナトリウム（発色剤）
　…食肉製品、鯨肉ベーコン、魚肉ソーセージ、ハム、イクラ、スジコ、
　タラコへの使用に限られている。

❸　タール色素（食用赤・黄・緑・青）
　…カステラ、きな粉、魚肉漬物、コンブ、しょうゆ、みそ、めん類、茶、
　鮮魚介類などに使用してはいけない。

❹　着色料（天然着色料も含む）
　…食肉、鮮魚介類、コンブ、茶、ノリ、豆類、野菜、ワカメ類には使
　用できない。

●食品添加物の主な種類と用途……………………………………………

用　途	使用目的	主な食品添加物
保存料 （防腐剤）	微生物などの増殖を抑え食品の保存性を高める	ソルビン酸、安息香酸、安息香酸ナトリウム、デヒドロ酢酸など
殺菌料	病原菌を殺す	次亜塩素酸ナトリウム、高度さらし粉
防かび剤	かびの繁殖を抑える	オルトフェニルフェノール類、ジフェニル、イマザリル
酸化防止剤	油脂などの酸化を防ぐ	エリソルビン酸、グアヤク脂など
着色料	食品に色を付ける	食用タール色素（食用赤色2〜3号、黄色4〜5号、緑色3号など）、β−カロテン、鉄クロロフィリンナトリウムなど
発色剤	肉類などの褐色化を防ぎ、鮮やかな色にする	硝酸カリウム、硫酸第一鉄、亜硝酸ナトリウム
漂白剤	食品を白くし、変色を防ぐ	亜硫酸ナトリウム、亜塩素酸ナトリウム、二酸化イオウなど
調味料	食品にうま味を付ける	5′−イノシン酸ナトリウム、L−グルタミン酸ナトリウム、5′−グアニル酸ナトリウム
甘味料	食品に甘味を付ける	D−ソルビトール、D−キシロース、サッカリンナトリウムなど
酸味料	食品に酸味を付ける	クエン酸、フマル酸、乳酸、酢酸など
着香料	食品に良い香りを付ける	エステル類、バニリン、酢酸エチルなど
膨張剤	パン、菓子などを膨らませる	炭酸水素ナトリウム、ミョウバンなど
強化剤	食品の栄養強化	ビタミン類、無機塩類、必須アミノ酸類
乳化剤	水と油を乳化させる	グリセリン脂肪酸エステル、レシチン
糊料	食品に粘りをもたせる	繊維素グリコール酸ナトリウム
品質改良剤	ソーセージなどの風味を良くし、結着性を高める	ピロリン酸塩、ポリリン酸塩

この節のまとめ

- 食品添加物とは、「食品の製造の過程において、または食品の加工もしくは保存の目的で、食品に添加、混和、浸潤、その他の方法によって使用するものをいう」〈食品衛生法第2条〉。
- 食品添加物には、製造、使用、表示などのさまざまな規格・基準がある。

食品の変質と保存法

　食品は長く放置すると、風味や香り、さらに外観が悪くなり、食用として適さなくなります。食品のこのような変質を分類し、さらに変質を防いで食品を衛生的に保つ保存法を学びます。

出題のポイント

◆ 一般に「腐る」という現象は腐敗、変敗、酸敗の3つに分けられる。
◆ 食品の保存は食品の特徴によってさまざまな方法がある。

食品の変質 ～分解されるものの違いで呼び方が異なる～

　食品の変質とは、一般に、微生物などの働きで外観や成分に変化が起こり、食用とならない状態です。食品衛生法により、飲食に適したもの以外は、販売、使用が禁止されます。変質した食品は微生物が分解する物質などにより、次のように分けられます。

❶　腐敗…食品中のたんぱく質が微生物の作用により分解され、アミン、アンモニア、硫化水素などの有害物質をつくり、悪臭を発して食用に適さなくなること。

発酵も変敗の一種

納豆

ふな寿司

❷　変敗…食品中の炭水化物や脂肪が微生物の作用で分解され、変色し、酸味を帯びて食べられなくなること。なお、「発酵」も細菌や酵母による炭水化物の分解だが、食用に利用され、変敗とはいわない。

❸　酸敗…脂質が主に日光、空気中の酸素によって酸化され、味などが悪くなり、食用として適さなくなること。

食品の保存法 ～微生物の生育できない環境をつくる～

　食品の衛生的な保存の基本は、変質の大きな要因となる微生物が生育できない環境をつくることです。

●食品の保存法 ···

	保存法	方法及び主な食品
物理的処理法	冷蔵・冷凍法	10℃以下に保存して、微生物の繁殖を抑える方法。 冷蔵（0〜10℃）—果実、野菜の貯蔵。氷温度（−3〜＋2℃）—魚介類。冷凍（−18〜−30℃）—肉類、魚介類。 低温でも微生物は死滅せず、また、解凍後の腐敗は早い。
	加熱殺菌法	食品に熱を加え、付着した微生物を死滅させる方法。 低温殺菌法（62〜65℃、30分）—ビール、果汁、牛乳などの風味の変わりやすい食品に適用。すべての微生物は殺せない。 レトルト殺菌法（120℃、20分）—主に缶詰に使用。風味、栄養価は低下するが、すべての微生物が死滅するため長期保存可能。
	乾燥法	食品を乾燥させ（水分は15％以下）、細菌が繁殖しにくい状態にする方法。
	熱蔵庫	調理食品を、殺菌効果のある温度（65〜80℃）にした貯蔵庫内に保存する方法。
	紫外線・放射線照射	食品、食器、水などに紫外線を当て、殺菌する方法。 放射線はじゃがいもの発芽防止に利用される。
細菌学的処理法	細菌・酵母の応用	食用に食用微生物を繁殖させ、有害微生物の繁殖を抑える方法。 発酵食品と漬物などの製造に利用される。
	かびの応用	特定のかびを発育させ、有害微生物の繁殖を抑える方法。 かつお節、チーズの製造に利用される。
化学的処理法	塩蔵法	獣鳥魚介類、魚卵、野菜などに食塩を加え、食品内の水分を奪い、同時に微生物細胞も脱水し、生育を抑える方法。食塩濃度10％以上で細菌の増殖は抑えられる。
	砂糖漬け法	果実類に利用される方法で、高濃度の砂糖液中に漬ける方法。原理は塩漬けと同じ。
	酢漬け法	酢を加えることで、pHを3以下にし、微生物の生育を抑える方法。ピクルス、梅漬けなど。
	食品添加物の利用	殺菌剤、保存料、酸化防止剤などを添加し、食品の変質を防ぐ方法。
総合的処理法	燻煙法	魚介類、肉類、卵などを、塩蔵してから燻煙処理を行う方法。添加食塩による効果、煙による乾燥、そして煙の中の成分が食品に浸透することによる殺菌、防腐効果で保存性が高まる。特有の香気、風味がある。
	びん詰、缶詰	びんや缶に調理した食品を入れ、脱気、密封、加熱殺菌を行う方法。
	塩乾法	食塩の添加と乾燥による脱水作用で、保存性をもたせる方法。
	真空包装法	食品を入れた容器中の酸素を除去するために、真空包装や窒素ガスなどの不活性ガスの充てんを行う方法。脱酸素剤の利用も多い。

この節のまとめ

● 食品の変質には、腐敗、変敗、酸敗がある。
● 食品保存の基本は、微生物が生育できない環境をつくることである。

⑩ 衛生微生物

目に見えない小さな生物が、私たちの健康や食生活に大きく関わっています。ここではとくに食品の腐敗・変敗、食中毒、経口（腸管）感染症などの健康障害を引き起こす微生物の基本的な特徴について勉強します。

出題のポイント

- 疾病や健康障害を引き起こす有害な微生物を衛生微生物という。
- 微生物は、真菌、細菌、リケッチア、ウイルス、スピロヘータ、原虫の6つに分類できる。

衛生微生物の種類 〜かびと細菌が主流〜

微生物には人間生活にとって、**発酵微生物**のように有益なものがありますが、ヒトや動物の体内に入って病気を起こす病原微生物や、食品を腐敗・変敗させる**腐敗細菌**やかびなど、不利益をもたらす微生物があります。有害な微生物を**衛生微生物**と呼び、それらは次のように分類されます。

● **真菌**

いわゆる**かび**や**酵母**のことで、食品に付着して繁殖し、外見や味・香りなどを損ね、種類によってはかび毒（**マイコトキシン**）を産生するものもあります。麹かびなど食品にとって有益な菌もこの仲間です。

● **細菌**

分裂しながら増殖し、外形から次のように分類されます。

❶ **球菌類**…単球菌、双球菌、ブドウ球菌、連鎖球菌があり、**化膿菌**や**肺炎双球菌**がこれに属します。大きさは0.8〜1.0μm。

❷ **かん菌類**…棒状の菌で、これがつながったものが**連鎖かん菌**です。**サルモネラ菌、ウエルシュ**

●細菌の基本型

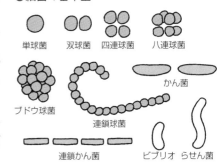

単球菌　双球菌　四連球菌　八連球菌

ブドウ球菌　　　　　　　　　　　かん菌

連鎖球菌

連鎖かん菌　　　ビブリオ　らせん菌

菌など。かん菌に鞭毛がつき運動性がある**腸炎ビブリオ**もこの仲間です。

❸　**らせん菌類**…らせん状になった菌で、**カンピロバクター**はこの形です。

●**その他の微生物**………………………………………………………………………

リケッチア、ウイルス、スピロヘータ、原虫などがあります。**リケッチ
ア**は細菌より小さく、さらにそれより微小なものが**ウイルス**です。**スピロ
ヘータ**はコイル状に巻いた形をし、運動性があり、原虫は最下級の単細胞
生物です。

 # 衛生微生物の増殖条件 ～栄養分・水分・温度～

微生物は以下のような条件が整えば、確実
に発育・増殖していきます。なかでも、**栄養
分・適当な水分・最適温度**は、絶対的に必要
な条件です。逆にいえば、これらの条件を与
えないことが微生物の発生を防ぎます。

●微生物増殖の３条件

❶　**栄養分**…微生物が増殖するための養分には、主に窒素成分（アミノ
酸、ペプトンなど）、炭素源（糖類）がある。

❷　**水分**…食品中の水分が**50％**以下になると増殖が抑えられ、**15％**以
下ではほとんど発育できなくなる。

❸　**温度**…至適増殖温度は**35～40℃**で、一般的に**10～40℃**で発育
する。高温（45～70℃）や低温（0～10℃）で生育する菌もあり、ま
た、ふつうの菌でも低温（－25～0℃）で死滅することはない。

❹　**水素イオン濃度（pH）**…一般に中性・弱アルカリ性を好み、酸性
側では発育できない。酸性が強すぎると死滅する。

❺　**酸素**…

・**偏性好気性菌**：酸素がないと生きられない。

・**微好気性菌**：酸素がまったくないと生きられず、少量の酸素を必要とする。

・**通性嫌気性菌**：酸素があってもなくても生きられる。

・**偏性嫌気性菌**：酸素があると生きられない。

この節のまとめ

● 人間に不利益な微生物を衛生微生物といい、主に真菌と細菌がある。
● 微生物の増殖の３大条件は、栄養分・水分・温度である。

Chapter 4 —— 食品衛生学

11 食品と寄生虫

　近年は、食品衛生の向上や肥料、医薬品の発達などにより、わが国の寄生虫感染者は減少しています。しかし、その一方で新たに報告されている感染被害もあります。

　食品と一緒に体に入る寄生虫を予防法とともに詳しく勉強していきます。

出題のポイント

🖋 寄生虫は線虫類、条虫類、吸虫類、原虫等に分けられる。
🖋 寄生虫は主に野菜、魚介類、獣肉から感染する。

👨‍🍳 寄生虫の種類と感染経路 〜寄生虫にはどんな種類があるか〜

　寄生虫は体の中で栄養分を奪い、組織を破壊してさまざまな**健康障害**をもたらします。寄生虫によって引き起こされた病気を**寄生虫症**といいます。

❶ 　**線虫類**…糸状ないし細円筒状の形をしている。回虫、鉤虫（十二指腸虫）、アニサキス、旋毛虫（トリヒナ）など。

❷ 　**条虫類**…扁平ひも状の大型寄生虫。日本海裂頭条虫（サナダ虫）、無鉤条虫、有鉤条虫など。

❸ 　**吸虫類**…肺吸虫（肺臓ジストマ）、肝吸虫（肝臓ジストマ）、横川吸虫、日本住血吸虫など。

❹ 　**原虫**…単一の細胞をもっている。トキソプラズマ、サルコシスティス・フェアリー（胞子虫類）、クリプトスポリジウム（飲食物や水道水などから経口感染する。飲用水は1分間以上加熱すること）など。

❺ 　**粘液胞子虫類**…クドア・セプテンプンクタータなど。

● **寄生虫の感染経路**

　寄生虫によっては発育の途中で**宿主**（寄生虫が宿る生物）を換えます。最後の宿主を**終宿主**、途中の宿主を**中間宿主**といいます。

　寄生虫の感染経路として食品や飲料水と一緒に侵入する**経口感染**、皮膚を通して侵入する**経皮感染**、この両方を兼ねているものがあります。

164

	寄生虫名	第1中間宿主	第2中間宿主	寄生部位	症状など
野菜から感染	回虫	虫卵の付着した野菜（経口）		小腸	胃腸障害、貧血
	鉤虫 （十二指腸虫）	幼虫の付着した野菜の経口及び経皮感染		十二指腸部	吸血による貧血、めまいなど
魚介類から感染	日本海裂頭条虫 （サナダ虫）	ミジンコ	サケ、マス、スズキ	小腸	胃腸障害、悪性貧血
	肝吸虫 （肝臓ジストマ）	マメタニシ	ハヤ、コイ、フナ（淡水魚）	胆管 胆のう	肝臓障害（黄疸など）貧血、浮腫、胃腸障害
	肺吸虫 （肺臓ジストマ）	カワニナ	サワガニ、モクズガニなどの淡水産カニ	胸腔	喀血、血痰
	アニサキス	オキアミ	タラ、サバ、アジ、イカなど	胃、腸	胃腸障害 （クジラが終宿主、人体では幼虫のまま）
	顎口虫	ケンミジンコ	ライギョ、ウナギ、ドジョウ	皮下	幼虫が全身の皮下をはい回り、障害を起こす
	クドア・セプテンプンクタータ	ヒラメ		腸管	一過性の下痢・嘔吐
	旋尾線虫	ホタルイカなど		胃と腸	腸閉塞症、皮膚爬行症
獣肉類から感染	無鉤条虫	牛		小腸	悪心、腹痛、貧血
	有鉤条虫	豚		小腸	悪心、腹痛、貧血
	旋毛虫 （トリヒナ）	豚、熊肉		小腸（成虫） 筋肉内（幼虫）	胃腸障害、貧血、発熱、筋肉痛
	トキソプラズマ	豚肉、猫の糞		各細胞内	妊婦では、流産・早産の原因となる
	サルコシスティス・フェアリー	馬		腸管	一過性の下痢・嘔吐

●寄生虫病の予防

野菜はよく
水洗いする

手やつめを
清潔に

魚や肉は
生で食べない

食器、寝具、
下着を清潔に

田んぼ、畑を
はだしで歩かない

この節のまとめ

- 野菜類からの感染：回虫、鉤虫
- 魚介類からの感染：日本海裂頭条虫、肝吸虫、肺吸虫、アニサキス、顎口虫、クドア・セプテンプンクタータ
- 獣肉類からの感染：無鉤条虫、有鉤条虫、旋毛虫、トキソプラズマ、サルコシスティス・フェアリー

⑫ 経口感染症

飲食物を介した疾病には、食中毒のほかに経口（腸管）感染症があります。調理師は食品衛生上とくに注意して、その感染を防がなくてはなりません。ここでは飲食を介して体内に入る経口感染症の種類と洗浄消毒法、さらに徹底した食品衛生管理の重要性について学びます。

出題のポイント

- 消化器系感染症は、一般に感染力が強く少量の菌でも発症する。
- 中性洗剤は食器類や野菜の洗浄に適し、逆性石けんは手指や食器の消毒に適する。
- 調理師の健康や身だしなみは、食品の安全性に大きく影響するので自己管理を徹底し、健康で清潔な状態で業務につく。
- 営業者は施設内外の衛生管理、従事者の衛生教育のため食品衛生責任者を設置し、管理運営要綱を作成して従事者への周知徹底を図る。

飲食物を介する感染症 〜病原体が口から侵入する〜

●経口（腸管）感染症

病原体が飲料水や食品と一緒に口から侵入して起こる感染症を経口（腸管）感染症といいます。主なものは、消化器系に障害を起こす消化器系感染症です。調理師はとくに次の感染症の防止に注意します。

●調理師の留意すべき感染症

❶ コレラ…海産食品を通じて持ち込まれるほか、海外旅行者が感染。

❷ 細菌性赤痢…経口感染症のなかで比較的発生率が高い。粘液便。

❸ 腸チフス・パラチフス…サルモネラ属のチフス菌、パラチフス菌で発生。食中毒より感染力が強く、２次感染する。少量の菌で感染。症状が長引き、長期保菌者が出るなどの特徴がある。

❹ 急性灰白髄炎(ポリオ)…病原体はポリオウイルス。生ワクチンが有効。

❺ その他…ウイルス性肝炎、伝染性下痢症など。

●人獣共通感染症‥‥‥‥‥‥‥‥‥‥‥‥‥‥‥‥‥‥‥‥‥‥‥‥‥‥‥‥

　主に動物が保有する病原体が、食肉、乳などを介してヒトに感染する疾病を**人獣共通感染症**といいます。結核（ウシ→ヒト）、ブルセラ症（ヤギ、ウシ→ヒト）、炭そ（ヒツジ、ウシ→ヒト）、豚丹毒（ブタ→ヒト）、鼻そ（ウマ→ヒト）、野兎病（ウサギ→ヒト）などがあります。

 # そ族（ネズミ）、昆虫の駆除 〜感染症予防の基礎〜

●そ族（ネズミ）、昆虫が媒介する感染症‥‥‥‥‥‥‥‥‥‥‥‥‥‥

種　類	媒介する主な感染症
ネズミ	ペスト、ワイル病、サルモネラ食中毒、つつが虫病、そ咬症
ハエ	腸チフス、赤痢、寄生虫症
蚊	マラリア、デング熱、フィラリア症、日本脳炎
ノミ	ペスト、発しん熱、回帰熱
シラミ	発しんチフス、回帰熱
ダニ	つつが虫病
ゴキブリ	急性灰白髄炎、消化器系伝染病

●駆除の方法の基本‥‥‥‥‥‥‥‥‥‥‥‥‥‥‥‥‥‥‥‥‥‥‥‥

　駆除の基本としては次のことがあげられます。

❶　地域的に広範囲にわたって**一斉**に行う。

❷　**発生源**を完全に取り除く。

❸　なるべく**初期**の段階で駆除する。

 # 洗浄・消毒法 〜寄生虫、微生物をシャットアウト〜

❶ 洗浄法　　　　　　　　　汚れや有害物を取り除く

　食品や調理器具などについた汚れや有害物質を、水や洗浄剤を使って取り除くことを**洗浄**といい、一般的に**中性洗剤**（合成洗剤）が使われます。

●食品用洗浄剤‥‥‥‥‥‥‥‥‥‥‥‥‥‥‥‥‥‥‥‥‥‥‥‥‥‥

　野菜や食器の洗浄に用いる洗剤は、食品衛生法により**成分規格**と**使用基準**が定められています。

●洗剤の成分規格と使用基準

成分規格	使用基準
・重金属やヒ素の使用限度の規定 ・酵素、漂白剤の禁止 ・着香料、着色料は、食品添加物として認められている以外は使用禁止	〔使用濃度〕脂肪酸系洗浄剤…0.5%以下 　　　　　非脂肪酸系洗浄剤…0.1%以下 〔使用方法〕 　①浸漬時間（野菜、果実）…5分間以内 　②流水後のすすぎ 　　・流水（野菜、果実）…30秒間以上 　　　　（食器類）…5秒間以上 　　・ため水…水を替えて2回以上

❷ 滅菌・消毒法　　　　　　　感染を防ぐ

❶　滅菌…すべての微生物を死滅させ、無菌状態にする（医療器具）。

❷　殺菌…目的とする病原微生物だけを死滅させる（牛乳、缶詰など）。

❸　除菌…病原微生物を洗い落とす（手指など）。

●消毒の種類……………………………………………………………………

❶　**物理的消毒法**…加熱による方法：焼却法、乾熱滅菌法、高圧蒸気滅菌、煮沸消毒、平圧蒸気滅菌、低温殺菌

照射による方法：放射線法、高周波法

紫外線による方法：日光消毒法、紫外線殺菌法

紫外線による消毒には、長所と短所がある。長所は、菌に耐抗性をつくらない、対象物に変化を与えない、処理時間が短い、残留しないなど。一方短所は、残留効果がない、対象が表面に限られる、光をさえぎるものがあると効果がないなどがあげられる。

❷　**化学的消毒法**…塩素剤、消毒用アルコール（70%エタノールが殺菌力が強い）、逆性石けん

予防衛生法規 ～疾病予防と流行防止～

❶ 感染症の予防及び感染症の患者に対する医療に関する法律

この法律は感染症患者を早期発見し、迅速な処置により流行を防ぐとともに予防上の必要な措置を講じることを目的としています。

●感染症法による感染症の分類　（ ）内は該当する感染症数‥‥‥‥‥‥‥

感染症の分類	感染症名	感染力・重篤性・対応
1類（7）	エボラ出血熱、クリミア・コンゴ出血熱、痘瘡、ペスト、ラッサ熱、南米出血熱、マールブルグ病	●極めて高い危険性 ●診断後直ちに届け出 ●強制的に入院・就業制限 ●消毒など対物措置
2類（7）	急性灰白髄炎、結核、ジフテリア、SARS、MERS、鳥インフルエンザ（H5N1）、鳥インフルエンザ（H7N9）	●高い危険性 ●診断後直ちに届け出 ●強制的に入院・就業制限 ●消毒など対物措置
3類（5）	コレラ、細菌性赤痢、腸管出血性大腸菌感染症、腸チフス、パラチフス	●高くない危険性 ●特定の職業への就業で集団発生の可能性 ●診断後直ちに届け出 ●就業制限 ●消毒など対物措置
4類（44）	E型肝炎、A型肝炎、狂犬病、ボツリヌス症、エムポックス、オウム病、つつがむし病、デング熱、日本脳炎、発疹チフス、マラリア、レジオネラ症、鳥インフルエンザ（2類を除く）等	●高くない危険性 ●発生・拡大を防止すべき ●診断後直ちに届け出 ●消毒など対物措置
5類（49）	アメーバ赤痢、RSウイルス感染症、インフルエンザ、ウイルス性肝炎、クリプトスポロジウム症、梅毒、百日咳、風疹、新型コロナウイルス感染症等	●高くない危険性 ●発生・拡大を防止すべき ●診断後7日以内に届け出
新型インフルエンザ等感染症	再興型インフルエンザ、再興型コロナウイルス感染症、新型インフルエンザ	●全国的かつ急速な蔓延により国民の生命・健康に重大な影響を与える恐れあり
新感染症	[当初]都道府県知事が厚生労働大臣の技術指導・助言を得て個別に応急対応する感染症 [要件指定後]政令で症状等の要件指定をした後に1類感染症と同様な扱いをする感染症	●未知の感染症 ●極めて高い危険性
指定感染症	政令で1年間に限定して指定される感染症	●1〜3類に準ずる

●食品衛生学‥‥‥12 経口感染症

❷ 検疫法　　　　　　　　船舶、航空機の検疫を行う

　本来わが国にない感染症の病原体が船舶や航空機で国内に侵入するのを防ぐための法律です。外国を渡航した船舶や航空機の検疫を行い、同時に船舶や航空機に関するその他の感染症予防に必要な措置を講じます。
　検疫感染症は、
❶感染症の予防・医療法の１類感染症　❷新型インフルエンザ等感染症
❸鳥インフルエンザ（H5N1）　❹デング熱　❺マラリア
の５種の疾病です。

●船舶、航空機の検疫体制

　検疫所長は、検疫感染症患者の隔離、停留、汚染されたものの消毒、廃棄、必要と認める者に対する予防接種などができます。

 ## 食品取扱者（調理師）の衛生管理 ~健康管理と身だしなみ~

●健康診断と検便・・

　調理師をはじめ食品を取り扱う人は、心身ともに健康でなければなりません。感染症や食中毒の保菌者は当然、業務につくことはできませんし、黄色ブドウ球菌の巣である化膿巣やできものに対する注意、処置も必要です。また疲れがたまると、思わぬ事故につながります。

　このため、年１回以上の健康診断と年数回以上の検便を受け、健康な状態で業務に従事するようにしなければなりません。

●清潔な身だしなみと衛生的行動

　右の図のような清潔な作業衣などを使用し、手洗いなどの衛生的な行動を習慣化します。

●清潔な作業衣

必要なら
マスクも着用

帽子着用

動きやすい
白衣

作業衣で
外出しない

手はいつも
きれいに
つめは短く

専用のはき物

食品衛生管理 ～徹底させて事故を防ぐ～

❶ 食品衛生責任者の設置　　自主的衛生管理が目的

　都道府県は条例を制定し、営業施設及び取り扱い等の自主管理を目的に、**食品衛生責任者**の設置と**管理運営要綱**の作成を営業者に義務付けています。

●食品衛生責任者

　営業許可を受けた施設ごとに従事者のなかから**1名設置**します。資格要件としては、以下のとおりです。

　・原則として、業種ごとに栄養士、調理師、製菓衛生師、船舶料理士、またはまたは食品衛生管理者たる資格をもつ者。

　・保健所の行う食品衛生責任者養成講習の修了者。

　また、任務としては、次のとおりです。

❶　営業者の指示に従い、食品衛生上の管理運営にあたる。

❷　食品衛生上の不備・不適事項について、営業者に進言する。

❸　従事者に食品衛生の教育を行う。

❹　法令の改正や廃止に注意し、法に従った衛生管理を行う。

●管理運営要綱

　営業者が、施設及び取り扱い等に係る衛生上の管理運営について作成するもので、その基本となる**管理運営基準**は、主に次のような内容です。

施設の管理	施設やその周辺の清掃。調理場の採光・照明・換気。年2回以上のネズミ・害虫の駆除と記録の保管。手洗い設備の石けん・消毒液の配備。関係者以外立入禁止。
設備の管理	器具類の使用と清潔。冷蔵・加熱の温度の管理。ふきん・包丁・まな板の消毒、乾燥。
給水および排水・廃棄物処理	水道以外の水の水質検査とその記録の管理。廃棄物容器の汚液・汚臭漏れの防止。
食品管理	原材料の品質点検と保存。添加物の表示、使用しない薬品、食品に適さなくなったものの処分。

大量調理施設衛生管理 ～その趣旨と方法～

　集団給食施設等における食中毒を予防するために、厚生労働省ではHACCPの概念に基づき、調理過程における重要管理事項を提唱しています。このマニュアルは同一メニューを1回300食以上または1日750食以上を提供する調理施設に適用されます。

❶ 趣旨　　　　　　　　　　　　　　　　　　管理の徹底

- ❶　原材料受け入れ及び下処理段階における管理を徹底する。
- ❷　加熱調理食品については、中心部まで十分に加熱し、食中毒菌等（ウイルスを含む）を死滅させる。
- ❸　加熱調理後の食品及び非加熱調理食品の2次汚染防止を徹底する。
- ❹　食中毒菌が付着した場合に菌の増殖を防ぐため、原材料及び調理後の食品の温度管理を徹底する。

❷ 重要管理事項　　　　　　　　　　　　　　調理過程での管理

●原材料の受け入れ、下処理段階における管理……………………………

- （A）原材料の納入には調理従事者等が必ず立ち合い、**検収場**で品質、鮮度、品温、異物の混入等の点検を行い、その結果を記録する。
- （B）原材料の納入に際しては、缶詰、乾物、調味料等常温保存可能なものを除き、食肉類、魚介類、野菜類等の生鮮食品については1回で使い切る量を**調理当日**に仕入れるようにする。
- （C）野菜及び果物を加熱せずに供する場合には、流水で十分洗浄し、必要に応じて殺菌を行った後、流水で十分すすぎ洗いを行う。
- （D）原材料は隔壁等で他の場所から区分された専用の保管場に保管設備を設け、食肉類、魚介類、野菜類等、食材の分類ごとに区分して保管する。
- （E）下処理は**汚染作業区域**（検収室・食品の保管室・下処理室等）で確実に行い、非汚染作業区域（食品の切断、加熱調理、加熱調理品の冷却等を行う調理室）を汚染しないようにする。
- （F）原材料は、戸棚、冷凍・冷蔵設備に適切な温度で保管すること。
- （G）冷凍・冷蔵設備から出した原材料は速やかに下処理、調理を行う。

●加熱調理食品の加熱温度管理……………………………………………

（A）加熱調理食品は、中心部が75℃で1分以上（二枚貝等ノロウイルス汚染のおそれのある食品の場合は85～90℃で90秒間以上）またはこれと同等以上まで加熱されていることを確認するとともに、温度と時間の記録を行うこと。

（B）調理後直ちに提供される食品以外の食品は、食中毒菌の増殖を抑制するために、10℃以下または65℃以上で管理することが必要である。

（C）加熱調理後、食品を冷却する場合には、食中毒菌の発育至適温度帯（約20～50℃）の時間帯を可能な限り短くする。30分以内に中心温度を20℃付近まで下げるようにすること。

●配膳、配送、販売……………………………………………………

（A）配送過程においては保冷または保温設備のある運搬車を用いるなど、10℃以下または65℃以上の適切な温度管理を行う。

（B）共同調理施設等で調理された食品を受け入れ、提供する施設においても、温かい状態で提供される食品以外の食品であって、提供まで30分以上を要する場合は提供まで10℃以下で保存すること。この場合、保冷設備への搬入時刻、保冷設備内温度及び保冷設備からの搬出時刻を記録すること。

（C）調理後の食品は、調理終了後から2時間以内に喫食することが望ましい。

●調理従事者等の衛生管理………………………………………………

（A）自らが施設や食品の汚染の原因とならないよう、日常的に衛生的な環境を確保するとともに、体調に留意し、健康な状態を保つように努めること。

（B）調理従事者等は、毎日作業開始前に、自らの健康状態を衛生管理者に報告し、衛生管理者はその結果を記録すること。

この節のまとめ

- 経口（腸管）感染症：コレラ、赤痢、疫痢、腸チフス、パラチフスなど。
- 人獣共通感染症：炭そ、結核、野兎病、ブルセラ症など。
- 消毒法には化学的と物理的の2つの方法があり、目的で使い分ける。
- 食品取扱者は定期的な健康診断、検便、衛生的な自己管理が大切。
- 管理運営基準には、施設管理、設備管理、給水および排水・廃棄物処理、食品管理などの基準が示されている。

173

これだけは覚えよう

1　食品衛生法は、食品、添加物、器具、容器包装の安全を守るための取り扱い、規格・基準。
2　食品衛生の行政機構のもととなる食品安全基本法、食品表示法。HACCPの手順を覚える。
3　食中毒の原因となる微生物や物質、特徴、予防法。
4　植物性自然毒の特徴。多くは毒きのこの中毒である。
5　微生物性食中毒の特徴。病原体と原因食品。
6　動物性自然毒の特徴。フグの毒成分と毒素の所在部位。
7　食品添加物の名称、使用目的、使用規則。
8　食品と寄生虫。これは、寄生虫名と中間宿主を覚える。
9　衛生微生物の種類と特徴、これらの増殖する条件。また、食品の鑑別法、保存法。
10　予防衛生関係、環境衛生関係の重要法規。感染症の分類と発生時の対応。

○×、**または正解を選ぶ選択式です。★は普通、★★は重要、★★★は最重要のマーク。**

★★
Q001
□
□
□
消費者基本法において食品表示基準が定められ、消費期限・賞味期限、保存方法、アレルゲンなどの表示に関して規定されている。

解説 食品表示法によって食品表示基準が定められている。消費者庁がその事務を行っている。

★★★
Q002
□
□
□
食品安全基本法は、食品の安全性を保護して、国民の健康を確保することを目的としている。

解説 食品安全基本法は、食品の安全性を確保して、国民の健康を保護することを目的としている。

★★
Q003
□
□
□
塩漬け法は、塩を加えることで水分活性が低くなることにより、微生物の増殖が抑えられる。

解説 水分活性とは、食品中の自由水の割合を表す数値で、0〜1の数値で示され、水分のない食品は0、純水は1となる。水分活性が高いほど微生物が繁殖しやすくなる。

解答　Q001－×、Q002－×、Q003－○

★★
Q004
食品を無酸素状態にすることで、品質の劣化やすべての菌の増殖を抑えられる。

解説 酸素を利用できるかどうかで細菌を分類すると、大きく４つに分けられる。酸素がないと生きられない偏性好気性菌、酸素がまったくないと生きられず少量の酸素を必要とする微好気性菌、酸素があってもなくても生きられる通性嫌気性菌、酸素があると生きられない偏性嫌気性菌の４種類。

★★
Q005
水素イオン濃度（pH）7.0〜8.0程度で、多くの細菌が増殖しやすい。

解説 大半の微生物はpH7.0〜8.0（中性・弱アルカリ性）が最適値となるが、この最適値pHから外れてしまうと、微生物の繁殖は抑えられる。かびは酸性生育限界値2.0、アルカリ生育限界値は8.5、最適は5.0〜6.5。

★
Q006
260nm付近の波長の紫外線は強い殺菌力をもつが、その効果は光線が照射された表面にとどまる。

解説 細菌・ウイルスのDNAに紫外線を照射すると、遺伝コードが破壊され、増殖が正常にできなくなり死滅する。吸収されやすい紫外線の波長は260nm付近。表面に付着した菌を死滅させる。

★★
Q007
ノロウイルスは、乾物からは感染しない。

解説 感染者の便や吐瀉物が乾燥することでノロウイルスを含んだほこりとなって舞い上がり、それを周囲の人が吸い込んで感染する。

★★★
Q008
ノロウイルス消毒には次亜塩素酸ナトリウムよりもアルコールが効果的である。

解説 酸や加熱、アルコールにも抵抗性があり、胃酸、通常の加熱（75℃１分加熱）、一般的なアルコール（75％エタノール）では完全に不活化できない。ノロウイルスの感染力は非常に強く10〜100個程度の少量のウイルスで感染する。消毒には次亜塩素酸ナトリウム（濃度200ppm＝200ml／L）が有効。

★★★
Q009
ノロウイルスは食品中で増殖することで食中毒を引き起こすため、食品を冷蔵保存することで増殖を抑え、食中毒を予防することができる。

解説 ノロウイルスは食品中では増殖できず、人の小腸でのみ増殖する。食品を冷蔵保存しても予防できないので、食品の中心部が85〜90℃で90秒間以上の加熱を行う必要がある。

解答　Q004−×、Q005−○、Q006−○、Q007−×、Q008−×、Q009−×、

黄色ブドウ球菌の毒素は、煮沸処理では不活性化しない。

解説 黄色ブドウ球菌は食品内毒素型で、食品中で細菌が増殖する際に産生する毒素が原因で発生する。食品中で増殖するとき、エンテロトキシンと呼称される毒素を産生するが、産生された毒素は非常に熱に強く100℃30分間加熱しても破壊されない。

（　　）に入る語句の組み合わせとして、正しいものを選びなさい。
カンピロバクターは、グラム陰性のらせん菌で微好気性の性質をもち、芽胞を（　ア　）。また、鶏や豚などの動物の腸管に存在し、（　イ　）を食べることにより、食中毒となることがある。

	ア	イ
(1)	形成する	生や加熱不十分な肉
(2)	形成する	十分に加熱された食肉
(3)	形成しない	生や加熱不十分な食肉
(4)	形成しない	十分に加熱された食肉

解説 30〜46℃で活発に増殖する。鶏肉などの生食や加熱不足が多い。

腸管出血性大腸菌O157は、産生する毒素によって、食中毒を引き起こすことがある。

解説 感染毒素型で、腸管内でベロ毒素という強い毒素を産生し溶血性尿毒症症候群(HUS)等の重篤な症状を引き起こす。感染症法で3類感染症に指定されている。

腸炎ビブリオは、食塩濃度3％程度の環境で完全に死滅する。

解説 好塩菌の一種で、沿岸の海水中や海泥中にいる。水温が15℃以上になると活発に活動する。3％の食塩を好み、真水（水道水）中では増殖しないので、魚介類は調理前に流水でよく洗って洗い流すことが大切。

サルモネラ属菌中毒に関する記述で、（　ア　）〜（　ウ　）に当てはまる組み合わせのうち、正しいものを選びなさい。
サルモネラ属菌食中毒は、（　ア　）型で、原因食品としては、（　イ　）およびその加工品が多い。予防法としては、（　ウ　）が有効である。

	ア	イ	ウ
(1)	感染侵入	卵類	食品を十分に加熱すること
(2)	感染毒素	魚類	流水でよく洗うこと
(3)	感染侵入	肉類	冷凍すること
(4)	感染毒素	野菜類	流水でよく洗うこと

解説 体内に入って増殖した細菌が腸粘膜に侵入して発症する感染侵入型の食中毒である。原因となる食品は「卵」「食肉」など。中心部を75℃1分以上の加熱が目安。

解答　Q010−○、Q011−（3）、Q012−○、Q013−×、Q014−（1）

★★★ Q015 □□□ ウエルシュ菌による食中毒は、一度に大量調理をする給食施設で発生するケースが多い。

解説 原因食品は、煮物やカレー、シチューなど前日調理したものが多く、大量調理では要注意。菌は偏性嫌気性の芽胞形成菌で、芽胞は一度作ってしまうと通常の加熱では死滅しない。10℃以下で増殖しないため、調理済み食品を急速に冷却することが食中毒の予防方法である。

★★ Q016 □□□ ふぐの毒はシガトキシンで卵巣や肝臓に蓄積している。

解説 ふぐの毒はテトロドトキシン。シガトキシンはシガテラという珊瑚礁の周辺に生息する魚によって起きる食中毒の原因となる天然毒である。

★★ Q017 □□□ ヒスタミンによる食中毒の原因食品にかつおがあるが、ヒスタミンは調理時の加熱では、ほとんど分解されない。

解説 ヒスタミンはヒスチジンというアミノ酸にヒスタミン産生菌の酵素が作用してヒスタミンに変換されることにより生じる。ヒスチジンを含むかつお、まぐろ、さば、いわしなどが原因食品。調理時の加熱等では分解されない。

★★ Q018 □□□ 食品添加物は、消費者庁長官が指定する。

解説 使用できる食品添加物は、原則として厚生労働大臣が指定したものだけである。

★★ Q019 □□□ 飲食店営業等、公衆衛生に与える影響が著しい営業を営もうとする者は、厚生労働大臣の許可を受けなければならない。

解説 食品衛生法第52条　飲食店営業等、公衆衛生に与える影響が著しい営業を営もうとする者は、厚生労働省令で定めるところにより、都道府県知事の許可を受けなければならない、とされている。

★★★ Q020 □□□ 食中毒にかかっているか、またその疑いのある者を診断した医師は直ちにその旨を最寄りの保健所長に届け出なければならない。

解説 食品衛生法第58条第1項に基づき、食中毒が疑われる場合は、直ちに（24時間以内）、最寄りの保健所長に届け出なければならない。

解答　Q015－○、Q016－×、Q017－○、Q018－×、Q019－×、Q020－○

★★ Q021 乳製品、食肉製品、添加物などの衛生上の配慮が特に必要な食品を製造加工する施設には、食品衛生管理者を置かなければならない。

解説 食品衛生法第48条の規定により、乳製品、食肉製品。魚肉ハム・ソーセージ、放射線照射食品、マーガリン、ショートニング、添加物等の製造または加工を行う場合は、食品衛生管理者を置く必要がある、としている。

★★★ Q022 原則として、すべての食品等事業者に一般衛生管理に加え、HACCPに沿った衛生管理を実施することが求められている。

解説 2021〈令和3〉年6月1日から、原則として、すべての食品事業者にHACCPに沿った衛生管理を実施することが求められるようになった。

★★ Q023 「食品」とは、そのまま飲食できるもの、加工、調理することにより飲食できるものすべてのことで、医薬品、医薬部外品および再生医療等製品も含む。

解説 食品衛生法第4条でいう食品とは、すべての飲食物をいう。ただし、薬事法に規定する医薬品および医薬部外品は含まない、としている。

★★ Q024 食品安全基本法の規定により、食品安全委員会は、厚生労働省に設置されている。

解説 2003年7月に設立された科学者からなる内閣府の委員会で、食品に含まれる農薬、食品添加物、微生物などが人の健康に与えるリスクを、科学的、客観的、中立的に評価している。

★★★ Q025 アニサキスは、－20℃で24時間以上の冷凍で死滅する。

解説 アニサキスは、海産魚介類（さば、たらなど）を原因とし、食酢を用いた一般的な調理法には、アニサキスを死滅させる効果はない。

★★ Q026 クドア・セプテンプンクタータは、75℃で5分間以上の加熱で死滅する。

解説 クドア・セプテンプンクタータによる食中毒の原因食品に、養殖ひらめの刺し身がある。

★★ Q027 寄生虫による食中毒に関する記述で、正しいものを1つ選びなさい。
(1) 肺吸虫の第2中間宿主は、かにである。
(2) 有鉤条虫は、牛肉が主な感染源となる。
(3) 旋毛虫は、ほたるいかを中間宿主とする。
(4) アニサキスは、4℃で24時間以上の冷蔵処理により死滅する。

解説 有鉤条虫は豚やいのししが感染源。旋毛虫（トリヒナ）はツキノワグマやエゾヒグマの刺し身。アニサキスは－20℃で24時間以上の冷凍で死滅する。

解答 Q021－○、Q022－○、Q023－×、Q024－×、Q025－○、
　　 Q026－○、Q027－（1）

★★ Q028

☐☐☐ サルコシスティス・フェアリーは、馬刺しを原因として感染する。

解説 −20℃（中心温度）で48時間以上を保持することで感染性が消失する。寄生している主な動物はウマ、イヌで人に寄生することはないが、サルコシスティス・フェアリーが多数寄生した馬肉を生で食べると下痢・嘔吐・腹痛などの消化器症状が起きる。

★★ Q029

☐☐☐ 食品添加物の甘味料、着色料、乳化剤、豆腐凝固剤等の8種類は、消費者がわかりやすいように食品添加物名だけでなく、用途名の併記が食品表示法で定められている。

解説 防ばい剤、漂白剤、発色剤、酸化防止剤、増粘剤、保存料、着色料、甘味料の8種類は食品添加物名だけでなく、用途名の併記が食品表示法で定められている。

★★ Q030

☐☐☐ 食品添加物の用途と物質名の組み合わせで、誤っているものを1つ選びなさい。
(1) 保存料　　・・・・ソルビン酸
(2) 酸化防止剤　・・L−アスコルビン酸
(3) 漂白剤　　・・・亜硝酸ナトリウム
(4) 甘味料　　・・・スクラロース

解説 亜硝酸ナトリウムは発色剤。安定した食肉の色を保持する効果のほか、ボツリヌス菌をはじめとして多種類の細菌の生育を抑え、食肉製品の腐敗防止効果もある。

★★ Q031

☐☐☐ 栄養強化の目的で使用されるビタミン類、ミネラル類およびアミノ酸類は、表示が免除される。

解説 栄養強化の目的で使用される添加物、加工助剤およびキャリーオーバーに該当する場合、添加物表示が免除される。

★★ Q032

☐☐☐ 食品添加物の種類について線で結んだ関係の内、誤っているものを1つ選びなさい。
(1) 酸化防止剤　・・・食品の酸化による品質の低下を防止する。
(2) 着色料　・・・・・食品の成分と反応して食品の色調を安定させる。
(3) 調味料　・・・・・食品にうま味などを与える。
(4) 防ばい剤・・・・・かんきつ類、バナナなどのかびの発生を防止する。

解説 食品の成分と反応して食品の色調を安定させるのは発色剤。

食品衛生学・・・・・・一問一答式問題

解答　Q028−◯、Q029−×、Q030−（3）、Q031−◯、Q032−（2）

★★ Q033

□ 1日摂取許容量は、動物実験により食品添加物の無毒性量が求め
□ られると、それに安全係数（通常1/100）を掛けて算出される。
□

解説 物質の分析結果、動物を用いた毒性試験等の科学的データにより無毒性量が求められ、この無毒性量÷100が1日摂取許容量として設定される。

★★★ Q034

□ オゾン水中のオゾンは、30分間程度で酸素に戻る。
□
□

解説 オゾン水は、殺菌作用、洗浄作用、脱臭作用、漂白作用、酸化作用がある。殺菌・除菌効果が高く、農薬のような残留性はない。

★★★ Q035

□ 逆性石けんは、石けんや陰イオン界面活性剤と同時に使用すると
□ 殺菌効果が低下する。
□

解説 逆性石けんは、成分名を「ベンザルコニウム塩化物」といい、細菌を破壊する作用がある。普通の石けんと逆のイオンの性質をもっているため逆性石けんと呼ばれる。普通の石けんと併用すると効果がなくなる。

★★ Q036

□ 消毒用アルコールは、エタノール含有量が100％の濃度のものが、
□ 最も消毒効果が高い。
□

解説 100％のものより、70％溶液のほうが消毒力が強い。対象物の表面に水分がある状態にして噴霧すると効果が弱くなるので水分を拭き取ってから噴霧する。

★★ Q037

□ 次亜塩素酸ナトリウムは、飲料水の消毒に使用されている。
□
□

解説 上水道の消毒に使用されている。水道法により0.1mg／L以上と義務付けられている。ほかにも漂白剤、調理器具の除菌、野菜の除菌等にも幅広く使われている。

★★ Q038

□ 次の記述について、（　　　）の中に入れるべき字句の正しい組み
□ 合わせを1つ選びなさい。
□ （　ア　）とは、すべての微生物を（芽胞を含めて）死滅または
除去し、完全に無菌状態にすることである。（　イ　）とは、人体に有害な物質を減らす、または無力化することである。

	ア	イ
(1)	消毒	滅菌
(2)	滅菌	消毒
(3)	殺菌	滅菌
(4)	消毒	殺菌

解説 消毒とは、細菌の活動を止めること。殺菌とは、特定の細菌を殺すこと。滅菌とは、すべての細菌を死滅させること。

解答　Q033－○、Q034－○、Q035－○、Q036－×、Q037－○、Q038－(2)

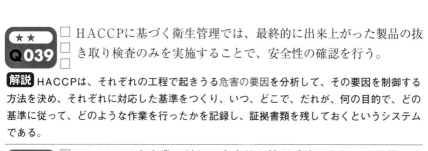 **Q039** ☐☐ ＨＡＣＣＰに基づく衛生管理では、最終的に出来上がった製品の抜き取り検査のみを実施することで、安全性の確認を行う。

解説 HACCPは、それぞれの工程で起きうる危害の要因を分析して、その要因を制御する方法を決め、それぞれに対応した基準をつくり、いつ、どこで、だれが、何の目的で、どの基準に従って、どのような作業を行ったかを記録し、証拠書類を残しておくというシステムである。

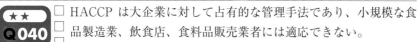 **Q040** ☐☐ ＨＡＣＣＰは大企業に対して占有的な管理手法であり、小規模な食品製造業、飲食店、食料品販売業者には適応できない。

解説 2018年の食品衛生法の改正により、原則として、食品を取り扱うすべての食品等事業者にHACCPに沿った衛生管理が義務付けられた。

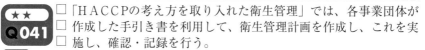 **Q041** ☐☐ 「ＨＡＣＣＰの考え方を取り入れた衛生管理」では、各事業団体が作成した手引き書を利用して、衛生管理計画を作成し、これを実施し、確認・記録を行う。

解説 HACCPは、衛生管理計画に基づいて実行、点検、記録を行っていくものである。

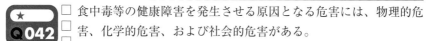 **Q042** ☐☐ 食中毒等の健康障害を発生させる原因となる危害には、物理的危害、化学的危害、および社会的危害がある。

解説 危害には　物理的危害（異物、放射線等）、生物的危害（食中毒菌、ウイルス、寄生虫等）、化学的危害（農薬、添加物等）がある。

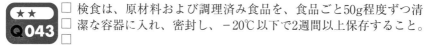 **Q043** ☐☐ 検食は、原材料および調理済み食品を、食品ごと50g程度ずつ清潔な容器に入れ、密封し、－20℃以下で2週間以上保存すること。

解説 食中毒やその発生の恐れがあったり、異物混入、異臭や腐敗、かびの発生など食品に異常が発生したりしたときには原因究明の検査を行うが、その際に必要なのが検査用保存食である。

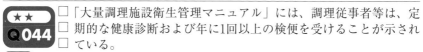 **Q044** ☐☐ 「大量調理施設衛生管理マニュアル」には、調理従事者等は、定期的な健康診断および年に1回以上の検便を受けることが示されている。

解説 調理従事者は臨時職員も含め、定期的な健康診断および月に1回以上の検便を受けることとし、10月から3月までの間には月1回以上または必要に応じてノロウイルスの検便検査に努めること、とされている。

●食品衛生学……一問一答式問題

解答　Q039－×、Q040－×、Q041－○、Q042－×、Q043－○、Q044－×

181

★★★ Q045 □ 「大量調理施設衛生管理マニュアル」には、調理従事者は、毎日
□ 作業終了後に、自らの健康状態を衛生管理者に報告し、衛生管理
□ 者はその結果を記録すること、と示されている。

解説 調理従事者は、毎日作業開始前に、自らの健康状態を衛生管理者に報告し、衛生管理
者はその結果を記録すること、とされている。

★★ Q046 □ 「大量調理施設衛生管理マニュアル」には、原材料の納入では、
□ 生鮮食品は1日で使い切る量を調理前日に仕入れるようにすると
□ されている。

解説 「大量調理施設衛生管理マニュアル」には、食肉類、魚介類、野菜類等の生鮮食品に
ついては1回で使い切る量を調理当日に仕入れるようにすること、とされている。

★★ Q047 □ 野菜および果物を加熱せずに供する場合には、溜水で十分洗浄し、
□ 必要に応じて逆性石けんなどで殺菌した後、流水で十分すすぎ洗
□ いを行うこと。

解説 野菜および果物を加熱せずに供する場合には、流水で十分洗浄し、必要に応じて次亜
塩素酸ナトリウムなどで殺菌した後、流水で十分すすぎ洗いを行うこと。

★★ Q048 □ ノロウイルス汚染のおそれのある食品は、60〜70℃で30秒間加熱
□ する。
□

解説 ノロウイルス汚染のおそれのある食品は、85〜90℃で90秒間以上加熱する。

★★ Q049 □ わが国のアフラトキシンの摂取経路は、主に貝類である。
□
□

解説 アフラトキシンは発がん性のかび毒。穀類、落花生、トウモロコシなどに寄生する麹
かびの一部のかびが産生する。

★★ Q050 □ じゃがいもの中毒は、含まれるアミグダリンによって、発生する。
□
□

解説 じゃがいもによる食中毒は、ソラニンやチャコニンという糖アルカロイドの一種であ
る。加熱により減らすことはできない。皮や芽、緑色の皮部分を取り除くことが大切。

解答 Q045−×、Q046−×、Q047−×、Q048−×、Q049−×、Q050−×

調理理論

この章で学ぶこと

◆実際の調理業務の基礎として、調理の目的とそれぞれの食品に適した調理方法を学びます。調理師にとっては、最も基本的で大切なものであることを理解してください。

◆食品の栄養が、調理によってどのように変化するかということも知っておきましょう。

◆食品の特徴や栄養、経済性など、幅広い知識を身につけ、目的に沿った献立作成のポイントを押さえます。

◆調理設備や調理器具について、それぞれの目的と名称、用途を覚えましょう。

◆試験では献立作成などの基本的なことだけではなく、実際の調理で求められる応用的な問題も出題されますので、よく学習してください。

調理の基本技術

　　ここでは調理について一番の基礎となる、調理の目的と方法や種類、加熱の仕方と調理器具の特徴、食品の特徴と調理による栄養の変化などを学びます。細かいところまで良く読んで理解を深めておきましょう。

出題のポイント

🍴食品を食物として食べられる状態にするためには安全、栄養、嗜好の３つの基本条件がある。

🍴さまざまな調理操作にはそれぞれ異なった目的がある。

🍴わが国ではさまざまな様式の料理が食されているが、代表的なものは日本、西洋、中国の３様式料理である。

🍴栄養素にはさまざまな特性があり、調理することによる変化はそれぞれ異なっている。

🍴私たちは、舌だけでなく目、鼻、心などで総合的に味を感じとっている。

🍴調理器具にはいろいろな材質、形状のものがあり、熱源との関係によって上手に使い分ける必要がある。

⚖ 調理の目的と方法　～食品を食物に変える～

❶ 調理って何？　　　　食品はそのままでは食べられない

　　ほとんどの食品（食材）は、そのままの状態では食べることができません。衛生上良くありませんし、消化吸収も良くないからです。そこで、おいしく、しかも安全に栄養素を摂取するために、食品にさまざまな操作を加えて食べられる状態（食物）に作り替えることを「調理」といいます。

●食物の基本条件

❶　安全性（衛生的であること）

❷　栄養性（消化吸収が良く、栄養効果が高いこと）

❸　嗜好性（好んで食べたいと思えること）

❷ 調理の目的　　　　　安全で栄養があっておいしい

❶　食品についている農薬などの有害物、病原菌、寄生虫及び不要な部分を除去して、**衛生上安全なもの**にする。

❷　食品の組織を分解したりやわらかくしたりして、消化吸収を良くし、**栄養効果**を高める。

❸　食品のもつ自然の色や香りを生かして美しく風味を良くし、**食欲の増進**を図る。

❹　食品の**貯蔵性**を高める。

❸ 調理の方法　　　　　　　　３つの調理操作

　調理方法を大きく分けると、洗う・切る・練るなどの**物理的調理操作**、焼く、炒める、揚げるなどの**加熱調理操作**（対流・伝導・放射（輻射））、発酵させる・固めるなどの**化学的調理操作**の３つがあります。

●**物理的調理操作（食品の成分ではなく状態だけを変化させる操作）**

| 洗　浄 | 浸　漬 | 切砕・磨砕 | 混合・かく拌・混ねつ | 圧搾・ろ過 | 冷却・冷凍 |

●**加熱調理操作（加熱して仕上げる操作）**

乾式加熱（水を使わない）　　湿式加熱（水を使う）　　その他の加熱

焼く、炒める、揚げる　　煮る、ゆでる、蒸す　　電子レンジによる加熱

〔外部加熱法〕

乾式加熱（熱媒体として水を用いない／加熱温度は100℃以上）

❶　焼く：食品を直接または間接的に、150〜300℃の高温で加熱する方法。

　・食品の内部と外部では温度勾配が生じやすいので、温度調節、加熱操作が比較的難しい。

調理理論……❶調理の基本技術

185

・炭火は**放射熱**の熱量が大きく、**遠赤外線**が多く放出される。外はカリッと中はジューシーになる。
・ガスの火では放射熱の発生が少なく、遠赤外線の効果もない。炎が直接当たって焼きムラができやすい。

直火焼き	：串や網などの支持体を用いるが、熱源からの放射熱を利用し、直接食品を焼く方法。 ・食品表面の水分が著しく失われ、外観が変化して**テクスチャー**が改善される。
間接焼き	：鉄板やフライパン、オーブン、石、砂、アルミ箔などを熱媒体として加熱する方法。 ・中間体の加熱により温度調節が比較的容易で**熱効率**もよい。 ・2種以上の食品を同時加熱もできるので、味の交流があって、調味も途中で均一にできる。 ・水分の多い食品は、水分が蒸発せず中間にたまって**湿式加熱**の状態になり、香ばしい風味の向上ができないことがある。

❷ 揚げる：大量の油脂を媒体として、**乾式加熱**をする方法。
・加熱油の対流により加熱。
・食品中の水分の一部と、揚げ油の交換により独特な風味を与える。
・油脂の芳香と高温処理のため生成される焦げ香により風味が向上する。
・天ぷらの衣は粘り気を嫌うので、グルテンが形成されないよう、**薄力粉**を使い、冷水で溶き、かく拌は控えめにする。粘り気があると衣に穴があかず油と水の置き換えが上手にできない。
・揚げ物の吸油量（主材料の重量に対する割合）
　素揚げ…5〜8％、から揚げ…8〜10％、衣揚げ・天ぷら…10〜15％、フライ…12％、かき揚げ…20％、フリッター…10〜30％、市販の冷凍品…15〜20％

●揚げ油の温度（一般的に次の3段階）

揚げ方　（　）は油の温度	使用される食品・揚げ物温度の目安
低温揚げ （150〜160℃）	中心に火が通るまでに時間のかかる食品（いも、かぼちゃのようにでんぷんが多い食品や厚みがある食品）。 【150〜160℃】鶏のから揚げ（1度目） 【160℃】ドーナッツ、春まき、フライドポテト（1度目）、いもや野菜の天ぷら。
高温揚げ （180〜200℃前後）	中心まで火が通るのに時間のかからない食品や中心まで火を通す必要がない食品（魚介類の天ぷら、コロッケ、薄い食品）。 【180℃】カキフライ　【180〜190℃】魚介類の天ぷら、鶏のから揚げ（2度目）、魚介類のかき揚げ、コロッケ　【200℃】フライドポテト（2度目）

中温揚げ (160〜180℃程度)	低温揚げと高温揚げの中間。 【160〜170℃】フリッター、変わり揚げ（春雨揚げ、ゴマ揚げ、アーモンド揚げなど）【170℃】野菜のかき揚げ、厚みのあるかき揚げ 【170〜180℃】トンカツ、フライ、竜田揚げ、魚のまる揚げ、揚げ出し豆腐。

＊パン粉を付けた揚げ物はアミノカルボニル反応により着色しやすい、リッチなパン粉は黒くなりやすい。

湿式加熱（熱媒体として水を用いる／加熱温度は100℃までの範囲）

❶ ゆでる：食品をたっぷりの沸騰水で加熱する方法。
　・食品の**不味成分を除去する**、**酵素作用を阻止する**、食品組織を軟化する、**たんぱく質食品を凝固する**、でんぷん性食品を糊化する。

❷ 煮る：調味溶液を媒体として**熱の移動（対流・伝導）**によって、食品を調理する方法。
　・食品の軟化、でんぷんの糊化による消化性の助長が期待できる。
　・100℃以下の加熱のため温度管理がしやすい。

❸ 蒸す：水を沸騰させ、発生した水蒸気の潜熱（539cal/g）により加熱する方法。
　・**形くずれが少ない。**
　・煮る操作より水溶性成分の溶出が少ない。
　・蒸気が出ている限り焦げる心配もなく、**比較的長時間一定温度で持続加熱できる。**
　・調味が加熱途中で均一にできにくいため、調理後にソース類をかけたりするなど、味つけに工夫がいる。

〔内部加熱法〕

❶ 鍋が発熱する電磁誘導加熱：IH（インダクションヒーティング）調理器
　・鍋の抵抗により発熱する。
　・鉄製（ホーロー、ステンレス製）の鍋は発熱し加熱されるが、アルミ鍋や土鍋、底の丸い中華鍋などは使用できない。
　・**熱効率がよい。**

❷ 電子レンジ
　・**マイクロ波**が食品内部にまで入り、含まれている水分を加熱する。
　・食品自体が発熱するので、食品の温度が早く上昇し、他の加熱方法に比べ圧倒的に短い時間で効率がよい。
　・マイクロ波は食品表面にほぼ垂直に食品内に入り、6〜7cmのと

ころまで到達して吸収されるという特徴があるため、小さい食品では中心部が加熱し過ぎたり、食品の形状によって加熱ムラを生じやすい。
・水分が蒸発しやすく、食品の重量減少が大きい。

〔新調理システム〕

クックサーブ：下処理⇒加熱調理⇒盛り付け⇒配膳・喫食

クックチル：下処理⇒加熱調理⇒急速冷却⇒冷蔵保存⇒再加熱⇒盛り付け⇒配膳・喫食

ニュークックチル：下処理⇒加熱調理⇒急速冷却⇒冷蔵保存⇒冷蔵盛り付け⇒再加熱⇒配膳・喫食

真空調理：下処理⇒真空包装⇒低温加熱⇒急速冷却・冷凍⇒冷蔵・冷凍保存⇒再加熱⇒盛り付け⇒配膳・喫食

クックフリーズ：下処理⇒加熱調理⇒急速冷凍⇒冷凍保存⇒冷蔵解凍⇒再加熱⇒盛り付け⇒配膳・喫食

●化学的調理操作（食品の状態だけでなく成分まで変化させる操作）…

もとの食品と異なる性質の食品に作り替える食品加工に多い調理操作。

❶ 分解…酵素でたんぱく質を分解。塩辛、みそ、しょうゆ、納豆など。

❷ 発酵…食用微生物の酵素で発酵。漬物、ヨーグルト、パン、酒、甘酒など。

❸ 凝固…凝固剤などで凝固させる。豆腐、チーズ、こんにゃくなど。

 # 食品別の調理 ～調理特性を生かす～

❶ 調理特性って何？ 　食品の性質に合った調理の仕方

それぞれの食品の性質に合った調理の仕方を、その食品の**調理特性**といいます。

❶ **穀類**…主成分はでんぷんで、糊化により消化が良くなる。食べやすくするために蒸す、煮るなど主に湿式料理を行う。

米：炊飯の3つの段階

①洗米と浸漬…米粒表面の糠を洗い落とし、吸水させる。炊飯の水加減は、米の容量の1.1～1.2倍、浸漬時間は夏季30分程度、冬季1時間程度で米の重量の20～30％の水を吸収する。

②加熱…でんぷんの糊化が完了するまで、少なくとも98℃、20分以上の加熱が必要。

③蒸らし…糊化を完成させ、米粒表面の水分を除く。急速に温度を下げないことが目的なので、途中でふたはとらない。

小麦：精白により胚乳が壊れてしまうので粉食する。

①粘性…水を加えてこねると、グリアジンとグルテニンというたんぱく質が絡み合ってグルテンを形成し、弾力と粘性が出る。

②利用法…グルテンの多い強力粉は、主にパン用。中力粉はうどん用。薄力粉は天ぷらの衣やケーキパイ生地に。とろみをつけたり材料の水分を吸収させたりする。

③小麦粉の調理性

・バターと炒めると**ルー**になる。

・小麦粉100に対して60〜70の水を加えてよくこねると軟らかく弾力のある**ドウ**になる。

・小麦粉に2倍くらいの液体を入れて混ぜると**バッター**になる（ケーキや天ぷらをつくるときの生地や衣）。

・小麦粉に対して5〜20倍の水を加えて鍋で混ぜながら加熱すると、**糊**になる。

・他の粉体と混ざりやすい（砂糖と混ぜる・性質の異なる小麦粉と混ぜる）。

・水気があるものに付着しやすい（ムニエルの粉・から揚げの粉）。

・においを吸着しやすい（フレーバーを付けやすいが、異臭のあるものと一緒に置くと臭いが移る）。

❷　**魚介類**…季節ごとに旬があり、**素材の持ち味**を生かした調理を行う。新鮮なものは生で食べることができ、刺し身は日本料理を代表するもの。

①焼く…強い火力で放射熱を与えることが望ましい。炭火焼きが良い。焼く20分前に、魚の1

●魚介類は旬の素材を

夏　　冬

初ガツオ　　カキ

189

～３％程度の食塩をまぶしておくと、ぬめりや生臭みをとることができる。

②煮る…少ない煮汁で味をむらなくつけるため、鍋より一回り小さい落とし蓋をする。皮や骨のある魚を長時間煮ると、コラーゲンというたんぱく質がゼラチンに変化して煮汁に溶け出し、冷えると煮こごりとなって固まる。

❸ **獣鳥肉類**…魚と比べて種類や季節性が乏しいので、使う部位によって**加熱法や味付けを工夫し**、スパイスやソースなどを使って料理に変化をもたせる。

①変性…肉を加熱するとたんぱく質が熱変性し収縮するが、部位を構成するたんぱく質の種類により、熱変性開始温度が異なる。肉の内部温度が50℃くらいのときが一番やわらかい。

②熟成と軟化…獣鳥肉は、と殺後、死後硬直、熟成（自己消化）を経て、食べごろになる。キウイフルーツ、パパイヤ、おろしたまねぎ等の酵素によりたんぱく質が分解し軟化する。肉叩きを使う、ジャカードを用いて筋を切るなども軟化方法。

③部位と料理法…背（ロース、ヒレ）：ステーキ、カツなど。

すね、腹：シチュー、角煮など。

肩、もも：焼き肉、串焼き、みそ漬けなど。

❹ **卵類**…卵の持つ調理性は広く調理に応用されている。

①希釈性…生の卵液は、だし・牛乳などの液体で**任意の濃度に希釈する**ことができる。

②粘着性…卵液を他の材料に混合して加熱すると、**強い粘着力でつなぎの効果**がある。

③吸着性…卵白が熱凝固する際、あくを吸着する性質を利用して、**ブイヨンの清澄化**に用いられる。

④熱凝固性…熱凝固性のため、加熱により卵白、卵黄ともに流動性を失って凝固する。一般に卵白の凝固開始温度は約60℃で、62～65℃でゲル化を開始し、70℃でほぼ凝固するが、やわらかく流動性が残っている。完全に凝固する温度は80℃以上。卵黄は65℃で凝固開始、70℃で流動性を失う。75℃以上になると粘りや弾力性が消失する。沸騰状態を3～5分維持すると半熟卵ができ、70℃で30分程度加熱すると、温泉卵ができる。

⑤起泡性…激しいかく拌により卵白が一種の変性を起こし、**極めて薄い膜状になって空気を包み込む現象**。砂糖は起泡性を阻害するが、起泡の安定性を高める。レモン汁など酸性のものを少量加えると泡立ちやすくなる。

❺ 　**牛乳**…牛乳は、微細な脂肪球やカゼイン粒子を多く含むコロイド溶液であり、コロイド粒子の表面はいろいろな物質を吸着しやすく、臭いを吸収する性質がある。またクッキーやケーキなどの焦げ色は、牛乳中のカゼインのアミノ基と乳糖とカルボニル基との間で、アミ

●牛乳の調理特性

牛乳の調理特性	料理名
なめらかさと風味を付ける	ベシャメルソース、クリームコロッケ 牛乳かん、ブラマンジェ
白い色を付ける	ベシャメルソース、ババロア
脱臭効果がある	ムニエル、フライの下準備
焼き色・香気を付ける	グラタン、ケーキ、ホットケーキ
ゲル濃度を高める	カスタードプリン
酸により凝固する	トマトスープ、野菜のクリーム煮
加熱により皮膜を形成する	クリームスープ、ベシャメルソース

ノカルボニル反応がおこり、褐色のメラノイジンが形成されたもの。

❻ 　**野菜類**…ビタミンなどの**栄養源**として欠かせない食品で、他の食品と合わせて加熱、調味して食べるのが一般的。

❼ 　**果実類**…**色、香り、甘味と酸味のバランス**がとれていて、デザートや間食としてそのまま食べることの多い食品。甘味は主にぶどう糖と果糖によるもので、低温のほうが甘いため、冷やしておいたほうがおいしく食べられる。

❽ 　**豆類**…たんぱく質と脂質を多く含む大豆、でんぷんを主成分とするあずき、えんどう、いんげんなどがある。大豆は良質なたんぱく質を含み加工品に幅広く使われている。

①吸水…豆類には表皮があるので吸水に時間がかかる。大豆は5〜8時間浸漬加熱するが、あずきは吸水が悪く、皮が破れやすいので浸漬しないで加熱する。大豆を煮るときは1％程度の食塩水に浸漬しそのまま煮ると軟らかくなる。また、ゆで水に重曹をいれてアルカリ性にすると軟化しやすく、砂糖は一気に入れるとしわになるので2〜3回に分けて入れる。あずきは2分ほど茹でてからザルにあげて水気をきり（渋抜き）再度煮るが、砂糖は2回に分けて入れる。

②加熱…煮豆の調味は数回に分けて調味すると、しわがなくやわらかく煮える。あずきはサポニンというあくを除くため、数回のゆでこ

191

ほし（渋抜き）を行う。

❾ いも類…じゃがいもには**粘質系**（メークイン）と**粉質系**（男爵）がある。粉質のじゃがいもはでんぷんが多いのが特徴。加熱することでほくほくした食感になる反面、**煮崩れしやすい**。粘質のじゃがいもはでんぷん価が低く煮崩れしにくいのでカレーやシチュー、おでんなど長時間煮込む料理に向いている。さつまいもの表皮から少し入ったところに黒ずんだ線が入っており、この区間にヤラピンという白い乳状粘液（樹脂酸糖体）や酸化酵素が含まれている。ヤラピンは水に不溶で空気に触れると黒くなるので、きんとんやスイートポテトをつくるときには皮を厚めにむいて、この部分を除くといい。さつまいもを加熱すると甘味が強くなるが、これは含まれている酵素βアミラーゼが加熱により活性化し、糊化したでんぷんに作用し麦芽糖が増加するためである。さつまいもの甘味度はマルトースだけでなくスクロースも大きく関わっている。

●調理法によるマルトースの平均増加率

揚げる	60％超
電子レンジ	50％弱
蒸す	70％弱
茹でる	70％弱
ダッチオーブン	70％ ＊石焼いもはこのレベル

❿ ゲル化食品

●主なゲル化素材の種類と調理機能

	動物性	植物性		
	ゼラチン	寒天	カラギーナン	ペクチン
成分	たんぱく質	糖質（多糖類）その誘導体	ガラクトースと	糖質（多糖類）ガラクチュロン酸の誘導体
原料	動物の皮や骨	海藻（天草など）	海藻（すぎのりなど）	果実、野菜
溶解温度（℃）	40～50	90～100	70～100	99～100
ゲル化温度（℃）	10以下	30～40	50～60	60～80
ゲル化pH	酸にやや弱い	酸にかなり弱い	酸にやや強い	酸にかなり強い
その他の条件	たんぱく質分解酵素を含まないこと			多量の砂糖が必要

ゲルの特性	やわらかく独特の粘りを持つ、口の中で溶ける	粘りがなく、もろいゲル	やや粘弾性をもつ	粘りと弾力性のあるゲル
保水性	保水性が高い	離水しやすい	やや離水する	条件により離水
熱安定性	夏期に崩れやすい	室温では安定		
冷凍耐性	冷凍できない		冷凍保存できる	

❷ 調味料　　　　　　　　　　素材の味を生かす

　調理をする際に、素材になかった味を加えたり、素材の持ち味を強調または抑制したり、素材の持ち味と合わせて新しい味を作り出したりするために調味料を使います。調味料によっては栄養源として、また多量に用いることにより天然の防腐剤としての役割も果たします。

❶　**砂糖**…温和な甘味で調理による甘味の質に変化がなく、使用範囲が広い。
　①甘味つけ
　②水分を保持し、食品の乾燥や変質、でんぷんの老化を防ぐ（菓子類）
　③酸化防止作用がある（ケーキやクッキー）
　④たんぱく質の熱変成を抑え、凝固を遅らせる（カスタードプディング）
　⑤粘性となめらかさをつける
　⑥加熱による褐色化と焦げ味をつける（カラメルソース）
　⑦高濃度で防腐効果をあげ、保存性を高める（砂糖漬け）
　⑧肉がやわらかくなる（すき焼き）
　⑨ジャムができる（ゼリー化）
　⑩アイスキャンデーをやわらかくする（凝固点降下作用）
　⑪おいしそうな色と香りになる（メイラード反応による焼き色）
　・砂糖の温度による変化
　　100〜105℃：シロップ　105〜115℃：フォンダン　120〜125℃：キャラメル
　　140〜145℃：抜絲（バースー）　150〜155℃：ドロップ　165〜180℃：カラメル
❷　**食塩**…分子量が58.5で調味料の中でもっとも小さく食品への浸透がはやいため、添加のタイミングなど加え方に注意。調味の基本は0.9

～1.2％が適正。

①塩味を付ける

②浸透圧により食品の水分を引き出し、材料の水気をとる（野菜・魚）

③たんぱく質の変性や熱凝固を促進する（焼き肉・卵焼き）

④小麦粉のドウのグルテン形成を促進する（めん・パン）

⑤色素の変色や酸化酵素による褐変を防止する（野菜・果物）

⑥食品のヌメリを除去する（魚介類・さといも）

⑦微生物の繁殖防止による防腐作用で、貯蔵性を高める（漬物）

調理の塩濃度基準（％）		
吸い物・スープ		0.8～1.2
ふり塩	生野菜	1.0～1.5
	魚・肉	1.0～2.0
ゆでもの		1.0～1.5
和え物・酢の物		1.2～1.5
ソース類		1.2～1.5
煮物	野菜	1.2～1.5
	魚類	1.5～3.0
漬物	即席	2.0～3.0
	短期	4.0～5.0
	長期	7.0～10.0

❸ 食酢…主成分は酢酸。

①油の粒子を小さく分散して油っこさが和らぐ（から揚げにかける、焼きそばに入れる、油っこいラーメンに入れるなど）

②ジュースなどに酢を数滴加えるとビタミンＣの破壊を防ぎ効果的

③食感をかえる（れんこんをゆでるとき、酢を入れるとペクチンの分解（溶出）が抑制されるため、シャキシャキ感が残る）

④変色防止

ポリフェノールオキシダーゼの働きをなくすため、褐変が防止できる。れんこんの褐変、レモンによりバナナの褐変やりんごの褐変を防止できる

⑤肉がやわらかくなる

酸性にすることで保水力が高まり、肉の水分が増すため肉がやわらかくなる

プロテアーゼ（たんぱく質分解酵素）は酸性で働く。酢を入れた調味液（漬け込み用）に肉を漬けておくとやわらかくなる

⑥魚の臭みをとる（トリメチルアミンの凝固）

⑦隠し味として使われることが多く、塩味を丸くする

⑧熱変性を促進する（たんぱく質の凝固を促進する、落とし卵は湯に酢をいれておく）

⑨大根おろしの辛味を抑える（ミロシナーゼの働きを弱めるため）

❹ しょうゆ

①塩味とうま味をつける
②褐色と強い風味をつける
③たんぱく質の凝固を促進する
④加熱により香ばしい風味と焼き色を
　つける
⑤魚類や獣肉類の生臭みを抑える
❺　みそ
①塩味とうま味、独特の風味をつける
②魚類や獣肉類の生臭みを吸着する
③たんぱく質の凝固を促進する
④粘調性の食感を与える
⑤保存性を高める

しょうゆ、みその塩分濃度（％）		
しょうゆ	濃口	15
	薄口	16.3
	たまり	15
	白	15
	再仕込み	12.4
	うす塩	10〜12
	減塩	8〜9
みそ	白みそ	5〜7
	赤色辛みそ	11〜13
	淡白辛みそ	11〜13
	麦みそ	9〜13
	豆みそ	10〜11

❸ 香辛料(スパイス)　　　　素材のにおいを隠す

　芳香と辛味をもった植物の種子や葉の部分を総称して**香辛料(スパイス)**
といいます。植物本体を使う場合は、香草や薬味と呼ばれます。スパイス
や薬味は食品の臭みを消すために欠かせないものです。

 調理と器具 〜どんな調理器具を使うか〜

❶ 調理器具の用途　　　　　非加熱、加熱による分類

●**非加熱調理操作**……………………………………………………………
❶　洗う…洗いおけ、水切りかご、ざる、タワシ類、洗米機、食器洗浄機など。
❷　切る…包丁、まな板、ピーラー、フードカッターなど。
❸　混ぜる…泡立て器、しゃもじ、ハンドミキサー、フードミキサーなど。
❹　磨砕…おろし金、すり鉢、ミキサー、ジューサーなど。
❺　ろ過…裏ごし器、すいのう、粉ふるいなど。
❻　圧搾…のし棒、のし板、肉たたきなど。
❼　はかる…はかり、計量カップ、計量スプーン、温度計など。
❽　その他…缶切り、栓抜き、ボウル、バットなど。

●**加熱調理操作**‥‥‥‥‥‥‥‥‥‥‥‥‥‥‥‥‥‥‥‥‥‥‥‥‥‥‥‥‥

❶　熱源…コンロ（ガス・電気・灯油）、かまど、七輪、電磁調理器、トースター、オーブン、レンジ、ホットプレートなど。

❷　加熱用器具…焼き網、串、鍋、フライパン、鉄板、蒸し器、やかん、炊飯器、フライヤー、スチーマー、回転釜など。

●熱源と加熱用器具

❷ 包丁の分類　　　　　　材質、刃型によって使い分ける

和・洋・中国式があり、**包丁の材質**（鋼、ステンレス、セラミック、モリブデン）、**刃型**（両刃、片刃）、刃の**厚さ**や**長さ**によって使い分けます。

片刃：力が片側にかかるので刺し身のように１つのかたまりを端から切っていくのに適しています。

両刃：両側に力がかかるので、いもや野菜など組織の硬いものを中央から切るのに適しています。

また、刃は薄いほど下へ切り下げる力が大きく、**厚**いほど横へ切り分ける力が大きくなります。

●包丁のいろいろ

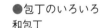

和包丁　　　　洋包丁　　　中華包丁

❸ 鍋類　　　　　　　　材質と形状による熱の伝わり方

材質や形状によって熱の伝わり方が異なります。

材質（熱伝導のはやい順）：銅、アルミニウム、鉄、ステンレス、ガラス（耐熱）、陶土器（土鍋）など。

形状：両手、片手／平底、丸底／深型、浅型／厚手、薄手など。

土鍋は厚手で熱容量が大きいため、温まりにくく冷めにくい

❹ まな板　　　　　　　　　　　　　　いろいろな材質

調理する材料によって使い分け、使用後はよく洗って乾かします。

木（いちょう、ひのき、やなぎ、ほおなど）、合成ゴム、プラスチック、被覆合板などの材質のものがあります。

❺ オーブン、レンジ　　　　　　　　短時間加熱が可能

オーブンは、熱源（ガス、電熱）からの熱と食品から出る水蒸気とを利用して食品を蒸し焼きにするための器具です。スチームコンベクションオーブンは熱風と蒸気を利用した加熱調理器で、熱風モード（ファンで熱風を対流させて加熱…30〜300℃）、スチームモード（蒸気で加熱…30〜130℃）、コンビモード（熱風と蒸気を組み合わせて加熱…30〜300℃）があります。電子レンジは、マグネトロンから発生するマイクロ波（2,450MHz）を食品に当てて水の分子運動により全体の発熱を起こすものです。マイコンとセンサーによって細かい温度調節のできるものが増えてきています。

❻ 電磁調理器　　　　　　　　磁力線を発生するコンロ

コンロの一種で、金属製磁性体の調理器具を上に置くと、**電磁誘導によって発熱**が起こります。火を使わないため安全で空気汚染もなく、100℃以下から300℃近くまで温度調節ができるので、急速に普及しています。

基本的な調理操作 〜手順別の目的・方法〜

❶ 洗浄（洗う）　　　　　　　　有害物を取り除く

洗浄の目的は、有害物を取り除く、見た目をきれいにする、味を良くするなどで、流し洗い、もみ洗い、こすり洗い、振り洗い、かく拌洗いなどがあります。必要に応じてタワシ、スポンジ、洗米機などを使います。

食品は大きい状態のままで洗い、切ってからは洗いません。組織の弱いものや、水を吸収しやすいものは手早く洗うか、または洗わないようにします。

水で洗う…米、乾物、こんにゃく、野菜・果実、ゆでためんなど。

塩を使う…ぬめりのある食品（さといも、レバーなど）。

ブラシなどを使う…いも類、根菜類、果菜類。

加熱後に洗う…ふき、たけのこなど。

❷ 浸漬(浸す)　　　　　　　　　　水や調味料に浸す

食品を、水や調味料、酒、油などの中に**浸しておく操作**をいいます。
水を含ませてやわらかくする…乾物、豆類など。
あく抜き、塩出し…うど、ごぼう、魚の塩蔵品など。
変色防止…じゃがいも、りんごなど。
保存…水もち、豆腐など。
シャキッとさせる…キャベツなど。　　**味付けと防腐**…酢漬けマリネなど。

●主な乾物の吸水

食品	吸水所要時間	重量増加
湯 葉	4〜5分	4.1倍
凍り豆腐	4〜5分	5.5倍
干しシイタケ(香信)	20〜120分	5.6倍
ヒジキ	20〜30分	6.3倍
だいこん切干し	50〜70分	4.8倍
貝 柱	20〜22時間	2.0倍
白 米	50〜60分	1.3倍
大 豆	15〜20時間	2.6倍
キクラゲ	6時間	10倍

注) 水温20℃、吸水前を1.0とする。

●ゆで溶液の種類と適する食品

溶液	食品
水	豆類、いも類、めん類、ゆで卵
食塩（1〜2%）	青菜、緑黄色野菜、パスタ類
食酢（4〜5%）	れんこん、ごぼう
ぬか 米のとぎ汁	たけのこ、大根
重曹（0.1〜0.5%）	ぜんまい、わらび
食酢（2%） 小麦粉（5%）	カリフラワー
食塩（2%） 食酢（3〜5%）	ポーチドエッグ

❸ 切砕(切る)　　　　　　　　　　不要部分を除く

野菜は縦に切る、横に切るなどの切り方で味が変わります。

●操作の目的……………………………………………………………………
❶不可食部や不要部分を除く、❷表面積を拡大して調味液の浸透や熱伝導の効率を高める（球体の表面積は狭い、球体の氷は解けにくい）、❸形を整え、外観や消化性をよくする、❹歯ざわりや口ざわりなどのテクスチャーを良くする。

❹ 混合・かく拌　　　　　　　　　均一に混ぜ合わせる

1種以上の食品材料を混ぜたりかき混ぜる操作で、熱伝導や味や成分を均一化するなど、次のような目的で行われます。
❶材料の分布の均一化（マヨネーズ、ドレッシング）、❷調味料の浸透の均一化（あえ物、塩もみ、煮物）、❸熱伝導の均一化（あん、ルー）、❹泡だて（クリーム、メレンゲ）、❺粘性の増強（だんご、ドウ）。

198

❺ 粉砕・磨砕　　　　　　　　　　おろして食べやすくする

　おろし金やミキサー、すり鉢などを使って、そのままでは食べにくいものを細かく砕いて食べやすくしたり、味付けや消化をしやすくしたりします。とくに、磨砕された食品は空気中の酸素に触れる機会が多くなるので、酸化や褐変<ruby>褐変<rt>かっぺん</rt></ruby>（褐色に変色すること）に注意しましょう。

❻ 圧搾・ろ過・裏ごし　　　　　　　　　　しぼる

　圧搾は、液汁の多い食品を押しつぶして液汁と固形分に分けることで、用途により液汁か固形分あるいは両方を利用します。押しずしのように材料を押し付けて、形を変えたり成形することも圧搾です。

　ろ過は布やろ過器に液状の食品を流し込み、懸濁物をこしとることでろ液を使います。

　裏ごしは、水分が多くやわらかい食品を押しつぶしてペースト状にすることです。

●操作の目的‥‥‥‥‥‥‥‥‥‥‥‥‥‥‥‥‥‥‥‥‥‥‥‥‥

❶水分や不要部分を除く
❷液汁を搾り取る
❸組織や形態を壊して物
　理的性状を変える

レモンの圧搾　　じゃがいもの　　　コーヒーのろ過
　　　　　　　　裏ごし

調理と嗜好成分　〜"おいしさ"につながる味・香り・色〜

❶ 食物の味を形成する要因　　　　食物側と食べる側

　食物の味は食品そのものにあると思われていますが、実際には私たちが食べたときの感覚を総合したものです。食物の「おいしい」「まずい」の感覚は、食物の味とともに食べる側の要因も加わります。

●調理理論‥‥‥ 🔳 調理の基本技術

199

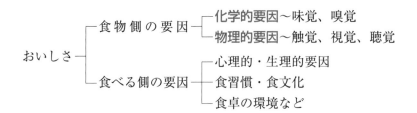

●味の性質

　味は、舌の味蕾細胞に与えられた刺激が脳に伝わることで判断されます。大きくは甘味、酸味、塩味、苦味の4つが原味とされますが、これにうま味を加えて五味とすることが多いです。

　❶甘味（果糖、ぶどう糖、しょ糖（砂糖）、乳糖、麦芽糖など）、❷酸味（酢酸（食酢）、乳酸、クエン酸、リンゴ酸など。甘味を引き立て、塩味を穏やかにする）、❸塩味（塩化ナトリウム（食塩）。料理の味付けの基本となる物質）、❹苦味（カフェイン、テオブロミン、ナリンギンなど）、❺うま味（L−グルタミン酸、イノシン酸、グアニル酸など。市販のうま味調味料に使われる物質）、❻辛味（アリルカラシ油、ジンゲロン、チャビシン、カプサイシンなど。わさび、とうがらしなど香辛料の刺激成分）、❼渋味（タンニン系のカテキン、コーヒー（カフェイン）のクロロゲン酸など）。

●味の性質

●温かい食物

食物名	温度（℃）
ご飯	60〜70
汁物	60〜70
煮物	50〜60
茶碗蒸し・湯豆腐	60〜65
茶・コーヒー・紅茶	65〜70
かけうどん	60〜70
天ぷら	65
グラタン	70

●冷たい食物

食物名	温度（℃）
水・冷茶	8〜15
ビール	10〜13
水ようかん	10〜15
酢のもの	15〜25
サラダ	15〜20
ババロア	10
アイスティー・コーヒー	6
アイスクリーム	−6

●味の混合（交互）効果

　ふつう、食べ物には食品そのものの味に加えて、数種類の調味料による味が付けられています。2つ以上の異なる味を合わせたときに表れる効果を混合（交互）効果といい、大きく分けて以下の3つがあります。

　❶　対比効果…一方の味が強まる。甘味と塩味（スイカに塩）、うま味と塩味（だしに塩）。

200

❷ 抑制効果…一方または両方の味が弱まる。苦味と甘味（コーヒーに砂糖を入れると苦味が弱まる。）、酸味と甘味（果汁と砂糖）。酸味と塩味（梅漬け）。

❸ 相乗効果…同系統の味が混ざり合って、味を強め合う。うま味とうま味（コンブだしとカツオだし）、甘味と甘味（砂糖とサッカリン）。

❷ 香りの性質　　　　香辛料で生臭さをとる

香りは、揮発性の物質で、鼻の奥の天井部分にある感覚（**嗅覚**）神経で感じとるものです。時間がたつと失われる、加熱すると一瞬強まる、加熱を続けると失われる、などが主な特徴で、魚肉の生臭みを除きたいときは香辛料など、より強い香りを使います。

❸ 色素がもつ特性　　　食品の色と調理による変化

● **褐変（褐色になる変化）**……………………………………………………

❶ 酵素によるもの…野菜、果実、いもなどの皮をむいて空気中に放置しておくと褐色になる。これは食品に含まれている**ポリフェノール系**の物質が酸化酵素の作用で**酸化促進**されるためで、切った野菜や果実は水や塩水に浸けておくことで褐変を防ぐことができる。

❷ 酵素によらないもの…たんぱく質の**アミノ酸**と糖質が、加熱によりキツネ色になる反応を**アミノ・カルボニル反応**（メイラード反応）という。かば焼き、照り焼き、パイ生地に塗る卵黄など。他に、しょ糖を加熱したときのカラメルや油焼け（油の酸化）。

● 色素の特性

クロロフィル （葉緑素）	ほうれん草など野菜に含まれる緑の色素。酸性で色があせアルカリ性で鮮やかになる。
カロテノイド	動植物界に広く存在する、赤・黄・だいだい色の色素。調理での熱や酸・アルカリの影響を受けない。
アントシアニン	野菜、果実の花などの色。酸性で赤、アルカリ性で青、中性で紫になる。
フラボノイド	穀類、豆類、淡色野菜などの白〜淡黄色の色素。酸性で色が薄くなり、アルカリ性で黄色になる。
ミオグロビン	肉や赤身の魚の色で、加熱すると褐色になる。亜硝酸ナトリウムを加えて加熱すると色が固定される。

栄養素別特性 〜調理による栄養の変化と損失〜

　食品は、水分、たんぱく質、脂質、炭水化物（糖質、繊維）、無機質（ミネラル）、ビタミンの6成分からなっています。これらの栄養成分は調理によって変化し、栄養的にも嗜好的にも影響を及ぼします。調理による各成分の**変化**と**損失**を知っておきましょう。

❶ たんぱく質　　　　　　凝固や溶出など、変化しやすい

●**主な動物性食品に含まれるたんぱく質の変化（変性）**………………

❶　肉・魚・卵…**アルブミン、グロブリン系のたんぱく質** ➡ アルブミンは水、グロブリンは塩水に溶ける。どちらも加熱によって凝固し、食塩や食酢を加えるとさらに凝固が進む。カルシウムやマグネシウムでも凝固しやすい。

❷　牛乳…**カゼイン** ➡ 加熱しても凝固しないが、酸を加えると凝固する。

❸　小麦粉…**グリアジン、グルテニン** ➡ 水を加えてこねるとグルテンを生じ、弾力のあるかたまりになる。

❹　動物の皮・筋・骨…**コラーゲン** ➡ すじ肉などは、水を加えて長時間加熱するとコラーゲンが溶けて水溶性ゼラチンになり、やわらかくなる。

●**たんぱく質の変化（変性）の特徴**………………………………

　たんぱく質は、熱・酸・アルコール・アセトン・X線・紫外線・圧力・尿素・アルカリなど、さまざまな要因により変性が起こります。

●たんぱく質の変性の例

❷ 脂質　　　　　　　　　　酸化が進むと酸敗する

　食品中の脂質のほとんどは油脂で、液体（サラダ油などの**植物性油**）と固体（バター、ヘット、ラードなどの**動物性脂**）が調理一般に使われます。動物性油脂は加熱で溶けるのが特徴で、バター（乳脂）は28〜38℃、ラード（豚脂）は28〜48℃、ヘット（牛脂）は40〜50℃で溶けます。

　油脂を空気中に放置したり、長時間加熱したりすると、**酸化・重合**といわれる変化が起き、しまいには食用に適さなくなります（**酸敗**）。

変化 ➡	酸化：色が濃くなり、刺激性の味をもつようになる	➡	酸敗
	重合：粘りが出て、加熱すると細かい泡が出る		

●バターの3つの特性

可塑性…固体に外からの力を加えて変形させたとき、力を取り除いてもその形が残る性質でバターの固体脂の割合が15〜20％、温度13〜18℃のとき一番可塑性がある（【例】パイ生地）

ショートニング性…可塑性のあるバターが生地の中で薄く広がり、バラバラに分散される性質。（【例】クッキー・タルト）

クリーミング性…クリーム状のバターをかく拌すると空気を取り込む性質。（【例】ケーキがふんわりする）

●エマルション(乳化)

溶け合わない2つの液体が小さな粒になって分散し、白濁した液体になるのが**エマルション**です。油脂と水の**エマルション**にはバター、マーガリン、生クリーム、マヨネーズ、牛乳などがあります。

●エマルションの分類

型	状態	例
水中油滴型 （O／W）	水の中に油が粒子となって分散	牛乳、マヨネーズ、生クリームなど。
油中水滴型 （W／O）	油の中に水が粒子となって分散	バター、マーガリンなど。

●油脂の調理
油脂はその特性を活かしてさまざまな料理に使われている。

高温調理の媒体	油脂は沸点が高いため高温調理の熱媒体として利用される。
油脂味の付与	揚げ物は油脂と材料の成分とが反応して、独特のフレーバーを生じる。
クリーミング性	固体状態の油脂をかく拌すると空気を抱き込む性質があり、容積が増大する。
ショートニング性	グルテンの形成を抑制して、調理品にもろく砕けやすい性質を与える。
乳化性	油と水は本来溶け合わないが、乳化剤を加え、かく拌すると、エマルションを形成する。

❸ 炭水化物　　　　　エネルギー源になる糖質

炭水化物にはエネルギー源になる糖質と、消化吸収されない繊維とがありますが、調理で変化するのは主に糖質（とくにしょ糖とでんぷん）です。しょ糖に有機物を加えて加熱するとぶどう糖と果糖になります（しょ糖の転化）。果糖はしょ糖よりも強い甘味があります。

●でんぷんの糊化

生のでんぷん（βでんぷんという）は消化できないので、そのままでは食べられませんが、水を加えて加熱すると粘性が高くなり（でんぷんの糊化またはα化）、味と消化が良くなります。αでんぷんをそのまま低温で放置しておくと生の状態に近づいてβでんぷんに戻ります。αでんぷんを急速に乾燥させて水分を15％以下にしておいたものをα化食品といいます。ビスケット、せんべい、即席飯などがその例です。

●かたくり粉

水溶きしたものを加熱すると60℃付近で糊になりはじめ、さらに高温で透明感のある粘度の高い液状になります。ただし、加熱し続けると粘度が低下（ブレイクダウン）します。また、時間が経過すると粘度が弱くなるので短時間の間に提供することが必要です。

❹ 無機質（ミネラル）　　　　水に溶け出して損なわれる

調理で破壊されることはなく、乾燥した野菜を水で戻したり、ゆでたり煮たりした際に水に溶け出すことによって損なわれます。

❺ ビタミン　　　　　　　　損失が起きても気づかない

ビタミンは、種類によっては水に溶けて失われたり、熱、光、酸、アルカリ、酵素作用などによっても失われます。ビタミンA・D・E・K以外は水溶性で調理による損失が大きく、とくに熱、光、酸素に弱いビタミンCは料理全体を通してその50％が失われます。

ビタミンは損失が起きても食品の色や味は落ちないので欠乏症に注意します。

❻ 嗜好成分　　　　　　　　　味、香り、色など

食品の香り、味、色などのおいしさを構成する成分を嗜好成分といいます。

●食品中に含まれる天然の色

❶　クロロフィル…植物体にある緑色の葉緑素。熱に不安定で、加熱によりフェオフィチンという物質に変化し、黄色に変化する。

❷　**アスタキサンチン**…えびやかにに含まれる。加熱前はクラスタシアニンというたんぱく質とアスタキサンチンが結合しているため青灰色をしているが、加熱により結合が分解しアスタキサンチンが表面に出て赤色となる。

●ビタミンの損失

A	脂溶性なので、調理損失は少ない。ただし、光と酸素に弱い。カロテン（ビタミンAの前段階の物質）は脂肪によく溶けるので、炒めるなどして食べると消化吸収が良くなる。
D	ビタミンAと同じで調理損失は少ない。油を使う調理では食品から溶け出る。
B$_1$	アルカリに弱く、重曹を加えて加熱すると損失が大きい。長時間の加熱や水洗いでも損なわれる。酢や食塩には影響されない。高圧釜を使って調理すると損失が少ない。
B$_2$	ビタミンB$_1$と同様アルカリに弱く、とくに紫外線に弱い。煮ると水に30〜50％溶け出るが、煮汁を利用すれば損失はほとんどない。
C	空気中の酸素と加熱によって破壊されやすい。アルカリ性で分解される。焼いたり蒸したりすれば損失は少ないが、ミキサーにかけた野菜や果実は酸化が激しい。
ナイアシン	安定したビタミンで、調理による変化はほとんどない。

●調理理論　1　調理の基本技術

この節のまとめ

- 調理：食品→食物
- 食物の条件：❶安全性、❷栄養性、❸嗜好性
- 調理操作：物理的調理操作、加熱調理操作（乾式加熱、湿式加熱）、化学的調理操作（分解、発酵、凝固）
- 調理の様式：目と舌で楽しむ日本料理、香りを楽しむ西洋料理、味を楽しむ中国料理
- 味の分類：❶化学的な味、❷物理的な味、❸生理的な味、❹心理的な味
- 基礎4味：甘味、酸味、塩味、苦味
- 味の混合（交互）効果：❶対比効果、❷抑制効果、❸相乗効果
- 食品の天然色素：❶クロロフィル（葉緑素）、❷カロテノイド、❸アントシアニン、❹フラボノイド、❺ミオグロビン
- 調理によるたんぱく質の変化：❶凝固、❷溶出、❸酵素でやわらかくなる。
- しょ糖に有機物を加えて加熱➡ぶどう糖と果糖になって甘味が強くなる。
- βでんぷん➡水を加えて加熱➡ αでんぷん➡放置・冷却➡ βでんぷん
- ビタミンは種類により水溶性・脂溶性などの性質があり、熱、光、酸、アルカリ、酵素作用などでも損失する。

2 献立作成

　献立作成は、調理師にとって重要な技術の１つです。献立の意義と作成
の目的を理解すると同時に、食品の特徴や栄養性、衛生性、嗜好性など、
幅広い知識を身につけておきましょう。

出題のポイント

- 献立は食物の３条件（安全性・栄養性・嗜好性）を満たし、なおか
  つ食べる目的や食べる人の健康を考えたものでなくてはならない。
- 栄養バランスのとれた献立を作るためには、食品構成を把握してお
  く必要がある。

 ## 献立 ～「食事計画書」の意義と目的～

　安全性、栄養性、嗜好性という食物の条件を満たすと同時に、食べる人
の健康、年齢、経済などを考えて、さまざまな食品の組み合わせを決める
「食事の計画書」が献立です。これを用紙に書き入れて表にしたものが「献
立表」です。

　献立の種類には、栄養に重点をおく**日常の食事**（家庭用料理、集団給食
など）、嗜好に重点をおく**非日常の食事**（飲食店、行事食）、栄養に重点を
おき嗜好も考える**特別な食事**（病院食、治療食）があります。

❶ 献立作成の条件　　　　　　　　食べる人に合わせる

❶　栄養性…喫食者（食べる人）の
　年齢、性別、健康などに適した栄
　養バランスがとれていること。

●献立の条件

　幼児・小児期：たんぱく質と脂質
　　　　　　　　を組み合わせ、い
　　　　　　　　ろいろな食品を
　　　　　　　　とり入れる。

　少年・青年期：動物性たんぱく質、

カルシウムやビタミンを多くする。

老年期：たんぱく質・脂質は植物性とし、緑黄色野菜を多くとる。

妊娠・授乳中：エネルギー、たんぱく質、ミネラルを多くとる。

❷ **嗜好性**…喫食者の習慣、地方性を考えた味付けで、見た目も美しく変化に富んだものであること。

❸ **経済性**…材料が手に入りやすく、安価で提供できること。

❹ **能率性**…調理にかかる時間、必要な器具、技術などから考えて、実施が可能であること。

❷ 献立作成の手順　　　　まず基本方針を立てる

献立作成は、まず**基本方針**を立てて**食品**を選び、それから**調理の組み合わせ**を考えます。このとき、できるだけ季節感、材料の品質に応じた調理法、余った材料の使い道などを含めて考えるようにします。

❶ 基本方針…食数、喫食者の年齢、性別、生活内容、必要栄養量、費用、調理者の人数と技術、調理に必要な時間と設備

❷ 食品の選定…価格、入手できる時期、保存や取り扱いの方法

❸ 組み合わせ…食品の特性を生かす方法

食品の栄養と分類 ～栄養の偏りを起こさない食品構成～

毎日の献立のなかで栄養的な偏りを起こさないようにするために考えられた、食品のグループ分けを「**食品構成**」といいます。対象や目的によってさまざまに分けられますが、主に以下のようなものがあります。

❶ 食品構成　　　　いろいろなグループ分け

●3色食品群(栄養改善普及会による)……………………………………

❶ **赤のグループ**…血や肉になる食品（たんぱく質など）

❷ **黄のグループ**…力や体温となる食品（炭水化物、脂質など）

❸ **緑のグループ**…体の調子を整える食品（無機質、ビタミン）

●4つの食品群(香川綾氏による)……………………………………

❶ **第1群**…栄養を十分とる（乳・乳製品、卵）

❷ **第2群**…血や肉をつくる（魚介・肉、豆・豆製品）

❸ **第3群**…体の調子を整える（野菜、いも、果物）

207

❹　第4群…**力**や**体温**となる（穀物、砂糖、油脂）

●6つの基礎食品群（厚生労働省による）

❶　1群…**血**や**肉**を作り力を出す（たんぱく質など）

❷　2群…**骨**や**歯**を作り**体の調子**を整える（カルシウムなど）

❸　3群…**皮膚**や**粘膜**を保護し**体の調子**を整える（カロテンなど）

❹　4群…**体の調子**を整える（ビタミンCなど）

❺　5群…**力**を出し**体の調子**を整える（炭水化物など）

❻　6群…**力**を出す（脂肪など）

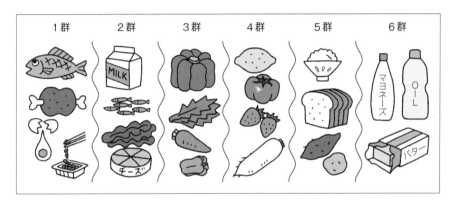

●メニュー構成のありかた

　バランスのとれた食事の基本型は、ごはん・麺・パンなどの**主食**、魚介・肉・卵・大豆製品などのおかずである**主菜**、野菜・いも・海藻・きのこなどのおかずである**副菜**、これらにプラスして、汁・飲み物・果物などのもう一品が基本型です。どれが欠けても多くても、栄養的に過不足が生じます。注意点は、それぞれ一品を原則にする、同じ調理法を重ねない、主材料を重ねないことです。

　また、主力メニュー（利用動機刺激メニュー）、重点メニュー（季節メニュー・おすすめメニュー）、臨時メニュー（イベント企画特別メニュー）、補助的メニュー（軽食・ダイエットメニュー）といったように分類し、状況に合わせて各々のアイテム数を検討してバラエティーに富んだ楽しいメニュー構成をすることも大切です。

❷ 食事摂取基準　　　　　　　　栄養価を計算する

　日本人の食事摂取基準は、身長と体重をもとに算出され、ほぼ5年ごとに改定されます。これはあくまでも基準となるものであり、これとは別に年齢、性別、生活内容別に、エネルギー摂取基準を示したものが個人用に使われます。

●栄養価の計算 …………………………………………………………………

　エネルギー、たんぱく質、脂質について行い、必要ならカルシウム、鉄分、ビタミンなどについても表示します。

　食品の使用量当たりの栄養価の計算をする場合、「日本食品標準成分表2020年版（八訂）」を用いて算出します。

●食事摂取基準の配分 ……………………………………………………………

　❶　単位式献立：1日分の食事摂取基準を、朝、昼、夕それぞれの単位によって配分したもの。副食料を朝：昼：夕＝1：1.5：1.5とするのが一般的な目安。

　❷　簡便方式：1日分の食事摂取基準を朝、昼、夕の主・副食に適宜配分する方式。

この節のまとめ

- 献立：安全性、栄養性、嗜好性、喫食者の健康・年齢・経済などを考えて、さまざまな食品の組み合わせを決める「食事の計画書」
- 献立の種類
  - ❶日常の食事：栄養に重点をおく（家庭用料理、集団給食など）
  - ❷非日常の食事：嗜好に重点をおく（飲食店、行事食など）
  - ❸特別な食事：栄養に重点をおき、嗜好も考える（病院食、治療食など）
- 献立表の内容：料理名、食品名、使用分量、栄養量、価格
- 献立作成の条件：❶栄養性、❷嗜好性、❸経済性、❹能率性
- 食品構成：3色食品群、4つの食品群、6つの基礎食品群など
- アトウォーター係数：たんぱく質1ｇ4kcal、脂質1ｇ9kcal、糖質1ｇ4kcal

Chapter 5 —— 調理理論

3 調理施設と設備

調理設備は、作業の能率を大きく左右するものです。衛生性、安全性とともに調理施設の原則を理解し、設備の特徴をとらえておきましょう。

出題のポイント
- 安全、機能、清潔の３原則は、すべての調理施設に求められることである。
- 構造的には耐火、耐水、耐久が原則である。

調理施設の原則 ～安全で、使いやすく、衛生的～

調理施設は**安全**で、**使いやすく**、**清潔**であることが原則です。この基本的な条件は家庭の台所から大食堂の調理室まですべて同じで、定期的に点検を行う必要があります。

❶ **安全性**…防火設備、消火設備、救急設備などが整っている。

❷ **機能性**…適当な広さで搬入口や食堂などとの連絡が良く、設備の配置が能率的である。

❸ **衛生性**…食品の汚染を防ぐことのできる清潔な場所である。

●調理施設の３要素

調理施設の構造 ～火、水に強く耐久性がある～

調理施設の構造は、❶耐火、❷耐水、❸耐久の原則のほか、以下のようなことが求められます。

採光：窓からの自然光を十分にとり入れる。自然な食物の色を見るために、白熱電球と蛍光灯を併用する。

照明：平均して調理室全体は150ルクス以上、手もとの明るさは300ルクス以上必要（※労働安全衛生法の基準による）。

210

換気、通風：換気扇によってにおいや湯気、煙などの**換気**をよくする。

天井、床、壁：水で洗い流せるような**清掃しやすい構造**にする。

給水、排水設備：**給水設備**は十分な水が供給されること、目的に合った適切な水栓の形と設置場所であること。**排水設備**は除去した食品などが詰まらない構造の流しを使用し、汚物がたまったら定期的に掃除をする。

調理設備：腐りやすい材質、さびやすい性質のものは避ける。

防虫、ネズミ防止：窓に網を張る、室内の穴をふさぐなど、対策を講じる。

広さ：広すぎると動く距離が大きくなって疲れやすく、狭すぎると動きにくくケガが多くなる。**食堂の広さの約3分の1が適当な広さ**とされている。食堂の広さは、**1人当たり1.0㎡**を基準とする。

●調理施設の構造

この節のまとめ

- 調理施設の原則：❶安全性、❷機能性、❸衛生性
- 構造の原則：❶耐火、❷耐水、❸耐久
- 構造に求められること：❶十分な採光、❷照明による平均的な明るさ、❸換気の良さ、❹清掃しやすい造りと材質、❺十分な給水と排水、❻耐久性に優れた設備、❼適切な防虫、ネズミ防止対策

4 集団調理

　ここでは特定給食の定義、普通の食事と異なる点、主な調理器具の名称と使い道、大量調理の技術などについて学びます。

> **出題のポイント**
> ◈特定給食には回数、食数の基準がある。
> ◈特定給食にはさまざまあり、求められるのは栄養だけではない。
> ◈給食用調理器具は大量調理に適したもので一般調理器具とは名称が異なる。

特定給食 ～種類と献立～

❶ 特定給食とは　　特定多数に毎日継続的に供給

　1回100食以上、1日250食以上を特定多数の人々に、毎日継続的に供給する食事を**特定給食**といいます。同じ大量調理でも、飲食店のように不特定の人や大宴会のように1回限りの人を対象にする場合は、特定給食とはいいません。

●**主な特定給食**……………………

❶　学校給食…生徒の心身の健康的な発達と、栄養に対する思想を高める。

❷　産業給食…工場や事業所で従事者の健康を保持、向上させる。

❸　病院給食…食事の面から病気の回復を図るもので、一人ひとりの病状に合わせて献立を作る。

●主な特定給食

学校給食

産業給食

病院給食

❷ 普通食との違い　　　　　いろいろな制約がある

　特定給食を満足できるようなものにするためには、家庭などの小規模な食事の場合よりも、はるかに**調理技術者の役割**が重要となります。制約もともないます。特定給食と普通の食事との違いを考えてみましょう。

●献立

❶ 特定の**栄養量**と**費用**が決められている。

❷ **食品構成**をもとにして献立を決める。

❸ **安全**を重視する。

❹ **献立**を考える人と**調理**する人が別である。

●特定給食施設における栄養管理

栄養士は献立を考える

え〜と
牛肉300gか…

特定給食施設における調理は、栄養指導員または栄養士の栄養指導に従って行われる。したがって献立を考える人と調理する人は別。

●食品の購入・保管

　食品の購入は特定給食における重要な業務です。この良否が給食の内容を大きく左右します。食品購入の原則は、次のとおりです。

❶ 品質の良いものを選んで購入する。

❷ 必要量だけ購入する。

❸ 適正価格で購入する。

●保管・管理

　購入した食品は食品別に分類し、栄養成分の損失や、変敗・腐敗が起きないように、それぞれに適した場所と方法で保管します。**乾湿・衛生・温度・通風換気**などに十分注意します。

●調理理論　④集団調理

213

●調理···
❶ 和・洋・中すべての日常食を提供する必要がある。
❷ 調理にかける時間が決められている。
❸ 毎日違う料理を作らなければならない。
❹ より多くの人に好まれる味付けを工夫する。
❺ 大量に調理する。
●供食···
❶ できたてを提供するのが困難。
❷ 取り扱いの簡単な食器を使う。
❸ 1日3食の給食の場合、勤務体制などの関係で夕食時間が早くなりがち。

 # 特定給食の調理 ～調理に当たっての留意点～

❶ 集団調理の工夫 制約のなかで安全・栄養・嗜好を満たす

特定給食には学校、事業所、病院、施設、寮などいろいろな場があります。調理面でもそれぞれの特色を理解して、**安全性、栄養性、嗜好性**を満たす給食をつくる必要があります。

制約のなかでもできるだけ個人の好みに合わせた量と味で、温かい状態のものを食べてもらうために、以下のようなことが求められます。

❶ 毎日の栄養量や費用の割り当てを変えられるようにする。
❷ 作り置きのできる保管設備や電子レンジなどを活用して、温かい状態で口に入れてもらえるようにする。
❸ いくつかの料理を用意して、種類や分量を選べるようにする。また卓上調味料なども豊富にそろえる。

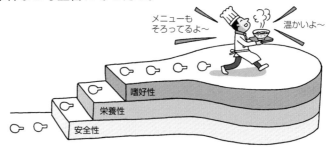

━━━● POINT ●━━━

特定給食での献立作成の工夫

サイクルメニュー：過去の喫食の状況から、人気の献立の調理方法を標準化して、一定のサイクルで用意する。随時新しい献立を追加していく。

選択メニュー：その施設の供給栄養量の基準を満たす献立を2種類以上用意し、喫食者に好きなものを自由に選ばせる。

カフェテリア方式：何種類かの料理のなかから喫食者が好みに応じて自由に選ぶ。あらかじめ盛り付けてある料理を選ぶ方法と、自分で盛り付ける方法がある。

❷ 主な調理器具　　　多様な器具を使い分ける

　日本の特定給食は和・洋・中の3様式が混合しているので、多様な調理器具を目的に応じて使い分けなくてはなりません。したがって給食に従事する調理師には、和食や洋食など特定の専門料理をつくる人とは異なる技術が必要とされます。

●**主な給食用調理器具**‥‥‥‥‥‥‥‥‥‥‥‥‥‥‥‥‥‥‥‥‥‥‥

レンジ（クッキングストーブ）：上に煮焼きができるコンロ、下に蒸し焼きができるオーブンの付いた熱器具

フィッシュブロイラー：魚焼き器

オーブン：肉、パン、菓子用など、蒸し焼きするのに便利な構造の天火

ライスクッカー：炊飯器

熱蔵庫：食品を保温し、また菌の増殖を防ぐための恒温装置を備えたキャビネット

ティルティングパン：浅い槽があり、槽の中でフライ、焼き物、炒め物など大型のフライパンとして使える熱器具

ライスウォッシャー：大量の精白米を水洗いするのに便利な洗米機

ベジタブルカッター：野菜などを大量に切り分ける機械

ディッシュウォッシャー：食器洗浄機

食器消毒保管庫：収納した食器を熱で加熱消毒し、保管する熱器具

コールドテーブル：冷蔵庫の機能と作業台の機能が一体化している器具

ライスタンク：貯米タンク

シンク：食品、器物を水洗いするための槽を付けた流し。使用目的によってさまざまな形態がある

215

❸ 大量調理の注意点　　時間・スペース・労働力の確保

　同じ料理でも、大量に調理したときに家庭などで調理した場合と同じような結果を得るためには、以下のようなことが求められます。

❶　下処理や盛り付け、加熱、冷却などに必要な時間を確保する。

❷　材料やできあがった料理を入れる容器と、それを置くスペースを確保する。

❸　材料の移動や混合などに必要な労働力を確保する。

❹　大量調理による味や見た目、物理的な変化などを考慮に入れて調理する。

これを煮るのは
4時間かかるな

スペースの確保が大切

この節のまとめ

- 特定給食：1回100食以上、1日250食以上を特定多数の人々に、毎日継続的に供給する食事
- 主な特定給食：❶学校給食、❷産業給食、❸病院給食
- 食品の購入の原則：❶良質、❷必要量、❸適正価格
- 集団調理の工夫
　❶毎日の栄養量や費用の1日の割り当てを変えられるようにする。
　❷作り置きのできる保管設備や電子レンジなどを活用して、温かい状態で口に入れてもらえるようにする。
　❸いくつかの料理を用意して、種類や分量を選べるようにする。また、卓上調味料なども豊富にそろえる。
- 大量調理の条件：❶必要な時間の確保、❷容器とスペースの確保、❸労働力の確保、❹味、見た目、物理的な変化などの考慮

216

これだけは覚えよう

1　調理の目的とそれぞれの食品に適した調理法。
2　食品の栄養と調理法によるその変化。
3　食品の特徴や栄養、献立作成、また調理設備や調理器具の目的と名称、その用途。
4　おいしさの要因。食物側の要因と食べる側の要因。
5　味を感じる舌の部位と五味以外の味。
6　味の混合効果。対比効果、抑制効果、相乗効果。
7　色素がもつ特性。クロロフィル、カロテノイド、アントシアニン、フラボノイド、ミオグロビンなど。
8　ビタミンの調理損失。

○×、または正解を選ぶ選択式です。★は普通、★★は重要、★★★は最重要のマーク。

★★ Q001
□ 食肉類や魚介類を焼くという加熱調理では、脂肪が溶け出し、香気成分が発生し味が濃縮され、一層おいしさがます。

解説 たんぱく質が変性、凝固し、肉が収縮し色素が灰褐色に変化する。アミノ・カルボニル反応による香ばしいにおいが生ずる。

★★ Q002
□ 洗浄は、食品についている有害物、汚物、不味成分を除き、清潔で安全にする操作であるが、魚の切り身は、塩を使い洗う。

解説 基本的に魚の切り身を洗うことはない。水洗いするとうま味の流出や身が崩れやすい。魚をおろすときは真水で洗い、食中毒を防ぐ。

★★★ Q003
□ 「面取り」は、口当たりを良くするために使われる。

解説 角張った部分を薄く切り落とす方法を面取りという。面取りをすると、野菜は煮崩れしにくくなる。

★★ Q004
□ ごぼうやじゃがいもを水に浸漬する目的は、褐変を防止することである。

解説 じゃがいもの褐変は酵素の作用により、チロシンというアミノ酸が空気にさらされると、チロシナーゼによりメラニン色素を生ずることによる。ごぼうの変色はポリフェノールの酸化による。水に浸漬することで空気を遮断して褐変は抑えられる。

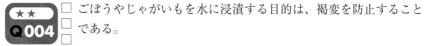
解答　Q001−○、Q002−×、Q003−×、Q004−○

★★ Q005 ☐☐☐ 大豆を水で戻した場合、重量・容量とも約4倍になる。

解説 大豆の水浸時間は、一般的に6～8時間程度で「一晩水に浸けて戻す」と表現される。重量・容量とも約2倍になる（切り干し大根は4倍、きくらげは7.0倍、芽ひじきは8.5倍）。

★★ Q006 ☐☐☐ 加熱調理操作は、水を直接の熱媒体としない乾式加熱と、水を主な熱媒体とする湿式加熱などがある。

解説 焼く、揚げる、炒める、煎るといった調理操作は水を直接の熱媒体としない乾式加熱、煮る、蒸すといった調理操作は水を主な熱媒体とする湿式加熱である。

★★ Q007 ☐☐☐ 食用油は、水に比べて比熱が大きく、温まりやすく冷めにくい。

解説 比熱とは、1g当たりの物質の温度を1℃上げるのに必要な熱量のこと。水の比熱は1、油の比熱は0.5。油は水に比べて比熱が小さいので、温まりやすく冷めやすい。

★★ Q008 ☐☐☐ 炒め物は煮る操作とよく似た特徴をもつ。

解説 加熱中に味付けが可能なこと、材料相互間に成分の移行が起こることなど、煮る操作とよく似た特徴をもつ。

★★★ Q009 ☐☐☐ 天ぷらの衣は、強力粉をぬるま湯でよくかく拌して溶き、時間をおいてから揚げるとカラリと仕上がる。

解説 薄力粉を冷水で軽くかく拌して溶き、時間をおかずに揚げるとカラリと仕上がる。グルテンの形成を抑えることで粘性の少ない衣を作り、揚げた時に衣中の水と油の置換が上手にできるようにする。

★★ Q010 ☐☐☐ 油脂の劣化を防止する方法として、直射日光を当て、紫外線消毒をする方法がある。

解説 油脂の酸化は、光・高温・空気・水分・金属などとの接触により進む。不純物があると酸化は促進されるので、揚げかすをすぐに取り除く、空気にさらさない、日光を当てない、長時間の加熱を避ける、といったことが大切。

★★ Q011 ☐☐☐ 揚げ物を長く続けると油が酸化され、表面には持続性の泡立ちが起こるようになる。

解説 揚げ油は、長く使い続けると、油が酸化し粘度が高くなり持続性の泡立ちが起こる。

解答 Q005－×、Q006－○、Q007－×、Q008－○、Q009－×、Q010－×、Q011－○

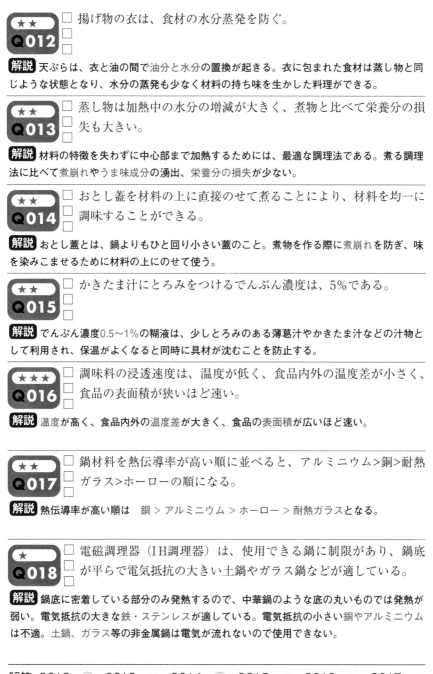

Q012 ★★
☐
☐ 揚げ物の衣は、食材の水分蒸発を防ぐ。
☐

解説 天ぷらは、衣と油の間で油分と水分の置換が起きる。衣に包まれた食材は蒸し物と同じような状態となり、水分の蒸発も少なく材料の持ち味を生かした料理ができる。

Q013 ★★
☐
☐ 蒸し物は加熱中の水分の増減が大きく、煮物と比べて栄養分の損
☐ 失も大きい。

解説 材料の特徴を失わずに中心部まで加熱するためには、最適な調理法である。煮る調理法に比べて煮崩れやうま味成分の湧出、栄養分の損失が少ない。

Q014 ★★
☐
☐ おとし蓋を材料の上に直接のせて煮ることにより、材料を均一に
☐ 調味することができる。

解説 おとし蓋とは、鍋よりもひと回り小さい蓋のこと。煮物を作る際に煮崩れを防ぎ、味を染みこませるために材料の上にのせて使う。

Q015 ★★
☐
☐ かきたま汁にとろみをつけるでんぷん濃度は、5%である。
☐

解説 でんぷん濃度0.5～1%の糊液は、少しとろみのある薄葛汁やかきたま汁などの汁物として利用され、保温がよくなると同時に具材が沈むことを防止する。

Q016 ★★★
☐
☐ 調味料の浸透速度は、温度が低く、食品内外の温度差が小さく、
☐ 食品の表面積が狭いほど速い。

解説 温度が高く、食品内外の温度差が大きく、食品の表面積が広いほど速い。

Q017 ★★
☐
☐ 鍋材料を熱伝導率が高い順に並べると、アルミニウム>銅>耐熱
☐ ガラス>ホーローの順になる。

解説 熱伝導率が高い順は　銅 > アルミニウム > ホーロー > 耐熱ガラスとなる。

Q018 ★
☐
☐ 電磁調理器（IH調理器）は、使用できる鍋に制限があり、鍋底
☐ が平らで電気抵抗の大きい土鍋やガラス鍋などが適している。

解説 鍋底に密着している部分のみ発熱するので、中華鍋のような底の丸いものでは発熱が弱い。電気抵抗の大きな鉄・ステンレスが適している。電気抵抗の小さい銅やアルミニウムは不適。土鍋、ガラス等の非金属鍋は電気が流れないので使用できない。

解答　Q012－○、Q013－×、Q014－○、Q015－×、Q016－×、Q017－×、Q018－×

★★ Q019
□ 電子レンジはマイクロ波（極超短波）を食品に照射し、そのエネ
□ ルギーが食品中で熱に変わり、非常に速い速度で発熱が起こる原
□ 理を利用している。

解説 マイクロ波が食品内部の水分を細かく振動させ、その摩擦熱で食品の温度を上昇させる。食品内部の発熱のため熱効率がよい。アルミホイルや金属製の容器は、マイクロ波を反射するので使用できない。

★★★ Q020
□ 大量調理施設衛生管理マニュアルでは、調理室内の温度は30℃以
□ 下、湿度は60％以上が望ましいとしている。
□

解説 調理室内の温度25℃以下、湿度80％以下に保つことが望ましい。

★★★ Q021
□ 食品と、その食品が含む主なうま味成分の組み合わせとして、誤
□ っているものを選びなさい。
□ （1）あさり・・・コハク酸
（2）玉露・・・・テアニン
（3）干ししいたけ・・・グアニル酸
（4）こんぶ・・・イノシン酸

解説 イノシン酸はかつお節や肉類などに含まれているうま味成分。こんぶはグルタミン酸。

★★ Q022
□ クロロフィルは、野菜に含まれる赤色の水溶性色素で、光、酸や
□ 加熱により退色する。

解説 クロロフィルは野菜に含まれる緑色の脂溶性色素で、光や酸により退色し、黄褐色になる。

★★ Q023
□ なすの漬物にミョウバンを入れるのは、アントシアニンが金属イ
□ オンと反応して安定した褐色になるためである。
□

解説 ミョウバンのもつアルミニウムとアントシアニンが結合して安定し、色が鮮やかとなる。

★★ Q024
□ 牛乳に含まれるホエイは、酸を加えると固まり、ヨーグルトは、
□ 乳酸発酵によりホエイを凝固させたものである。
□

解説 ホエイは牛乳からカゼインと乳脂肪を取り除いたもの。乳酸菌が乳酸を生産することによって牛乳が酸性となり、カゼインが凝固したものがヨーグルト。

★★ Q025
□ 炊飯の水加減は、重量で米の1.1～1.2倍、容量で米の1.4～1.5倍で
□ ある。
□

解説 重量の1.4～1.5倍、容量の1.1～1.2倍　炊き上がった飯は米の重量の約2.2倍となる。

解答　Q019－○、Q020－×、Q021－（4）、Q022－×、Q023－×、
　　　Q024－×、Q025－×、

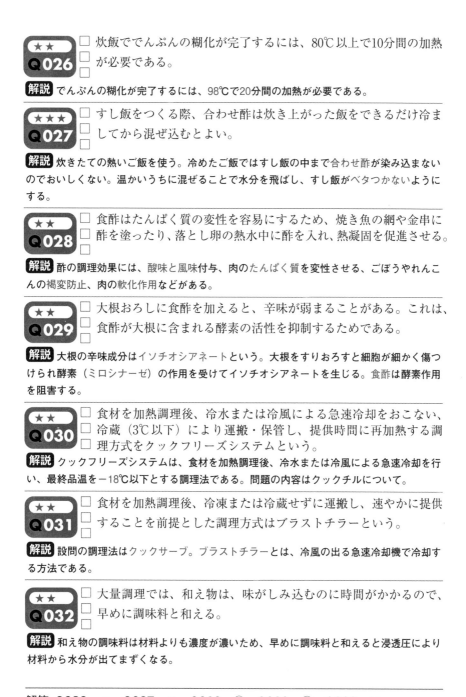

★★ Q026 □□□ 炊飯ででんぷんの糊化が完了するには、80℃以上で10分間の加熱が必要である。

解説 でんぷんの糊化が完了するには、98℃で20分間の加熱が必要である。

★★★ Q027 □□□ すし飯をつくる際、合わせ酢は炊き上がった飯をできるだけ冷ましてから混ぜ込むとよい。

解説 炊きたての熱いご飯を使う。冷めたご飯ではすし飯の中まで合わせ酢が染み込まないのでおいしくない。温かいうちに混ぜることで水分を飛ばし、すし飯がベタつかないようにする。

★★ Q028 □□□ 食酢はたんぱく質の変性を容易にするため、焼き魚の網や金串に酢を塗ったり、落とし卵の熱水中に酢を入れ、熱凝固を促進させる。

解説 酢の調理効果には、酸味と風味付与、肉のたんぱく質を変性させる、ごぼうやれんこんの褐変防止、肉の軟化作用などがある。

★★ Q029 □□□ 大根おろしに食酢を加えると、辛味が弱まることがある。これは、食酢が大根に含まれる酵素の活性を抑制するためである。

解説 大根の辛味成分はイソチオシアネートという。大根をすりおろすと細胞が細かく傷つけられ酵素（ミロシナーゼ）の作用を受けてイソチオシアネートを生じる。食酢は酵素作用を阻害する。

★★ Q030 □□□ 食材を加熱調理後、冷水または冷風による急速冷却をおこない、冷蔵（3℃以下）により運搬・保管し、提供時間に再加熱する調理方式をクックフリーズシステムという。

解説 クックフリーズシステムは、食材を加熱調理後、冷水または冷風による急速冷却を行い、最終品温を−18℃以下とする調理法である。問題の内容はクックチルについて。

★★ Q031 □□□ 食材を加熱調理後、冷凍または冷蔵せずに運搬し、速やかに提供することを前提とした調理方式はブラストチラーという。

解説 設問の調理法はクックサーブ。ブラストチラーとは、冷風の出る急速冷却機で冷却する方法である。

★★ Q032 □□□ 大量調理では、和え物は、味がしみ込むのに時間がかかるので、早めに調味料と和える。

解説 和え物の調味料は材料よりも濃度が濃いため、早めに調味料と和えると浸透圧により材料から水分が出てまずくなる。

解答　Q026−×、Q027−×、Q028−○、Q029−○、Q030−×、
　　　Q031−×、Q032−×

調理理論 ……… 一問一答式問題

★★ Q033 □ じゃがいもを牛乳で煮たものは、水煮したものより硬くなる。
□
□

解説 牛乳の中に含まれるカルシウムが、じゃがいものペクチンと結びつくため、ペクチンが溶けにくくなり硬くなる。煮崩れを防ぐことができる。

★★★ Q034 □ さつまいもを加熱した際に、でんぷんを分解する働きのある酵素
□ として、ポリフェノールオキシダーゼがある。
□

解説 さつまいもは、緩やかに加熱することで、でんぷんを分解する酵素・アミラーゼが働く時間が長くなり、甘味が増す。

★ Q035 □ 肉とパイナップルを合わせた調理は、缶詰加工品を用いても肉が
□ 軟化する。
□

解説 パイナップルにはたんぱく質を分解するプロテアーゼが含まれているが、缶詰は加熱殺菌されており、酵素は働かないので、その効果はない。

★★ Q036 □ 卵を長時間茹でると、卵黄のたんぱく質から発生したイオウ分（硫
□ 化水素）が卵白中の鉄分と結びつき、茶色く変色する。
□

解説 卵を長時間茹でると、卵白のたんぱく質から発生したイオウ分（硫化水素）が卵黄中の鉄分と結びつき、青黒く変色する。

★★ Q037 □ 卵白は75℃で完全にかたく凝固する。
□
□

解説 57～58℃で凝固し始め、65℃では流動性を失い始め、80℃で完全に凝固する。

★★ Q038 □ 次の記述の（　　　）に入る語句の組み合わせとして、正しいも
□ のを1つ選びなさい。
□ （　ア　）は紅藻が原料なのに対し、（　イ　）は牛や豚の骨や皮などが原料であるため、キウイフルーツのアクチニジンのように（　ウ　）を含む果物を生で加えると固まりにくくなる。

	ア	イ	ウ
(1)	寒天	カラギーナン	たんぱく質分解酵素
(2)	ペクチン	ゼラチン	酸化還元酵素
(3)	ペクチン	カラギーナン	酸化還元酵素
(4)	寒天	ゼラチン	たんぱく質分解酵素

解説 カラギーナンはゲル化剤として最も使用されている多糖類の1つ。

解答　Q033－○、Q034－×、Q035－×、Q036－×、Q037－×、Q038－（4）

Chapter 6
食文化概論

この章で学ぶこと

◆「食文化」とは何なのか、言葉の定義から理解していきます。

◆食文化の多様性を、主食の違い、食物禁忌、生活のなかの「ケ」と「ハレ」といった面からとらえていきます。

◆日本の料理人と調理師の歴史を、大和朝廷時代にまでさかのぼって学習していきます。

◆調理師の責務では、調理師に求められる社会的な役割について学習していきます。

◆日本の食文化の歴史では、先史時代から現代まで、各時代の食文化の特徴を学習していきます。

◆世界の食文化では、とくに日本の食文化に影響を与えている西洋料理と中国料理について、特徴を比較しながら学習していきます。

◆技術発達にともなう調理技術の移り変わりと、未来について考えていきます。

◆和食がユネスコの無形文化遺産に登録された理由について理解しておきましょう。

① 食文化と調理技術の発展

　「食文化」、この一見わかりやすそうな言葉を、明確に説明するとなると意外に難しいことに気がつきます。ここでは、食文化の定義はもちろん、その担い手である調理師の歴史や責務についても学習します。

食文化の意義 〜その定義の多様性〜

❶ 文化の定義　　　　　　　　　　　食文化とは

　食文化とは、食にまつわる文化という概念であり、地域社会や民族が育んできた、食べるという一連の営み（食材の確保や調理、食器づくりや食事作法など）や、そこに生まれた慣習や伝統、精神的価値観（民族や国家、宗教や風俗など）など、長い年月をかけて築いてきた食の文化を総称しています。

❷ 食文化と調理　　　　　　　　　　加工と調理

　すべての生物は人間を頂点とする食物連鎖の中に組み込まれていますが、

人間だけが地上のあらゆる動植物を加工・調理し栄養源として摂取しています。加工・調理は人間のみが行う食文化を代表する行為であり、特に「道具の使用」「火の使用」「食物の味つけ」はその象徴といえます。

○加工とは、原材料に何か手を加えて原材料の形を変化させたり、性質を変えたりすること。

○調理とは、加工のうちで、原材料が食品であり、それを人が食べられるようにすること、また食べやすく、おいしくすること。

●調理と文化の関係

食料 ─ 保存・加工 ─── 調理 ─── 盛り付け・配膳 ─ 食事

食事関係　　　　　　　食卓構成

技術　　　　　　文化

❸ 食文化の多様性　　　　主食の代表は米と小麦

●**主食の違いから見た多様性**……………………………………………

　世界の主食としては、その代表に**米**と**小麦**があげられます。その米と小麦の調理特性から、自然風土と環境によってさまざまな食文化が生まれてきました。そして米と小麦の調理特性の違いが大きく関わって、それは**米食文化圏**と**小麦食文化圏**を形成し、それぞれ独自の食文化の伝承と広がりをもっています。また、主食となるその他の作物には、大麦、とうもろこし、いも類などがあります。

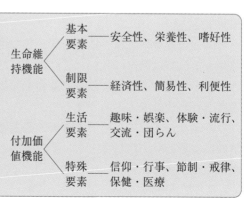

CHECK!

食事の機能　生きるための生命維持機能と、それを土台とした付加価値機能の２つに分けられる。生命維持機能のなかには、日々の食事のなかで満たされる基本要素と、調理の際の条件としての制限要素があり、付加価値機能のなかには、日常の楽しみとしての生活要素と、非日常を含めた特殊要素がある。

生命維持機能	基本要素	安全性、栄養性、嗜好性
	制限要素	経済性、簡易性、利便性
付加価値機能	生活要素	趣味・娯楽、体験・流行、交流・団らん
	特殊要素	信仰・行事、節制・戒律、保健・医療

●米と小麦の特性比較

特　性	米	小　麦
植生環境	高温多湿の地域	冷涼乾燥の地域（春小麦）
穀粒構造	外皮がもろく、胚乳部が硬い	外皮が硬く、胚乳部がもろい
利用形態	外皮を除いて粒食	外皮を除いて粉食（こねて食物とする）
調味の必要性	飯はほとんど調味をしない	パン・めん等は調味して食用
味の取り合わせ	ほとんどの料理と合う	主に西洋料理と合う
物理的特性	でんぷんによる粘弾性がある（加熱）	たんぱく質グルテンの粘弾性がある（生）
たんぱく質	良質（量が少ない）	たんぱく価が低い（強力粉は量が多い）

●食肉と魚介類の調理特性の比較

調理特性	食　肉	魚介類
筋肉線維の構造	線維は長い。切って食べる	線維は短い。切る必要はない
死後硬直と軟化	緩慢に進行。食べごろがある	急速に進行。鮮度が重要で早く食べる
調味の必要性	スパイス、ソースなどで調味する必要あり	必ずしも必要ない
加熱の必要性	ほとんどは加熱が必要	鮮度の良いもののみ生食、他は加熱が必要
調理法の特徴	加熱、ソース中心の料理	素材を生かす料理

●世界の三大食法

食法	地　域	人　口
手食文化圏	東南アジア・中近東・アフリカ	24億人
箸食文化圏	中国・朝鮮半島・日本・台湾・ベトナム （箸とスプーンを併用しているところが多いが、 日本では箸のみ）	18億人
ナイフ、フォーク、スプーン文化圏	ヨーロッパ・南北アメリカ・ロシア	18億人

●食物禁忌

　日本での食物禁忌は、**仏教**が伝来して以来その影響を受け、明治の文明開化まで公には肉食は行われませんでした。また禁忌のなかには、健康上の理由から陰陽・温冷に分けて調和を図ることや、食物の経験的相性による食べ合わせの戒めもありました。

　このような人間の生理的・栄養的要素とは関係のない宗教的禁忌や民俗信仰による経験的禁忌なども、他の動物とは異なる人類の食文化の多様性の1つといえます。

●宗教による食物禁忌

	ユダヤ教	イスラム教	ヒンズー教
食用可	●ひづめが割れた反芻動物（はんすう）牛・羊・鹿など ●うろことひれのある魚	●教徒自身が殺した動物	●殺生によらない動物・植物 ●乳製品
食用不可	●豚肉、ラクダ肉、血液 ●肉と乳の共食 ●かも、はと、鶏を除く鳥類	●豚肉 ●死んだ獣の肉 ●血液 ●アルコール類	●牛肉 ●殺生による動物の肉

●生活のなかの「ケ」と「ハレ」………………………………………

　われわれの食事には、日常の食事と行事などの特別な日の食事とがあります。民俗学では、それぞれを「ケ（ふだん）」の日と「ハレ（あらたまった）」の日と区別して考えます。「ハレ」の食事は、仕事や人生の節目に共に神に祈ったり、祈願したりするもので、「神人共食（じんにんきょうしょく）」に端を発しています。

●伝統的な「ハレ」のめでたい食品例

行　事	主なめでたい食品
正月	鏡餅、雑煮、屠蘇、おせち料理
人日（じんじつ）　1月7日	七草がゆ
上巳（じょうし）　3月3日	蛤の吸い物、菱餅、ひなあられ、白酒
端午（たんご）　　5月5日	ちまき、柏餅、菖蒲酒
七夕（しちせき）　7月7日	そうめん、冷麦
重陽（ちょうよう）9月9日	菊酒、栗ご飯（栗の節句ともいわれている）

○五節句は、人日・上巳・端午・七夕・重陽の5つ。

○春の七草は、せり・なずな・ごぎょう・はこべら・ほとけのざ・すずな・すずしろ。

○日本のおもな行事食は、節分の福豆（大豆を炒った物）、いわし、恵方巻き、冬至のかぼちゃ、小豆がゆなど。

🔍 食文化と調理技術 ～調理の起源と調理師～

❶ 食文化の成立用件　道具の使用・火の使用・味付け

　人間は、加工・調理によって自然の食品にさまざまな処理を施し、食物の範囲を大幅に広げることができました。そのなかでも、とくに人類の食文化を象徴しているのは、❶道具の使用、❷火の使用、❸食物の味付け、という3点があげられます。これらは実用的な必要性から始まり、やがて

227

文化の領域に入ってきたばかりでなく、人間社会の形成や食習慣にも大きな影響を与えてきました。

❶ **道具の使用**……包丁さばきの文化
❷ **火の使用**………加熱、人間社会の成立（穀類・豆類の利用）
❸ **食物の味付け**…味付け、食習慣（調味料の役割と過剰摂取）

　これらは、農業・牧畜を基盤とする人間社会の成立を促し、あらゆる生活文化の出発点となりました。

　一方で、調理は食文化を創造して伝播するという歴史のなかで、人間が動物として備えていた「**安全・栄養・嗜好**」という食物の基本的条件を、自ら判断する能力を失いつつあります。それは、栄養要求と嗜好要求のずれを生み、食べたいものが体に良いものという理想から遠く離れてしまったといえます。したがって人間は、それらのずれからくるギャップを、知識による食事計画によって埋める必要を余儀なくされています。

❷ 献立と食味　　　　味を含めた総合的な評価

●献立

　食物の組み合わせ計画（献立）を考える際には、食べる人の状況や個々の食事の目的、性格に合った食事計画や調理方法を選択しなければなりません。そのためには、栄養・食品・調理に関する基礎的知識に加え、料理技術の科学的研究と、食に関する生活文化の視点が必要になってきます。

　後述する日本の食文化の歴史を見ると、日本は和・洋・中の折衷型の食文化を生み出し今日にいたっていることがわかります。しかし、日本人の食事意識はあまり変わらず、**主食**と**副食**（**主菜**と**副菜**）の「定食パターン」で構成され、そのなかに洋・中の料理が取り込まれていることがわかります。

●食味（食事のおいしさ）

　食物の味は、調理によって最終的に完成しますが、食事全体のおいしさ（食味）となると、味以外にもさまざまな要因が含まれてきます。

　また、食味の要因が食の流れのなかでどのように関わっているかは、次ページの図のとおりです。

　調理操作段階では、加熱・非加熱処理による変化に重点があり、これらは万国共通のものです。これに対し、食卓構成は、地域によってそれぞれの生活文化面からの価値観に依存しているといってもよいくらい多様にあります。

●食味の形成要因

食味
- 化学的要因—甘、酸、塩、苦、旨、辛、渋など呈味物質（味覚を生じさせる物質）の刺激
- 物理的要因—温度、触感、粘弾感、テクスチャー（質感）など物理的刺激
- 生理的要因—空腹感、渇感、疲労感、健康状態などの生理的条件
- 心理的要因—外観、形状、色彩、香り、連想、環境など心理的条件
- その他の要因—気候、風土、歴史、宗教、食習慣、生活文化など

●食の流れと食味形成要因の関係

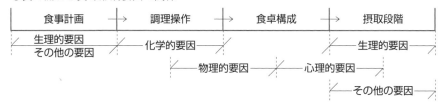

❸ 調理師と食文化　　　　調理師の起源とその責務

●調理教育と調理師制度‥‥‥‥‥‥‥‥‥‥‥‥‥‥‥‥‥‥‥‥‥‥‥‥‥‥‥

　調理を職業とする専門料理人が増加したのは、江戸時代に入ってからのことです。本膳料理・会席料理などほぼ現在の形が完成し、江戸や大坂などの都市には料亭も増えて、人々は豪華な料理を楽しむようになりました。

　しかし、料理人が独立した職業として「部屋」に所属し、料理店の求めに応じて派遣されるようになったのは、明治時代以降でした。

　明治以降、西洋文明の導入とともに、南蛮料埋とは異なる近代的な西洋料理が伝来して急速に普及し、西洋料理人（コック）を志す者も増え、大正時代には国内各地の著名なレストランやホテルの厨房には、必ずコックが置かれるようになりました。彼等は日本語で「司厨士」と呼ばれていました。

　司厨士の集まりが発展して、1925年に日本司厨士協同会が発足しました。そして時代の要請とともに集団調理の重要性が認識されてくると、料理人とは異なった角度からの料理技術が求められるようになり、それを裏付けるための公的身分制度が1958年の「調理師法」の制定によって確立されました。ここに国家資格としての「調理師」の名称が与えられて今日にいたっています。

●調理師の社会的責任‥‥‥‥‥‥‥‥‥‥‥‥‥‥‥‥‥‥‥‥‥‥‥‥‥‥‥‥

❶　国民の保健衛生上重要な役割をもつ専門技術者であることを自覚し、誇りをもって職務に従事する。

❷　調理師の資格は専門職としての出発点にすぎないことを理解し、調理

229

技術の向上のための訓練・努力を怠らない。

❸ 調理師は食文化のリーダーであり担い手であり、国民の健康を支える
食生活を文化的側面からもより豊かにしていく役割が期待される。

食の外部化率の高まりとともに、調理師の働きと責務はその重要度を増
しています。
以下は、給食・外食の食生活における役割を具体的にまとめたものです。

●給食・外食の果たす役割

役　割	その具体的内容
①健康管理	安全な食事の提供…喫食者への義務 健康保持と増進……継続する日常食の栄養管理
②食生活	食生活の多様化……食生活の充実 食生活の簡便化……献立計画から片付けまで喫食者に代わって代行
③食物教育	食物嗜好の育成……新しい味の体験による味覚訓練と発達 調理技術の教育……新しい料理法と調理技術の普及 食生活情報の伝達…食物への知識や食習慣の伝達
④生活文化	文化の創造と伝承…伝統料理の継承と不特定多数者への伝播 生活空間の構築……慶弔や儀式、その他の交流の場などの演出 未来食の開発………未来志向の新料理探究

●調理師の業務内容と心得

調理師の業務内容……調理師は、「おいしい料理を作る」というだけでは
なく、食品学・栄養学の知識、及び衛生知識をもとにして、**栄養性・安全
性・嗜好性**を追求し、相応の料理を作ることを仕事としています。したが
って、医師や栄養士と同じように科学的知識を基礎においた調理理論と技
術を高め、不特定多数の人の健康の増進と食文化の発展にも寄与していま
す。
以下は、その主な業務内容です。

❶ 調理の準備、及び材料の仕込み
❷ 献立計画に基づいた調理

❸　調理品の盛り付け、及び配膳

❹　食品の貯蔵管理、受け払い

❺　調理設備・厨房設備の管理

❻　食器の管理

❼　調理室の衛生保持、清潔保持

❽　調理場内の塵芥汚物の処理

❾　合理的な調理方法の研究

調理師の業務上の心得……調理師は「外食」を担っています。栄養性・嗜好性を追求していますが、なかでも忘れてならないのは「食の衛生上の安全性」です。とくに、国際化が進むなかでの食中毒や食品添加物等には留意しなければなりません。

　以下は、その主な業務心得です。

❶　調理についての知識と技術習得の努力

❷　調理の改善発達への努力

❸　科学的根拠のない調理の回避

❹　自己の健康管理、及び衛生管理

●食文化概論⋯⋯ 1 食文化と調理技術の発展

この節のまとめ

- 食文化：食物摂取に関する文化のことで、「食生活文化」ともいう。
- 主食の違いにより、米食文化圏と、小麦食文化圏の2つに分けることができる。
- 人類の食文化の象徴：①道具の使用、②火の使用、③食物の味付け
- 調理師：1958年「調理師法」の制定により、公的身分が確立された。
- 調理師の責務：①保健衛生上にも十分な配慮が必要、②訓練、努力を怠らない、③文化的側面からも食生活を豊かにしていく役割が期待される

2 日本と世界の食文化

　ここでは、日本の食文化の歴史と世界の食文化、とくに日本の食文化に影響を与えている西洋・中国料理を中心に学んでいきます。また、それにともなう調理技術の変容と食文化の未来についても学びます。

> **出題のポイント**
>
> 🔖 日本食文化の歴史の、各時代の特徴。
> 🔖 西洋料理・中国料理といっても、それぞれ地域は広範囲にわたり、両料理とも各地域ごとに特徴がある。
> 🔖 調理技術の変容と、食文化の未来について。

🍳 日本の食文化の歴史 ～その起源と時代性～

❶ 先史時代の調理と火の使用　　　自然採集生活

　有史以前の人類は、基本的には**自然採集**（狩猟・漁撈（ぎょろう）・植物採集）生活を行っていました。石器を用いることはあっても、まだ土器をもっておらず、調理は食べ物を水で洗ったり、石で割るところから始まったと考えられています。数十万年前の**北京原人**の時代にはすでに火が使用され、また直火焼きだけでなく、熱い焼石で動物を蒸し焼きにする**石蒸し料理**を始めていたともいわれています。やがて**土器**が現れ、穀類や豆類のような細かい食物を煮たり焼いたりという**加熱調理**ができるようになりました。この時代を考古学では**新石器時代**といい、日本では**縄文時代**に相当します。

❷ 縄文・弥生・大和（古墳）時代　調理の発展と中国伝来文化

●縄文時代の食文化

　縄文時代は自然採集の時代であり、獣鳥肉・魚介などを食料としていました。石器のほかに縄目文様のある**縄文式土器**も出現し、**焼く・煎る・煮**（い）るなどの加熱調理を行っていました。この時代の**植物食**と**魚介食**の伝統が、日本料理の基盤となったといわれています。

232

●弥生時代の食文化

　縄文後期から弥生時代以降の食生活は、自然採集とともに水稲耕作が行われるようになり、より安定した農業生産を中心にしたものへと変わっていきました。穀物は縄文式土器よりも薄く硬い弥生式土器で煮て食されるようになり、それなりの料理が工夫されていきました。主食と副食が分離した米依存型食生活が形成され、日本料理の性格が方向付けられました。

　また弥生時代には、中国や朝鮮から青銅器や鉄器が伝来し、土器のほかにも木器も作られています。

●大和（古墳）時代の食文化

　この時代は農耕生産が盛んに行われ、共同体から小国家が生まれ、豪族が競って大きな墓を築いたことから古墳時代と呼ばれます。やがて各地の豪族が統合されて、大和朝廷が国内を統一していったとされています。

【この時代の特徴】

❶蒸し米や魚介のなれずしなどの伝来。

❷上層階級は米を主食とし、魚介を副食とした。

❸古墳内には炊飯具や魚介入りの蓋杯が発見されている。

❹古代の代表的な副食は生鮮魚介。

❺料理人は官職を得て重用されていた。

❻飛鳥時代以降には、須恵器の陶器も作られた。

❼木製器・銅椀・銅盤が伝来した。上流階級ではガラス器を使用。

❽甘酒・濁酒・穀醤・肉醤・草醤が出現した。

❾米のほかに、麦・あわ・ひえなどが作られた。

❿穀類の食べ方は、干し飯・粥・雑炊など。

❸ 奈良・平安時代の食文化　唐風食模倣と日本料理の源流

　この時代には、遣隋使や遣唐使を通じて中国との交流が盛んになり、国全体が中国文化を模倣した時代でした。日本の食文化にもその影響が強く表れ、唐風食模倣時代ともいわれます。しかし、平安時代中期の遣唐使の廃止とともに国風文化の開花を見、食文化にも日本独自の貴族料理が生まれ、それが現代にも続く日本料理の源流となりました。

●食文化概論…2 日本と世界の食文化

233

【この時代の特徴】

❶大陸の食物が多く伝来。

❷貴族は漆器・青銅器・ガラス器を使用し、庶民は土師器・須恵器・木製器を使用。

❸食器の形は、盤・杯が現れ、箸も使用。

❹今のみそ・しょうゆのもととなるものが伝来。

❺仏教の影響による肉食禁止令。

❻乳製品として蘇（酥）や酪、さらに醍醐といったものが作られた。

❼古いしきたりを重視した「大饗料理」が発達した。

❽大饗料理は、料理を形式化し、色・形・盛り付けの美しさを重視した貴族料理で、現代にまで続く日本料理の原型となった。

❾獣肉の禁忌は貴族社会のみ。

❹ 鎌倉・室町・安土桃山時代の食文化　簡素ながらも合理的な食事

　鎌倉時代から室町時代にかけては、武士社会の到来とともに、料理においても、貴族だけのものではない和食が発達しました。それまでの貴族社会の形式にとらわれない、簡素ながらも合理的な食生活が発達しました。

【この時代の特徴】

❶禅宗の影響が大で、動物性食品と五葷（にんにく・葱などの薬味）を禁じ、日本独自の精進料理が生まれた。

❷僧侶の点心として、饅頭・羊羹・うどん・素麺などが作られた。

❸豆腐・納豆・金山寺みそなどの大豆加工品が生まれた。

❹食事回数は、僧侶が1日3食、庶民は1日2食が一般的。

❺儀式料理を司る宮中有職故実では四条家・高橋家、武家故実では小笠原家・大草家。

❻室町時代に確立した式正料理の一部として、武家の儀式用料理の本膳料理が現れた。

❼本膳料理は、一汁三菜、一汁五菜など、飯・汁・香の物の付いた膳を次々と重ねていく形式。

❽安土桃山時代に、じゃがいも、かぼちゃなどの南米原産の野菜や、パン、南蛮菓子（カステラ、コンペイトウなど）が伝えられた。

234

❺ 江戸時代の食文化　　　　　日本料理の完成

　武家の時代ではありましたが、江戸中期以降になると町人が文化の担い手として台頭した時代であり、それまでの貴族や武家とは異質な一般庶民の自由な食文化となって現れました。

【この時代の特徴】

❶卓袱(しっぽく)料理の誕生。オランダ料理と唐料理とが折衷した料理。

❷中国料理である普茶料理の発達。精進料理の一種。

❸大名屋敷を中心に本膳料理が発達。一汁三菜からの伸縮自在料理。

煮物

❹庶民の間では会席料理が普及し、茶会席料理を茶懐石料理というようになった。

❺江戸に濃口しょうゆが発達し、和製の砂糖・みりん・粕酢(かすず)などの調味料が発達した。

❻握りずし・うなぎ蒲焼き・佃煮などが作られた。

❼西日本の在来料理と異なる関東風の調理法と味付けが生まれた。

❽江戸では料亭だけでなく、町中に一膳飯屋や煮売り屋が現れ、茶飯・豆腐汁・煮しめなどを販売した。

❾江戸末期にはすし・天ぷら・そばなどの屋台が現れた。

❿白米食が進み「江戸患い(わずらい)」という脚気(かっけ)が増えた。

⓫料理書が多数出版され、食生活に関する指南書も現れた。人見必大(ひとみひつだい)『本朝食鑑(ほんちょうしょっかん)』、貝原益軒(かいばらえきけん)『養生訓(ようじょうくん)』など。

❻ 明治時代の食文化　　　文明開化による洋食の導入

　この時代は、開国とともに西欧に追いつこうとする欧風政策がとられた時代でした。それは食文化にも明確に表れ、庶民の生活にも大きな影響を与えました。ただし、日常食的には急速な変化はありませんでした。

【この時代の特徴】

❶明治10年までには、畜肉・乳製品・ビール・パン・洋菓子の生産が始まった。

❷西洋料理店が開業したが、一般の人々が口にするまでにはいたらなかった。

❸それまで禁忌とされていた肉食が解禁され、牛肉料理の「牛なべ」

●食文化概論……② 日本と世界の食文化

235

が普及した。

❹明治16年からの鹿鳴館時代頃までには、西
洋料理に大衆化の兆しが見えた。

❺和洋折衷型料理が生まれ、この時代の終わり
頃には和洋中が一体化した新型の日本料理が
生まれた。

❼ 戦時下と戦後の食文化　　食料難と飽食の時代

　日清戦争から第二次世界大戦までひたすら戦争の道を歩んだ日本は、以
後、久しく経験したことのなかった**食料難**時代を迎えました。1939年には
米穀配給制度が実施され、1945年の終戦時にはついに米1人1日2合1勺
にまで配給が落ち込み、しだいにいもや乾パンなどが代わりに配給されま
した。「日の丸弁当」が奨励され、「雑炊食堂」も開設されました。

【この時代の特徴】

❶都市では麦飯やいも飯が当たり前になる。

❷すいとんやさつまいも・かぼちゃのほかに、いものつるまで食べた。

❸戦後はやみ市が現れ、不正規ルートの食料品が横行した。

❹1947年には、アメリカやユニセフからの救援小麦・ミルクなどに
より、学校給食がコッペパンと脱脂粉乳で再開された。

❺1950年代に入って食料事情が回復し始めた。

❻1955年に自動炊飯器が、1958年に即席ラーメンが発売された。

❼1965年に2ドア冷凍冷蔵庫と電子レンジが発売された。

❽1971年にはマクドナルドが日本に進出し、食の国際化とファスト
フードブームの幕開けとなった。

❽ 日本料理の形式と系譜　　各時代の日本料理

料理形式	生まれた時代	特徴
大饗料理	平安時代	貴族の接待料理
精進料理	鎌倉時代	仏教の戒律に基づく料理
本膳料理	室町時代	武家の礼法から始まり江戸時代に発展
茶懐石料理	安土桃山時代	茶の湯の前に出される軽い食事
袱紗（ふくさ）料理	江戸時代	本膳料理と茶懐石料理の中間・略式本膳料理
普茶料理	江戸時代	中国から日本にもたらされた精進料理
卓袱（しっぽく）料理	江戸時代	中国料理や西洋料理が日本化した宴会料理
会席料理	江戸時代	宴会や会食で用いられる。本膳料理を簡略化

KEY WORD

食習慣 食生活におけるさまざまな習慣は、風土や歴史、思想の影響を受けて長い年月の間に形成され、時の流れとともに消滅あるいは変形していく。最近では、食品生産技術と交通手段や保存・流通技術の発達で、食習慣の地域差も次第になくなってきている。しかし、日本でもいまだ東日本と西日本の食習慣の差が消滅せず残っており、調理師が職業人として料理に携わるとき、このような人々の食習慣による嗜好の差を心得ておく必要がある。

現代の食環境とその未来 〜少子高齢化の到来と食生活の変化〜

❶ 食生活変化の要因　　　　　　家族形態の変化

　わが国は、戦後の食料難時代を経て、1964年に開催された東京オリンピックを境にあらゆる分野が飛躍的に発展して、経済的に豊かになりました。そして、1970年代にはファミリーレストラン、ファストフードなどの外食産業も出現し始め、コールドチェーンなどの流通機構の発展、バイオテクノロジーの進歩などにより、豊富な食材の生産・入手が可能になりました。今日では、私たちの食卓には多くの輸入食材・食品が並び、文字どおり多国籍化している状況にあります。

　食はまさに飽食の時代を迎えているといわれて久しいのですが、一方で、そのような一見豊かな食環境とは裏腹に、さまざまな食に関わる問題が浮上してきていることも事実です。

●食環境の変化

❶　**外食**が増えた……かつては食事は家庭で作り、家族そろって食卓を囲んでいたが、外食が増え、レトルト食品・冷凍食品・そうざいなどの持ち帰り食品での**中食**が増えた。

❷　経済発展とともに、**女性の社会進出**が顕著になった……主婦が仕事をもって社会へ進出することによって、家庭で調理する時間が減少した。

❸　**核家族化・少子化**が進んで小家族になった……結果として、家族全体としての食の量が減少した。さらにそのことが、外食や調理加工食品などの利用度を高めるという悪循環を招いている。

❹　**食料自給率**の低下……食の国際化と政治・経済の国際化とが、食の安全を含めた食料問題として浮上している。なおわが国の食料自給率

は近年40％に満たない（2019〈令和元〉年は約38％）状態が続いている。

❺　食育、スローフード、地産地消、トレーサビリティー……上記の食に関わる状況を顧みて、食とは何かを問う活動が活発化しつつある。

●スローフード

スローフードとは、土地に合った食材のことをいい、さらにはその食材を使った手作りの家庭料理や伝統料理のことも指します。また、これらの食文化を見直そうという運動のことで、1986年に**イタリア**が発祥で世界に広まっています。

日本では古来地域の風土に適した特色ある食材や食文化が育てられ、郷土食や伝統食が食されてきましたが、インスタント食品や冷凍食品などの流通や販売の効率化により国中の食が画一化されています。スローフード運動とは、自分達の食と生活をしっかりと見つめ直し、歴史と文化に裏付けられた、人にやさしい食文化をすすめようという運動です。

●食育

2005年に**食育基本法**が制定されました。その目的は「現在及び生涯にわたる健康で文化的な国民の生活と豊かで活力ある社会の実現に寄与する」というものです。

2016年に食育推進業務は内閣府から農林水産省に移管されました。2021〈令和3〉年に第4次食育推進基本計画が決定され、新たな重点事項として、①生涯を通じた心身の健康を支える食育の推進、②持続可能な食を支える食育の推進、③「新たな日常」やデジタル化に対応した食育の推進が提唱されました。

食育を通じて学べるポイントとして、①食への感謝の気持ちが生まれる、②栄養のバランスを学べる、③食を通して社会性を育む、④食の安全について学ぶ、⑤伝統的な食文化を継承する、の5つがあります。

●地産地消

地域で生産された食材を、その地域で消費することを**地産地消**といいます。生産者の販売形態の多様化を背景に、消費者が生産品を直接購入・販売できる機会を設け、地域の農林水産業と関連産業の活性化をはかるねらいがあります。

●地産地消

② 広がる食の志向　　健康・高級化・簡便化

　1970年代後半から、わが国は飽食の時代といわれるほどに豊かになりましたが、一方で、新たな問題が浮上してきました。本来、食の目的はひたすら栄養を確保することにありましたが、現代では栄養過多や偏った個人的な食習慣からくる生活習慣病などが大きな社会問題になっています。

●現代の食志向

 ●健康志向　　 ●グルメ・高級化志向　　 ●簡便化志向

❶　**健康志向**……豊かであるがために、肥満・高血圧・糖尿病などの生活習慣病を招いた事態を反省する動き。

❷　**グルメ・高級化志向**……1980年代以降、おいしいもの・珍味などを食べ歩いたり、産地・現地から取り寄せたりして楽しむという傾向。

❸　**簡便化志向**……1980年代頃から、持ち帰りそうざいやレトルト食品、冷凍食品などの加工食品が普及。

●内食と中食、外食

❶　**内食**……家庭内の台所で調理された料理を食卓で食べる形態。

❷　**中食**……調理加工食品やそうざいを購入して自宅で食べる形態。

❸　**外食**……文字どおり、家庭の食卓が外へと広がった形態。

　これらの食生活形態は、日常の食事は手軽なインスタント食品や調理加工食品で済ませ、本格的な食事はプロの調理師が料理したものを食べるという高級化・多様化が進んでいることを表しています。

③ 食物の流通経路と安全性　　トレーサビリティー制度

　狂牛病の発生に端を発した食肉に対する国民の不安や不信感、また食品の偽装表示や残留農薬の問題を受けて、**トレーサビリティー制度**が導入されてきました。**トレーサビリティー**とは、追跡可能性という意味で、販売されている食物がどのように生産され、流通してきたかという生産履歴がわかるシステムをいいます。

　現代では、家庭の調理の一部を外食と中食が担うようになり、食材を手に入れるルートも複雑・多様化し、かつてとは異なった様相を呈していま

●食文化概論　[2]日本と世界の食文化

239

す。国内の流通システムもさることながら、国民が消費する多くの食料・食材を海外からの輸入に頼っているという状況も、安全性の面などから不安を与えています。

❹ 食文化の伝承　　和食がユネスコの無形文化遺産に登録

2013年12月4日、和食が「ユネスコの無形文化遺産」に登録されました。（※世界遺産とは異なります）

登録名称「和食：日本人の伝統的な食文化」

＜日本政府が作成した提案書＞

❶　多様で新鮮な食材とその持ち味を尊重

❷　栄養バランスに優れた、健康的な食生活

❸　自然の美しさや季節の移ろいを表現

❹　正月などの年中行事との関わり

食の無形文化遺産は次の3つの機能に重点を置いています。

社会的機能…食は人間関係の媒体としても機能しています。家族の団らんや飲み会・食事会の場で親睦を深めるなど、人は食事を通して人間関係を築いています。

文化的機能…各地の郷土料理や行事・儀式の際に並べられる食事は、自然や歴史、宗教を通して培われた文化の重要な一部です。

教育的機能…食卓は子どもが食べ物に関する知識やマナー、習慣を身につける場でもあり、これらを伝承していくことで食が守り育まれてきた社会や文化そのものを保護し、次の世代へ伝えていくことに価値があります。

和食以外に無形文化遺産に登録されているものには、フランス美食術、伝統的メキシコ料理、トルコの伝統的料理ケシケク、地中海料理と食生活があります。

☕ わが国の食料事情　～国民は何を食べているか～

❶ 減少する食料自給率　　　　　調理師にできること

食料自給率とは、国内で消費される食料について、**国産**でどの程度まか

なわれているかを示す指標です。わが国ではこの数字が年々低下しており、日本人の食生活が輸入された食料に頼る傾向が高まっていることがわかっています。このことは、食料が輸送されるのにかかるエネルギー量（**フード・マイレージ（t·km）＝食料の輸送量（t）×輸送距離（km）**）を増大させ、地球の環境問題にも影響します。

調理師は、旬の食材や安心・安全な食べ物を見分ける力を養っておくと同時に、食料輸入が環境に与える影響や、食料自給率を上げる重要性についても国民が認識するような活躍を期待されています。

❷ わが国の食料自給率 近年の傾向

食料自給率の主な示し方として、国内で消費される食料を基礎的な栄養素であるカロリー（熱量）で換算する**カロリーベース（供給熱量ベース）**のものと、食料の重量を金額で換算する**生産額ベース**のものがあります。

国内で消費する食料を品目ごとに分けて、2023年〈令和5〉の食料自給率を見てみると、国内での自給率（カロリーベース）は約38％となり、約60％の食料を輸入食品に頼っているということになります。また生産額ベースでは約61％の自給率となります。

❸ 食品ロス 売れ残りや食べ残しによるロス

食品ロスとは、本来食べられるのに捨てられている食品（売れ残り、規格外品、返品、食べ残し、賞味期限等による直接廃棄、不可食部分の取りすぎによる過剰除去）のことです。2023〈令和5〉年の推計で食品ロスは472万トンあり、その内訳は食品製造業117万トン、食品卸業10万トン、外食産業60万トン、食品小売業49万トン、家庭系236万トン（食べ残し100万トン・直接廃棄102万トン・過剰除去33万トン）となっています。これを国民1人当たりに換算すると、1日103g（茶碗1杯のごはんに相当）、年間では約38kgとなります。

●食品ロスの削減を目的とした法律

改正食品リサイクル法（2007〈平成19〉年12月）
食品ロス削減推進法（2019〈令和元〉年10月）

●主要食物の重量別自給率（2023〈令和5〉年概算）

品目	自給率（％）	品目	自給率（％）
米	99	豚肉	49
小麦	17	鶏肉	65
大麦	12	鶏卵	96
甘藷 (かんしょ)	97	牛乳・乳製品	63
馬鈴薯 (ばれいしょ)	68	魚介類	52
大豆	7	海藻類	65
野菜	80	砂糖類	25
みかん	102	油脂類	15
りんご	57	きのこ類	89
牛肉	40		

●品目別供給熱量自給率（2023〈令和5〉年概算）

品目	自給率（％）	品目	自給率（％）
米	100	畜産物	17
小麦	18	砂糖類	26
大豆	26	油脂類	4
野菜	76	魚介類	49
果実	29	その他	22

地域ごとの食文化 ～郷土料理と特徴～

　各地域の食文化は、自然風土や歴史などの影響を受けて、時代とともに形成されてきました。ことに、江戸時代の殖産興業政策による食材の品種改良と大量生産が地方色豊かな特産品を生み出し、参勤交代や名勝見物、寺社詣で人や物の行き来や流通が盛んになったことと相まって、地域独特の名物料理が発達しました。

　郷土料理は、以下のように大別することができます。

❶　特産品を材料とするもの
❷　多産あるいは良質の食材を材料とするもの
❸　食材は他産だが独特の料理に作り上げたもの
❹　古くに外国や他地方の影響を受けて成立したもの

●各都道府県の主な郷土料理

北海道	石狩鍋・三平汁・いかめし	京　都	いも棒・さばずし
青　森	じゃっぱ汁・けの汁	兵　庫	明石焼き・たいの浜焼き
秋　田	きりたんぽ・しょっつる鍋	三　重	手こねずし・焼きはまぐり
山　形	納豆汁・芋子汁	奈　良	柿の葉ずし・大和がゆ
岩　手	椀子そば・どんこ汁	大　阪	船場汁・はもきゅう
宮　城	ずんだもち・温麺	和歌山	めはりずし・すずめずし
福　島	がに巻き・しんごろう	鳥　取	ののこ飯・どじょうの呉汁
栃　木	すむつかり・法度汁	島　根	割子そば・すずきの奉書焼き
群　馬	お切り込み・こんにゃくのさしみ	岡　山	祭りずし・ままかりの酢漬け
茨　城	あんこう汁・くこ飯	広　島	うずみ飯・このしろ汁
埼　玉	なまずの天ぷら・いもせんべい	山　口	ちしゃなます・ふぐ料理
千　葉	いわしだんご・なめろう	香　川	讃岐うどん・てっぱい
東　京	深川めし・どじょう鍋	徳　島	でこまわし・たらいうどん
神奈川	いのしし鍋・けんちん汁	高　知	皿鉢料理・ひっつけ
新　潟	さけの酒浸し・わっぱめし	愛　媛	いずみや・いよさつま
富　山	ますずし・ほたるいか料理	福　岡	がめ煮・おきゅうと
石　川	治部煮・かぶらずし	佐　賀	むつごろうかば焼き・がん漬け
福　井	小だいの酢漬け・越前がに料理	長　崎	皿うどん・大村ずし
長　野	おやき・さくら鍋	熊　本	からしれんこん・馬さし
岐　阜	ほお葉みそ・あゆ雑炊	大　分	黄飯・やせうま
山　梨	ほうとう・煮貝	宮　崎	冷汁・湯なます
静　岡	いのしし鍋・わさび漬け	鹿児島	鶏飯・さつま汁
愛　知	みそ煮込みうどん・かしわの引きずり	沖　縄	ゴーヤチャンプルー・ラフテー
滋　賀	ふなずし・もろこ料理		

世界の食文化の比較 ～西洋料理と中国料理の特色～

❶ 世界の食文化の地域性と発展　　食文化圏の成立

　狭い日本においても、北と南、東と西では食生活に違いがあるように、世界全体では風土や時代・文化による多様性が、食文化の多様性となって表れています。

　古くは紀元前3000年頃に始まった世界四大文明発祥の頃から、世界にはそれぞれ特徴ある調理法がありました。それらは大きくは**東洋食系**と**西洋食系**とに分けられますが、同じ東洋食系でも**❶インド❷東南アジア❸中国大陸❹朝鮮半島❺日本列島**というように、地域によってかなり差があります。西洋食系も、**❶地中海沿岸❷ヨーロッパ内陸部❸北欧❹アメリカ大陸**など、それぞれ独自の特徴をもった調理法が発達しています。

　交通手段の未発達な古代においては、産物がその地の食文化の原型を作り、歴史的時間の経過とともに世界のある特定地域を原産とした栽培作物が河川の流域に沿って伝播し、そのルート伝いに世界に分布した結果、各地に伝統的食文化圏が成立しました。

　ただし、15世紀のルネッサンスや新大陸発見以降は、西洋文化の影響で食文化にも世界的交流や変容が起こり、明確な分布を示さなくなりました。

❷ 西洋料理の特色と比較　　西洋料理の共通点と地域差

　現在、西洋料理といわれるものは、**ヨーロッパ・南北アメリカ・オーストラリア・ニュージーランド料理**の総称です。また西洋料理の範囲は地理的にも食文化的にも広く、自然風土によって産物にも料理にも地域差があり、それぞれ特徴ある料理・調理法が発達しています。

　西洋料理に共通する特色は、**獣肉・鳥肉・乳製品・油脂・香辛料**を多く用いること、小麦などによるパンを常食することなどがあげられます。

【主な西洋料理の特色】

　西洋料理の共通材料としては、**獣鳥肉・パン・ケーキ・バター・香辛料・生野菜・多様なソース・乳製品**などがあげられます。また、料理全体としての共通点は、**❶間接加熱❷食器は皿が中心❸デザートが発達❹供食は並列ではなく継時的**であることなどがあげられます。

●西洋各国の料理の特徴・料理や食材

国・地域	特徴	料理や食材
イギリス料理	保守的、合理的、実質的料理	ローストビーフ、プディング、紅茶とビスケットなど
フランス料理	洗練性、豪華、高級宴会料理	一般料理のほかに、カエル、エスカルゴ、フォアグラなど
ドイツ料理	素朴、貯蔵性、栄養性、実質的	じゃがいも、ソーセージ類、ザウアークラウトなど
スペイン料理	地域ごとの郷土料理、東洋風	ガスパチョ、パエリア、ガーリック、サングリアなど
イタリア料理	素材の季節性、地域性	パスタ料理、トマト、オリーブ油、魚介・野菜料理
北欧料理	燻製、マリネ、魚介の加工品	さけ、にしん、スモーガスボード（バイキング料理）など
ロシア料理	農産・水産物、肉類の貯蔵品	ボルシチ、ピロシキ、キャビア、アンチョビーなど
アメリカ料理	移民による地域混合型料理	ビーフステーキ、ハンバーガー、シリアル加工品

❸ 中国料理の特色と比較　　　４つの大きな系統

　中国料理には４つの大きな系統がありますが、その共通する特色としては、❶薬食一如（医食同源）の思想❷油脂と急速加熱❸簡単な調理器具❹主材料は乾物❺味付けを重視❻徹底的な食材の有効利用❼大皿料理❽円卓を囲んでの食事❾多様な発酵食品の利用、などがあげられます。

●中国料理４系統の特色

地域		特徴	主な料理
黄河下流域	北方料理 （北京・山東料理）	小麦粉、油、羊、にんにく、味は濃厚	北京ダック、餃子など
揚子江下流域	東方料理 （上海・江蘇料理）	四季温暖、素材が豊富、米食、魚介類	上海蟹、東坡肉（トンポウロウ）など
亜熱帯海岸地帯	南方料理 （広東・福建料理）	季節性豊か、素材・料理法とも多彩	飲茶中心、酢豚など
揚子江上流域	西方料理 （四川・雲南料理）	冬季厳寒、肉、そ菜、淡水魚、とうがらしなど	マーボー豆腐、ザーサイなど

❹ その他の主なエスニック料理　国際化、多様化する民族料理

　エスニックとは「**民族の**」という意味であり、エスニック料理とは、文字どおり「民族の料理」ということになります。しかし、現代用語的にエスニック料理というときは、より限定された意味で使われていると考えてよいでしょう。たとえば、日本人にとっては、東南アジア、中東、中南米などの料理を指してエスニック料理と認識されていることからもわかることと思います。

　以下は、その主な国の料理と特徴です。

●アジアの料理

国名	特徴	料理
韓国	とうがらし、にんにくを多用	キムチ、プルコギ、ビビンバ、クッパなど
ベトナム	中国、フランスの影響	ゴイクン、チャージョー、フォーなど
タイ	独特の辛さ、酸味、甘味	トムヤムクン、トートマン、グリーンカレーなど
インド	豆やカレーの香辛料	チャパティ、ナン、タンドリーチキン、チャイなど

●中東の料理

国名	特徴	料理
トルコ	子羊肉が基本	シシカバブ、ドルマなど
エジプト	豚肉以外の料理	モロヘイヤスープ、ハマム・マシュイなど

●中南米の料理

国名	特徴	料理
メキシコ	とうがらし、にんにくの辛味	トルティージャ、タコス、エンチラーダなど
ブラジル	多国籍料理	シュラスコ、フェジョアーダ、バタパなど
アルゼンチン	牛肉が中心	エンパナーダ、アサード、マテ茶など

この節のまとめ

- 日本の食文化は、外国の食文化の影響を受け独自の発展を遂げた。
- 外国の食文化も、環境や生活文化によってさまざまな特徴がある。
- わが国の食料自給率はますます減少しつつあり、輸入作物が環境に与える影響なども問題となっている。

これだけは覚えよう

1 食文化の多様性、主食の違い、食物禁忌、生活の中の「ハレ」と「ケ」。

2 日本の料理人と調理の歴史。

3 日本の食文化の歴史、先史時代から現代までの各時代の特徴。

4 都道府県ごとの主な郷土料理。

5 世界の食文化では、日本の食文化に影響を与えた西洋料理と中国料理の特徴。

○×、または正解を選ぶ選択式です。★は普通、★★は重要、★★★は最重要のマーク。

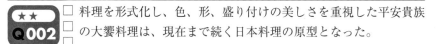

★★ Q001 □□□ 栄養性、嗜好性、柔軟性の3つは、食物の基本的な条件であり、地域や民族を問わず、人類共通である。

解説 食物の基本的条件としては、①安全であること（前提）、②栄養的欲求を満たすこと（目的）、③嗜好的要求に合うこと（動機）の3つ。

★★ Q002 □□□ 料理を形式化し、色、形、盛り付けの美しさを重視した平安貴族の大饗料理は、現在まで続く日本料理の原型となった。

解説 大饗料理は平安時代の貴族社会で定められた接待の形式。

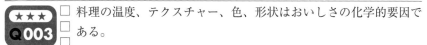

★★★ Q003 □□□ 料理の温度、テクスチャー、色、形状はおいしさの化学的要因である。

解説 設問の内容は物理的要因。化学的要因は、甘味、酸味、塩味、うま味。生理的要因は、空腹感、疲労感、健康状態、加齢。

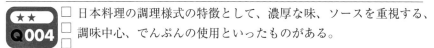

★★ Q004 □□□ 日本料理の調理様式の特徴として、濃厚な味、ソースを重視する、調味中心、でんぷんの使用といったものがある。

解説 日本料理の調理様式の特徴として、素材の持ち味を活かす、生の魚介類、四季の野菜類、旬の食材を大事にするといったものがある。

食文化概論……2 日本と世界の食文化／一問一答式問題

解答 Q001−×、Q002−○、Q003−×、Q004−×

★★ Q005 ☐☐☐ 「食品ロスの削減の推進に関する法律」が制定され、食品ロス削減に努めることとされた。

解説 「食品ロスの削減の推進に関する法律」（略称　食品ロス削減推進法）が2019〈令和元〉年に公布され、食品ロスの削減に関し、国、地方公共団体等の責務を明らかにした。

★★ Q006 ☐☐☐ 日本の食料自給率は、供給熱量自給率で55%を維持している。

解説 2023〈令和5〉年の自給率（カロリーベース）は38%であった。

★★ Q007 ☐☐☐ 次の郷土料理とその内容、地域の組み合わせのうち、誤っているものを1つ選びなさい。

料理名	内容	地域
（1）チャンプルー	豆腐と野菜の炒め物	沖縄県
（2）しょっつる鍋	小麦粉に水を加え1口大にしたものを入れた汁	秋田県
（3）ほうとう	生の幅広うどんと季節の野菜のみそ味煮込み	山梨県
（4）深川飯	あさりのむき身を具とした炊き込みごはん	東京都

解説 しょっつる鍋は秋田に伝わる魚醤・塩魚汁（しょっつる）をだしに、ハタハタを入れた鍋料理。

★★ Q008 ☐☐☐ 魚介類を主材料とする郷土料理として、誤っているものを1つ選びなさい。
（1）石狩鍋（2）ソーキそば（3）深川飯（4）じゃっぱじる

解説 ソーキそばは豚の骨付きあばら肉をトッピングした沖縄そばのこと。じゃっぱじるは青森県津軽地方の郷土料理。「じゃっぱ」とは「捨てるもの」という意味で普通は食べずに捨てる魚のアラを使った汁物。

★★ Q009 ☐☐☐ けんちん汁は石川県の郷土料理である。

解説 けんちん汁の発祥は諸説あるが、中国の精進料理である普茶料理の一種である巻繊（けんちゃん）が日本語になったといわれる。

★★ Q010 ☐☐☐ 米を使う郷土料理として、正しいものを1つ選びなさい。
（1）きりたんぽ　（2）しもつかれ
（3）なめろう　　（4）ほうとう

解説 しもつかれは、鮭の頭と大豆、根菜、酒粕を煮込んだ料理で北関東に分布する。なめろうは、房総半島沿岸が発祥の郷土料理で、魚類とみそ、薬味などを合わせた叩き膾。

解　答　Q005－○、Q006－×、Q007－（2）、Q008－（2）、Q009－×、
　　　　Q010－（1）

★★★ Q011 ☐ 日本人の主食であるジャポニカ種は、丸く短い形で、炊くと粘り
☐ 気がある。
☐

解説 ジャポニカ種はインディカ種に比べてアミロペクチンの比率が高く、炊くと粘り気が
ある。世界の米の生産量はインディカ種が80％を占める。

★★ Q012 ☐ 精進料理は江戸時代に商人の接待料理として生まれた。
☐
☐

解説 鎌倉時代に宋の禅宗の僧の簡素な日常生活から形成された。寺院の檀家制度を通して
一般庶民に広まり、日常の食生活に取り入れられた。

★★ Q013 ☐ フランス料理の特徴は、地方の伝統的な郷土料理が受け継がれ、
☐ パスタにはラザーニャ、ラヴィオリなど100種類以上ある。

解説 フランス料理の特徴は、何百種類ものソースが料理の種類を増やしていることに特徴があ
る。多種のソースが味の多様性を引き出している。ラザーニャ、ラヴィオリはイタリア料理。

★★ Q014 ☐ 国名と、その国の代表的な料理の組み合わせとして、誤っている
☐ ものを1つ選びなさい。
☐ （1）インド ・・・・・ナシゴレン
　（2）スペイン・・・・・パエリア
　（3）メキシコ・・・・・タコス
　（4）タイ 　・・・・・トムヤムクン

解説 ナシゴレンはインドネシアおよびマレーシアの焼きめし料理。

★★ Q015 ☐ クスクスはイタリア発祥の料理である。
☐
☐

解説 モロッコを中心とした北アフリカが発祥の料理で、デュラム小麦粉を原料としたショ
ートパスタである。

★★ Q016 ☐ ドイツ料理には、キャベツの漬物（ザウアークラウト）、塩漬け
☐ の豚の足先（アイスバイン）など、保存性の高い料理が多い。
☐

解説 保存の効く食品が好まれ、肉を燻製して加工したソーセージやハム、塩漬けや酢漬け
料理がある。ザウアークラウトはキャベツを発酵させて作るドイツ料理の定番。

解答 Q011－○、Q012－×、Q013－×、Q014－（1）、Q015－×、
　　　Q016－○

★★ Q017 □ 2013年に「和食・日本人の伝統的な食文化」が、ユネスコ無形文
□ 化遺産に登録された。
□

解説 和食が無形文化遺産に登録された主な理由としては、和食が「日本の伝統的な食文化」として評価されたことと、それを保護することがあげられる。

★★ Q018 □ 江戸時代に長崎で起こった和洋中の折衷した料理様式で、長崎名
□ 物となったものとして、卓袱料理がある。
□

解説 卓袱料理は鎖国時代に長崎で始まった。中国や西洋の料理が日本化したもの。大皿に盛られたコース料理を、円卓に乗せて食事することに特徴がある。

★ Q019 □ 懐石料理と会席料理は同じものである。
□
□

解説 懐石料理は、客にお茶を立ててもてなす前に軽い食事を出す場合の料理。会席料理は、人と人が会う席で、お酒と一緒に楽しむ宴会料理のこと。

★★ Q020 □ 次の（　　）に入る語句として、正しいものを1つ選びなさい。
□ （　　）では、行事食として「ちまき」が食べられることが知ら
□ れている。
（1）春の彼岸　（2）端午の節句　（3）秋の彼岸　（4）冬至

解説 春のお彼岸には牡丹の花に見立てて「ぼた餅」が、秋のお彼岸には萩の花に見立てて「おはぎ」が食される。

★★ Q021 □ 人日の節句の行事食はそうめんである。
□
□

解説 人日の節句とは、1月7日の節句で五節句の一番最初。行事食として七草がゆがある。そうめんは七夕の行事食。

★★ Q022 □ ユダヤ教徒が宗教上食べないとされる食物で、誤っているものを
□ 1つ選びなさい。
□ （1）えび　（2）うなぎ　（3）鶏肉　（4）豚肉

解説 ユダヤ教には、宗教上、食してもよい食品に厳格なルールがある。鶏肉は食べてよい。ウロコのない魚、貝類、えび、かに、たこ、いかは食べてはいけない。他にもたくさんの禁忌がある。

解答　Q017−○、Q018−○、Q019−×、Q020−（2）、Q021−×、
　　　Q022−（3）

さくいん

さくいん

さくいん

●監修者

のりづき　ひかる
法月　光
1948年静岡県生まれ。静岡教育委員会（静岡市役所）、武蔵
野調理師専門学校を経て、現在、華調理製菓専門学校講師。

●編集委員

食品衛生　椎名　　治　薬剤師・元東京都職員・
　　　　　　　　　　　元華調理製菓専門学校講師

公衆衛生　山内　守一　獣医師・元マルハ㈱中央研究所研究員・
　　　　　　　　　　　華調理製菓専門学校講師

栄 養 学　長谷川典男　管理栄養士・
　　　　　　　　　　　元華学園栄養専門学校専任教員

調理理論　土屋　　一　管理栄養士・栄養専門学校専任教員

本文デザイン　遠藤デザイン／ウエイド

本文イラスト　瀬川尚志／大橋健造（図案提供）

編集協力　　　パケット

編集担当　　　野中あずみ（ナツメ出版企画株式会社）

本書に関するお問い合わせは、書名・発行日・該当ページを明記の上、
下記のいずれかの方法にてお送りください。電話でのお問い合わせはお受
けしておりません。
・ナツメ社webサイトの問い合わせフォーム
　https://www.natsume.co.jp/contact
・FAX（03-3291-1305）
・郵送（下記、ナツメ出版企画株式会社宛て）
なお、回答までに日にちをいただく場合があります。正誤のお問い合わせ以
外の書籍内容に関する解説・受験指導は、一切行っておりません。あらか
じめご了承ください。

ナツメ社Webサイト
https://www.natsume.co.jp
書籍の最新情報(正誤情報を含む)は
ナツメ社Webサイトをご覧ください。

　　　　　　まな　　ちょうり し し けん
ひとりで学べる調理師試験

　　　　のりづき　ひかる
監修者　法月　光　　　　　　　Norizuki Hikaru

発行者　田村正隆

発行所　株式会社ナツメ社
　　　　東京都千代田区神田神保町1-52　ナツメ社ビル1F（〒101-0051）
　　　　電話　03(3291)1257（代表）　FAX　03(3291)5761
　　　　振替　00130-1-58661

制　作　ナツメ出版企画株式会社
　　　　東京都千代田区神田神保町1-52　ナツメ社ビル3F（〒101-0051）
　　　　電話　03(3295)3921（代表）

印刷所　株式会社技秀堂

Printed in Japan